715.

p 191-205
13-51

La Piger
et tapiz.

HOMENAJE

A

JUAN CARLOS ONETTI

Editor

HELMY F. GIACOMAN

HOMENAJE
A
JUAN CARLOS ONETTI

Variaciones interpretativas en torno a su obra

anaya◆lasamericas

International Standard Book Number 0-87139-031-0
Library Congress Catalog Card Number 73-77890

_c e_

© Helmy F. Giacoman
L. A. Publishing Company Inc.
40-22, 23 rd. Street
Long Island City
New York 11101
Producido por ANAYA
I.S.B.N.: 84-399-2470-4
Depósito legal: M. 33625/1974
Printed in Spain
Impreso en Necgrafis, S. L. Santiago Estévez, 8. Madrid

INDICE

Prefacio

Helmy F. Giacoman

En 1967, al recibir el Premio Rómulo Gallegos, en Caracas, Mario Vargas Llosa expresó lo siguiente:

...pienso en el gran Onetti..., a quien América Latina no ha dado aún el reconocimiento que merece...

Esta colección de estudios críticos de la narrativa de Juan Carlos Onetti se propone remediar, modestamente, esa manifiesta injusticia con uno de los escritores más trascendentales de nuestra literatura.

Los textos reunidos en este volumen estudian la obra de Onetti desde distintas perspectivas que se aúnan en estas constantes: una visión escéptica y demoledora de la pretendida integridad y comunicación del hombre en su circunstancia; una constante obsesión por la incapacidad humana de concretizar sus anhelos en un tiempo dado, visto por el autor en un desgaste incesante; un progresivo buceo existencial y una indagación agónica en las zonas soterradas de la personalidad.

A pesar de admitir la existencia de estos elementos, creo que esa narrativa muestra la cosmovisión de un gran idealista abrumado por las contingencias de lo perecedero, e implica una rebelión, frente al *pathos* humano, cuyo imperativo categórico se impone hoy más que nunca para hacer posible un reencuentro con la autenticidad humana.

Origen de un novelista
y de una generación literaria(*)

Ángel Rama

* Este estudio se publicó en el libro *Juan Carlos Onetti*, Casa de las Américas, La Habana, Cuba. Lo reproducimos de esa fuente con la autorización de ese centro cultural.

1. *Origen de una época literaria*

Por los años 1938 a 1940 se registra una fractura en la cultura uruguaya, la cual abre, por el sesgo de una nueva interpretación de los valores, tanto éticos como artísticos, un período creador que luego de ahincada pelea ha de regir, poderosamente, la vida intelectual del país. Esa fractura coincide con el acceso de una generación de escritores cuyas edades oscilan entre los veinte y los treinta años, quienes en parte la provocan, y cuya acción se proyecta sobre el fondo particularmente revuelto de la vida nacional e internacional de esos años. Políticamente esa circunstancia histórica se tipifica en la lucha mundial contra el fascismo que parece el gran triunfador de la hora: derrota de la España republicana, ocupación de Austria y de los sudetes checoslovacos, transacciones de Munich, pacto germano-soviético que rompe la unidad de la izquierda antifascista, iniciación de la guerra y victoria del nazismo, crisis económica y dictaduras derechistas en América Latina —el «terrismo» en el Uruguay—, general intento de agrupación de las fuerzas «progresistas» que en nuestro país se expresa en la acción del Ateneo «por nueva Constitución y leyes democráticas», y debilidad de todos estos movimientos. Un cuadro que condujo al escepticismo a muchos y que sólo superó una minoría sicológica y sociológicamente formada.

El signo frustráneo de esos años lo ha registrado agudamente el testigo más lúcido de la época. En un reciente editorial, ha escrito Carlos Quijano revisando desde la actual perspectiva el golpe de estado del 31 de marzo de 1933:

> El 31 de marzo es un recodo de nuestra historia, pero no lo es menos, y acaso lo sea más, el año 1938. En este último, con más claridad que en aquella fecha —se tarda a veces en comprender el cabal significado de los hechos, aunque pueda intuírsele—, la historia del país se bifurcó. El 31 de marzo fue la reacción encabezada por las clases dominantes y más capaces. El año 1938 mostró que la resistencia al golpe de estado había equivocado el camino. Para vencer a la reacción no se podía transitar por los mismos caminos de ella, buscar el apoyo en las mismas fuerzas que habían reclamado el golpe o lo habían tolerado. El tiempo, bien corto por cierto, no tardó en demostrarlo. Cuando los núcleos políticos, desalojados el 31 de marzo, volvieron al gobierno, dejaron en pie no sólo las estructuras que habían posibilitado el golpe, sino también las propias construcciones de la dictadura. Se reinstalaron en el edificio conservado y reacondicionado o adornado por ésta. Todo siguió como antes y la lucha que contra la reacción se inició el 31 de marzo, en vez de abrir nuevas alternativas al país, se diluyó en una oscura confusión.

En diciembre de 1939 —hace justamente veinticinco años— se publica un pequeño libro que puede considerarse pieza fundamental de la literatura —y la estética— que comienza a abrirse paso, primero lenta y dificultosamente entre jóvenes intelectuales, y que luego se impondrá de modo rotundo, hasta excluyente. Es *El pozo,* con el cual comienza su carrera un joven escritor que llegará a ser el primer novelista del país, aquél, merced al cual nuestra narrativa, ingresa a las formas modernas, cultivadas en Europa desde la primera posguerra. Juan Carlos Onetti, su autor, tenía entonces treinta años y hacía tiempo que escribía con rabia y furor, mientras leía de modo convencido a Proust, Céline, Huxley, Faulkner, Hemingway, y, junto con la literatura universal, descubría el provincianismo de la nacional. El libro tiene sólo 99 páginas y lleva el siguiente colofón:

> Se terminó de imprimir a mediados del mes de diciembre de 1939, en la imprenta «Stella», de Canel y Cunha, Brito del Pino, 810, Montevideo, Uruguay, para Ediciones Signo.

Es un volumen de 15,5 por 11,5 cm, editado en papel estraza gris, con una tapa ocre, ilustrada con un dibujo que firma Picasso y que, aunque es fama es de la propia mano de Onetti, pertenece a Canel. El *copyright,* de rigor, es «by Ediciones Signo», aunque es difícil que los editores hubieran comprado los derechos y los hubieran registrado.

Cuando se reconstruya la actividad editorial que el poeta Juan Cunha desplegó a partir de 1937 —fecha en que vuelve a la literatura después de su adolescente y precoz *El pájaro que vino de la noche*— se hará, simultáneamente, una lista de valores jóvenes importantes de esos años, comprobándose, de paso, la calidad de su juicio estético, nada fácil cuando se aplica a principiantes. Porque si bien hubo una cuota de normal «amiguismo» en la selección de escritores, eso funcionó sobre un trasfondo de mutuo acuerdo artístico, de orientación estética coherente, aunque no definida de modo crítico. La que correspondía a esa promoción transformadora de la literatura nacional que germinaba en los años iniciales de la Segunda Guerra Mundial. Aunque la preferencia de Cunha iba hacia la poesía, su nombre apareció asegurando —junto con el de Canel, quien luego se orientó hacia la música— la edición de obras en prosa, de las cuales el tiempo consagró especialmente a ésta. La tirada, de 500 ejemplares, se vendió muy mal; prácticamente no tuvo prensa ni nadie que destacara las raras cualidades del volumen, y la edición casi entera quedó apilada en los depósitos de Barreiro y Ramos, su distribuidor. Es actualmente una pieza rara, codiciada por los bibliófilos, y, desde luego, por los lectores. De acuerdo con una injusta ley de la literatura de Onetti, quien durante veinte años sólo tuvo un público minoritario, no volvió a editarse.

El bienio 1938-1940 es particularmente rico en la producción de Onetti, quien trabaja con furor juvenil. En él escribe una novela, *Tiempo de abrazar,* que debe estar terminada en noviembre de 1940, fecha en que la presenta al concurso de Farrar y Reinehart, novela que nunca editará y de la que sólo se conocerán algunos fragmentos. Publica *El pozo* y escribe varios cuentos, algunos de los cuales serán recogidos en *Un sueño realizado* (1951). Prepara apresuradamente su novela *Tierra de nadie* que habría de obtener el segundo premio de un concurso de la editora Losada y sería publicada el 27 de junio de 1941. De inmediato comienza a escribir *Para esta noche,* llamada originariamente *El perro tendrá su día.* En 1939 Carlos Quijano lo elige como secretario de redacción del semanario *Marcha* que comienza a aparecer el 23 de junio, donde también asegura una sección literaria. En ella alternan recortes de diarios extranjeros referidos a Céline, Proust, Faulkner, con breves artículos sobre problemas de literatura nacional —«La piedra en el charco»— que firmaba con el seudónimo Periquito el Aguador, y cuentos más o menos exóticos o policiales que escribía bajo seudónimos ingleses para rellenar el número cuando faltaba material. A este primer período de la narrativa de Onetti pueden adscribirse otros materiales, incluso muy posteriores, como *La cara de la desgracia* (1962), donde reelabora el cuento «La larga historia» que había publicado en Alfar, número 84, de 1944.

No se trata de una actividad aislada, a la cual es el único que se consagra entre los nuevos escritores de la época, sino que estamos en el período de eclosión de una nueva literatura, en el momento en que se hace la obra importante de Líber Falco, Juan Cunha, Despouey, Trillo Pays, cuando emergen Carlos Denis Molina, Alfredo Gravina, Carlos Martínez Moreno, Beltrán Martínez, José Pedro Díaz, Amanda Berenguer, Orfila Bardesio, Guido Castillo, Arturo Sergio Visca, Mario Arregui, Parrilla y el pintor Cabrerita, los críticos del cine nuevo, Alsina, Alfaro, Rocha, Trelles, los escritores Carlos Maggi, Manuel Flores Mora, Carlos Rama, Carlos Real de Azúa, etc. Dentro de un general desconocimiento mutuo, sintiendo el olvido y la desatención, pero ya agrupándose en verdaderas fuerzas de choque, sobre todo en torno al semanario *Marcha,* emergen jóvenes escritores que aportan su voz propia y original, condicionada, tanto a favor como en contra, por las líneas culturales que dominan la época. En ese bienio vemos aparecer una nueva concepción del arte y de la vida conjuntamente con una serie de creadores cuya producción se extenderá por los decenios siguientes. En otro lado («Lo que va de ayer a hoy», *Marcha,* 28 de agosto de 1964) me he referido largamente al período, a las circunstancias histórico-políticas y estéticas que le dieron nacimiento, a los elementos constitutivos de la nueva generación y a los principios que movieron su actividad. Esa generación, que podría llamarse de 1939, o de *Marcha,* o, para coordinarla con el movimiento general latinoamericano, de 1940, según estima Anderson Imbert, impondrá sus orientaciones, con los diversos matices que funcionan dentro de toda generación, hasta 1955, fecha en que una nueva aportación juvenil y una nueva problemática histórica señalan fuertes transformaciones de su cosmovisión.

De ese primer período quizá no haya —en prosa— escritor más representativo que Juan Carlos Onetti. No sólo por su excelencia artística, sino por la coherencia extremada de su visión del mundo y de la expresión literaria de la misma. Más y mejor que en otros, en él se nos manifiesta un entendimiento de la realidad, a partir de la suya propia y de la social de su tiempo, que se articula en formas artísticas precisas que son su consecuencia literaria nítida. A esa cosmovisión originaria ha sido tercamente fiel, aunque, obviamente, ella ha sufrido las plasmaciones que el tiempo recorrido impone de modo fatal, sin por eso transformar sus principios originarios. Volver a analizarla, ahora, desde la perspectiva que nos ofrece una creación artística que puede considerarse ya cumplida en lo esencial, nos permitirá entender mejor a su autor y entender mejor a su tiempo.

2. Una soledad radical

«Yo soy un hombre solitario que fuma en un sitio cualquiera de la ciudad.» La primera insignia de El pozo es la soledad, que se extiende como lepra tenaz para obturar las posibles aperturas en las vivencias de su personaje central —Eladio Linacero—, quien cuenta en primera persona. Ya Mario Benedetti observó que esta definición no sólo rige el primer relato de Onetti, sino que anuncia «la atmósfera de las novelas y los cuentos».

Hay aquí una soledad física, concreta: el protagonista está en su minúscula y miserable pieza de pensión, «solo y entre la mugre» sin saber qué hacer, vacío de apetencia, rodeado por un vecindario ruidoso, vulgar, grosero, que pone a su alrededor una corona vitalista que es a la vez hostigante, y con la cual no tiene ni quiere tener ninguna comunicación.

Hay también una soledad afectiva. Este personaje ha suspendido su vinculación amorosa o amistosa con cualquier otro ser. Eladio Linacero está viviendo el instante siguiente a la disgregación amorosa, y anterior a una nueva experiencia. Ha pasado un año de los últimos plazos judiciales relativos a su separación de Cecilia; las relaciones eróticas ocasionales —alguna prostituta, alguna intelectual conversadora— sólo sirven para acusar el vacío afectivo que no se decide a aceptar («no quiero aceptarlo porque me parece que perdería el entusiasmo por todo, que la esperanza vaga de enamorarme me da un poco de confianza en la vida»). Tampoco hay auténtica relación de amistad («no tenía amigos ni nada que hacer») y los hombres que baraja sirven para subrayar la imposibilidad, esencia de toda relación amistosa: la incomprensión de Cordes, el intelectual pequeño burgués; la incomprensión de Lázaro, el compañero de pensión consagrado a la militancia social. Respecto a éste, sin embargo, y por debajo de la línea del enjuiciamiento despectivo a que lo somete Eladio, se percibe una vaga solidaridad animal. Pero Eladio Linacero no quiere reconocer esta soledad afectiva como la respuesta a una determinada circunstancia de su vida presente, sino que la interpreta como una constante de su personalidad: al reconstruir su adolescencia reencuentra la misma adusta falta de contacto con el prójimo: «Ya entonces nada tenía que ver con ninguno.»

En una manifestación totalitaria de la soledad, la afirma casi como principio que le sirve para oponerse a la sociedad humana. La mira con un desprecio que malencubre la congoja, destacando de ella su espontánea grosería vital, su fuerza instintiva que se complace en la mediocridad, su alegría espesa y variopinta, en definitiva la reconoce como masa abotagada y complacida en la materia que es, por oposición, a toda aspiración espiritual —aunque no intelectual— más pura y delicada. «Las gentes del patio me resultaron más repugnantes que nunca»; «sentí una tristeza cómica por mi falta de espíritu popular. No poder divertirme con las leyendas de los carteles, saber que había allí una forma de la alegría, y saberlo, nada más»; «mujeres para marineros, gordas de piel marrón, grasientas, que no entienden el idioma». Y por último los enjuiciamientos drásticos acerca de la naturaleza humana: respecto al niño embarrado que anda a cuatro patas por el patio de la pensión: «me dio por pensar en cómo había gente, toda en realidad, capaz de sentir ternura por eso»; respecto a los adultos: «no hay gente así, sana como un animal. Hay solamente hombres y mujeres que son unos animales».

La exageración extremada de ese enjuiciamiento está en una violenta definición del pueblo norteamericano («no hay pueblo más imbécil que ése sobre la tierra) y es bastante comprensible que Onetti haya juzgado alguna vez que la afirmación de su personaje era disparatada. Lo es, y sólo sirve para mostrarnos, por el exceso de la requisitoria, la tesonera soledad en que Eladio Linacero se envuelve, altivamente. Dentro de la misma línea pueden incorporarse otros exabruptos, como el que dedica a la clase media: «todos los vicios de que pueden despojarse las demás clases son recogidos por ellas». Estas afirmaciones recogen algunas consignas facilongas del «progresismo» de la época, que en este libro son incorporadas a una visión ácida y coherente de la sociedad, donde todos son despreciados a partir de la rabiosa soledad del personaje. Sólo salva, con lirismo, algo superficial, a «los pobres, hijos de pobres, nietos de pobres», en quienes descubre «algo esencial incontaminado, algo hecho de pureza, infantil, candoroso, recio, leal», con lo cual está definiendo, por el negativo, las condiciones que hacen despreciables a las demás criaturas de la sociedad montevideana. Al mismo tiempo, como veremos más adelante, eso forma parte de los valores morales en los que sigue creyendo con cierto furor adolescente.

Esta soledad es potenciada por la invención literaria hasta transportarla a un estado de desolación lancinante. El relato lo escribe

un hombre, solo, durante un día de fiesta («Las calles cubiertas
de banderas»), un hombre que cumple cuarenta años y hace el resumen de una existencia de fracasado, de resentido incluso (la
doble fiesta que se celebra en soledad, sirve para acrecentar este
fracaso en un modo dolorido y rebelde, ofreciéndoselo «en contra»
a los demás), un hombre encerrado en una pieza calurosa («soplando
el maldito calor que junta el techo y que ahora, siempre, en las
tardes, derrama adentro de la pieza»), un hombre que escribe (cosa
que es presentada como una forma de segregación del conjunto),
y que concluye su relato en la noche solitaria que la absorbe como
a un objeto inerte y lo conduce con su fatal y misterioso imperio:
«fue ella la que me alzó entre sus aguas, como el cuerpo lívido de
un muerto y me arrastra, inexorable, entre fríos y vagas espumas,
noche abajo». Esta última imagen, que reinstaura el mito romántico de la noche, sirve de consumación a la experiencia de la soledad que el relato desarrolla; testimonia la obligada finitud a que
ella conduce, su intrínseca incapacidad para generar de sí misma una
continuidad, para ser otra cosa que cierre definitivo de la vida. De
ahí la normal disgregación del hombre dentro de la soledad y dentro
de la noche, su entrega pasiva a la totalidad de mundo oscuro e
impenetrable, inescrutable, que acarrea.

Lo que a ella se entrega es un «cuerpo muerto», un ser exhausto
por la intensificación de la soledad, un ser ya mudo para los sueños:
«Esta es la noche. Voy a tirarme en la cama, enfriado, muerto de
cansancio, buscando dormirme antes de que llegue la mañana, sin
fuerzas ya para esperar el cuerpo húmedo de la muchacha en la
vieja cabaña de troncos.» Dentro de nuestras letras podría recor-
darse el poema de despedida de María Eugenia: «y quien me es-
cuche, oiga sólo mi paso en la soledad». Debe registrarse, aquí, la
cualidad acuosa de la noche, su fuerza dominante, y su negrura
cerrada, porque estos tres elementos tipificadores, cuando aparecen
para calmar y absorber una experiencia demasiado desgastante de
soledad, apuntan a un reino más complejo, más hondamente incrustado en lo biológico, que el de la simple noche terrestre.

A tal punto ha sido aislado el personaje de toda comunicación,
y es tan fuerte el subrepticio padecimiento que ello le causa, que
justamente es la soledad la que genera la imperiosa necesidad de
escribir. Se es escritor —parece decírsenos por debajo de las letras—
cuando se está en soledad absoluta, con lo cual no sólo los temas
y los personajes se inscriben en la soledad, sino que la misma literatura —estilo, estructura, composición— nace de ese estado, y es
él quien tiñe los materiales de su particular tono afectivo. La tensión expresiva, la áspera violencia tonal, el desgarrón afectivo del
lenguaje, que singularizan el relato, se originan en esa situación pe-

culiar de la creación artística; ella los impregna con su ardor san-
guíneo y es así que superan la generalizada impostación escéptica
consiguiendo su ambigua ubicación. Por una parte responden a una
concepción mental escéptica, por otra nacen del torbellino emocio-
nal que la fractura provocada por la soledad ha hecho germinar.

Por un conocido mecanismo sicológico compensatorio, el estado
de soledad intensifica la «necesidad» de la literatura; aparece en
la conciencia que la reflexiona, no como esparcimiento, no como ejercicio de invención artística, no como adoctrinamiento ni como plenitud de la fantasía, sino marcada por algo que se designa como
«fatalidad creadora» (un poco a imagen de la conocida recomendación de Rilke a los jóvenes poetas) y que es la transustanciación
de aquella profunda ansia de comunicación que ha sido cegada en
otros caminos. La literatura se nutre de esa peculiaridad humana
—a saber su naturaleza social, comunicante, incluso gregaria— que
ha sido erradicada o al menos disminuida en la zona común de expresión y ejercicio (habría que saber por qué) y que refluye a
borbotones a través de la escritura.

Desde el ángulo de la sicología del arte, este tipo de literatura,
al funcionar como compensatoria de la asimilación a un medio, se
tiñe intensamente de vida personal, privada, subjetiva e incluso está
poderosamente anclado en lo biográfico. Si se es desdeñoso del
medio social («¿qué se puede hacer en este país? Nada, ni dejarse
engañar»), si en cambio se es afirmador de lo personal, se debe a
que la obra nace de un estado de ruptura crítica entre el creador
y el contorno. Es una pugna donde entra en peligro la vida espiritual del creador. De ella vence por el desvío de una creación que
lo provee de la instintivamente ansiada supervivencia. Así se ata
con nudo fuerte la vida y las letras, así se afirma que la vocación
literaria es asunto fatalizado. El escritor —dirá Onetti en *Marcha*
en este mismo año en que escribe *El pozo*— «escribirá porque sí,
porque no tendrá más remedio que hacerlo, porque es su vicio, su
pasión y su desgracia».

Este punto de partida solitario establece normas literarias, en
especial la concepción del personaje, que no tendrán variación notoria en el resto de la producción onettiana. Hombres solos, incomunicados, acechantes; hombres acorazados, externamente fríos y
despectivos para preservar secretas ternuras entendidas como debilidades por relación al mundo hostil; hombres distantes unos de
otros, aun en la amistad y el amor. En *El pozo*, debido a que el
relato se instala homogéneamente en el centro de uno de ellos,
no se registra esta concepción con la amplitud que alcanza en el
texto que Onetti escribe de inmediato, *Tierra de nadie*, y donde
maneja desde afuera diversos personajes del tipo de Eladio Linacero.

La técnica de composición de la novela, su brusco recortado de escenas, momentos, iluminaciones, gestos, desgajados unos de otros, sin fluidez interior, tipifica, en el mundo de las técnicas literarias, la acción de los personajes solitarios y de su incapacidad de comunicación. Dentro de cada escena se instala el juego de los seres aislados que usan el idioma como varas largas para tocarse apenas, preservándose bajo sus respectivos caparazones. Cualquier escena dialogada de la novela evidencia ese funcionamiento fracturado: en la escena IX hay tres personajes amigos que viven juntos y separados a la vez, compartiendo un tiempo, pero no compartiendo una vivencia común; ni siquiera se juzgan con especial intensidad; simplemente se contemplan mientras cada uno sigue su desarrollo propio, y en definitiva se compadecen.

Por la misma razón el diálogo se torna elíptico y expresa muy poco lo que siente o desea el personaje; generalmente se usa para lo que no importa demasiado que es lo social— y llega a funcionar como otro medio de encubrir la personalidad, reforzando la soledad esencial en que vive la criatura novelesca. Que la técnica narrativa utilizada por Onetti en su novela tenga que ver con la inventada por Dos Passos para insertar personajes en coyunturas urbanas parecidas, reafirma un origen semejante en la concepción del hombre situado en medio de la multitud ciudadana.

3. *El coraje de ser auténtico*

«Es cierto que no sé escribir, pero escribo de mí mismo.» Este desafío propio de una literatura confesional tiene la petulancia —y el coraje— de un manifiesto, y corresponde a una actitud coherente de oposición polémica a la literatura que dominaba en la fecha en el país. Algunos textos que publica en *Marcha* razonan esta posición, mediante el régimen de un ataque cerrado a la literatura bien escrita —en un sentido casi académico—, pero carente de verdad y de íntima motivación, que tenía por entonces un aplauso oficial. Puede encontrarse en esos textos un eco de la afirmación que, en el prólogo de *Los lanzallamas,* hace Roberto Arlt: «Se dice de mí que escribo mal. Es posible. De cualquier manera no tendría dificultad en citar a numerosa gente que escribe bien y a quien únicamente leen correctos miembros de su familia.» Arlt fue quizá el único escritor rioplatense descubierto en ese entonces por Onetti y aceptado en parecido plano al de los grandes novelistas de la vanguardia europea. En él podía reconocer la posición «antiliteraria» por asco de una literatura de «floripondio», como se decía entonces, posición que hacían suya los jóvenes escritores.

Por eso decía Onetti:

Estamos en pleno reino de la mediocridad. Entre plumíferos sin fantasía, graves, frondosos, pontificadores, con la audacia paralizada. Y no hay esperanzas de salir de esto. Los «nuevos» sólo aspiran a que algunos de los inconmovibles fantasmones que oficían de Papas les digan una palabra de elogio acerca de sus poemitas. Y los poemitas han sido facturados expresamente para alcanzar ese alto destino. Hay sólo un camino. El que hubo siempre. Que el creador de verdad tenga la fuerza de vivir solitario y mire dentro suyo. Que comprenda que no tenemos huellas para seguir, que el camino habrá de hacérselo cada uno, tenaz y alegremente, cortando la sombra del monte y los arbustos enanos.

Vivir en soledad y mirar dentro de sí son los dos principios aconsejados. Son los mismos que pone en práctica en *El pozo,* dándonos esta muestra novedosa de literatura dramáticamente confesional. Su virtud, que la coloca por encima de los productos de esos vilipendiados plumíferos, está en su apelación a la verdad, que es, simultáneamente, fidelidad a una realidad vivida.

El escritor debe hablar de lo que conoce auténticamente, contando con entera sinceridad, sin disimulo ni escamoteos. Esa actitud es su carta de triunfo; y aquello que conoce verdaderamente es su propia vida, razona de modo implícito Onetti. Por su parte el *alter ego* Eladio Linacero afirma: «me gustaría escribir la historia de un alma, de ella sola». De este modo se enfrenta a la actitud retórica que cree ver en los escritores del momento, en cuyas obras, literatura y vida están segregadas, no siendo la primera directa emanación de la segunda. Así lo expresa en el texto de *Marcha* anteriormente citado:

> Más adelante se impondrá una seria investigación en la vida privada de nuestros escritores. Presentimos grandes sorpresas. Sobre todo para los que sólo conocen nombres, y un ángel aludo preservó de los libros. Juraríamos —y estamos dispuestos a apostar— que los hechos personales de los mencionados escribas en nada difieren —oh romántico desengaño— de los que perpetran día y noche, los buenos burgueses que no leen sus libros. Y esto, que parece, en serio, un desencanto romántico, tiene su importancia. Es un problema de sinceridad. Escribirse un *Hambre* —a la Hansum, claro— y pesar cien dichosos kilos, es un asunto grave. Pergeñarse algunos *Endemoniados* —a la rusa, no hay por qué decirlo— y preocuparse simultáneamente de los mezquinos aplausos del ambiente intelectual criollo, es motivo para desconfiar.

La sinceridad se le aparece como el elemento «comprobatorio» del arte. La literatura comienza a partir de la experiencia de vida auténticamente vivida (entendiéndola parcialmente fuera de los andadores de la vida burguesa) y es principio tan radical (que ha de imponerse en la vida cultural del país), que aun la palabra «literatura» suena a retórica. Se podría hablar en Onetti de una actitud «antiliteraria» que respalda la escritura de *El pozo,* en la misma dirección que asume el segundo Darío para escribir «sin comedia y sin literatura». La repugnancia de Onetti por la comedia intelectual en que se complace un medio muy provinciano —los premios oficiales, las cartitas, el toma y daca elogioso— se traslada a su relato y se debate dentro de él paralelamente a su planteo programático en las páginas de *Marcha.*

Su personaje central se le parece; ha pasado por la Universidad; es un escritor potencial; vive, aunque le pese, en un medio intelectual; tiene un amigo que le lee poemas y una amiga que habla de Huxley y de la «musicalización de la novela». Tanto uno como la otra son severamente disecados en escenas cáusticas. Pero si todavía tratándose de ello hay por momentos un acento de estima mínima, sólo queda rabia y desdén cuando habla de la «clase intelectual» en uno de los fragmentos que más traducen el afán de desahogo personal que lo mueve:

> Y cuando a su condición de pequeños burgueses agregan la de «intelectuales», merecen ser barridos sin juicio previo. Desde cualquier punto de vista, búsquese el fin que se busque, acabar con ellos sería una obra de desinfección. En pocas semanas aprendí a odiarlos; ya no me preocupan, pero a veces veo casualmente sus nombres en los diarios, al pie de largas parrafadas imbéciles y mentirosas y el viejo odio se remueve y crece.

Se refiere, en particular, a los «intelectuales de izquierda» y lo que en ellos aborrece es la mentira, la falsificación palabrera, la retórica populista desvinculada de sus conductas privadas. No son sinceros y su obra queda viciada por esa inautenticidad que muchas veces recubren, sagazmente, con artificios.

Por eso la búsqueda de la autenticidad, al menos en la primera etapa de Onetti, va acompañada de una retracción ante todo artificio, un instintivo rechazo de la escritura cuidada, poética, a la que, sin embargo, tendía, y luego se le vio claramente su naturaleza estética. Onetti rompe, voluntariamente, las posibles convenciones del relato, y por este rasgo que no se repetirá, recuerda algunos textos de Felisberto Hernández. Para justificar la actitud del personaje puesto a escribir apela a una fórmula simultáneamente humorística y sarcástica: «un hombre debe escribir la historia de su vida al llegar a los cuarenta años, sobre todo si le sucedieron cosas interesantes. Lo leí no sé donde». O pone al descubierto las posibles torpezas de la escritura tratando que el juego del escritor se haga a la vista:

> No sé si cabaña y choza son sinónimos; no tengo diccionario y mucho menos a quien preguntar. Como quiero evitar un estilo pobre voy a emplear las dos palabras, alternándolas.

Esa persecución de lo sincero —que consigue plenamente porque su libro tiene el espontáneo aire de una confesión veraz— se trasunta en una escritura llana, directa, que no vacila en las palabras más comunes ni en las referencias ambientales chocantes. Conviene apuntar que bajo el aire desmañado hay un estilo con una modulación original, pero que impresiona como un habla espontánea, oscilante, divagatoria, con notoria capacidad plástica y animación viviente. Es un estilo hablado que se pliega a las formas laberínticas del monólogo en alta voz, un estilo áspero, seco, que pocas veces cede a la efusión lírica —los sueños, el final— y que sella toda la primera producción de Onetti. Revela así la virulencia de su reacción contra un ambiente dominado, en poesía, por el preciosismo a que había ido a parar el hermetismo original.

Del mismo modo, toda la articulación estructural del relato, donde constantemente se entrelazan, sustituyen y alternan temas y evocaciones, están tratando de expresar, con su libertad de composición, el ritmo imaginativo, real, respetándolo en su formulación al parecer caótica y asistemática, como garantía de la sinceridad creativa. La observación repentina —«Pero esto tampoco tiene que ver con lo que me interesa decir»— o la fórmula de generar el anticlímax —«no es porque no tenga otra cosa que contar. Es porque se me da la gana, simplemente»— evidencian esta entrega a la fluencia espontánea de las evocaciones, en una actitud típicamente «antiliteraria» enemiga de toda composición *a priori* (aunque en definitiva concurra a establecer otro método de composición) para realzar el trasfondo sincero, natural, de que nace la literatura: traslado al papel de una vida vivida con lineamientos propios, enemigos de las fórmulas establecidas por la sociedad. No está muy lejos de la fórmula que por el año 1925 obsesionaba al joven Hemingway en París, aunque el estilo de Onetti encontrará su equilibrio en la huella fulkneriana.

Otro recurso es el uso de la primera persona y la ubicación del relato que se cuenta en el mismo presente en que está el lector, de modo que éste asiste al proceso de composición, lo ve construirse delante de sí, presencia sus dificultades contemporáneamente a su suceder en la vida del personaje y por tanto establece con él una relación muy próxima. Los tres elementos —personaje, situación, historia— se enlazan en un discurso presente que deviene en forma progresiva con el mismo ritmo y *tempo* que emplea el lector para conocerlo.

También hay que registrar la sinceridad en las violencias verbales y en las situaciones chocantes. Desde el comienzo aparecen elementos que disuenan: son datos realistas, directos, que si bien habían sido usados desde el naturalismo finisecular, no se habían integrado suficientemente a las letras nacionales. «Caminaba con las manos atrás, oyendo golpear las zapatillas en las baldosas, oliéndome alternativamente cada una de las axilas. Movía la cabeza de un lado a otro, aspirando, y esto me hacía crecer, yo lo sentía, una mueca de asco en la cara»; este fragmento ilustra de una doble actitud de Onetti respecto a los datos realistas, porque conviene anotar, desde ya, que si bien su literatura no escabulle la referencia grosera, tampoco se complace en ella y, en general, revela una contención pudorosa. Aunque se le ha considerado como autor realista, poco apropiado para lecturas adolescentes, ocurre que el tratamiento de sus temas —de suyo fuertes, generalmente eróticos, con personajes viciosos a menudo— es cauteloso, ajeno a todo afán de escándalo, siempre serio y vigilante en las formas expresivas. Estas cautelas se intensificaron a lo largo de su carrera, pero en los primeros textos la violencia verbal o situacional aparece con más rudeza al punto que la editorial Losada, en la solapa de *Tierra de nadie,* se consideró obligada a precaver al lector cuando «la audacia de algún pasaje, o la crudeza fonográfica de algún diálogo puedan parecerles excesivos».

4. *Las novelas de Montevideo*

«Entretanto, Montevideo no existe. Aunque tenga más doctores, empleados públicos y almaceneros que todo el resto del país, la capital no tendrá vida de veras hasta que nuestros literatos se resuelvan a decirnos cómo y qué es Montevideo y la gente que lo habita.» «Decía Wilde —y esto es una de las frases más inteligentes que se han escrito— que la vida imita al arte. Es necesario que nuestros literatos miren alrededor suyo y hablen de ellos y su experiencia. Que acepten la tarea de contarnos cómo es el alma de la ciudad. Es indudable que si lo hacen con talento, muy pronto Montevideo y sus pobladores se parecerán de manera asombrosa a lo que ellos escriban.» Son palabras casi proféticas que Periquito el Aguador escribía el 25 de agosto de 1939 (*Marcha,* I, 10), señalando un camino que Onetti recorrió con su literatura y que se impuso al país. La literatura que se produce veinticinco años después está instalada en la ciudad y ha servido para que se la interprete y explique de conformidad con la paradoja wildeana.

A pesar del aire admonitorio de la recomendación, Onetti no inventa la literatura urbana en el país, pues ella existía desde mucho antes y había tenido ejercitantes asiduos. El Uruguay dispone de prosas y poesías sobre temas urbanos casi desde sus orígenes, aunque en visible minoría con respecto a la dominante rural que rige prácticamente todo el siglo XIX y buena parte del modernismo, período en que entra en quiebra. Desde comienzos de siglo, y en la misma medida en que la capital se desarrolla y se impone al resto del país, la literatura la va descubriendo como asunto (el teatro de Sánchez y la poesía de Herrera y Reissig nos proveen de sus primeras imágenes antes que Frugoni y Herrerita la cultiven acendradamente). Pero la creación definitiva y coherente de una literatura urbana admite dos figuras mayores que cumplen su tarea entre 1910 y 1925: son, en prosa narrativa, José Pedro Bellán, y en poesía, Juan Parra del Riego, quienes pueden ser entendidos como los fundadores de esta corriente literaria que toma como centro de interés la vida conocida de la ciudad en pleno crecimiento. Ellos ofrecen las imágenes de una determinada ciudad, la que corresponde a la época batllista, y lo hacen impregnándola de los sentimientos e ideales que la mueven. Fijan una estampa pintoresca y tierna que, con el tiempo de uso invariable se tornará convencional y acuñará la trillada concepción del «barrio».

Tras ellos, la generación ultraísta cultivará el tema de la ciudad dinámica sobre los modelos rítmicos y nerviosos impuestos en Europa, dándonos la producción de Guillot Muñoz, A. M. Ferreiro, J. Ortiz Saralegui (es el puerto, las máquinas, los edificios modernos, como el Salvo, los autobuses y los transportes eléctricos, las costumbres de los *twenties)* y ya entonces aparecerá el análisis realista de la vida burocrática creada en ese mundo urbano tal como se define en Manuel de Castro *(Historia de un pequeño funcionario).*

No parece que Onetti conociera mucho de esa producción y, para el caso concreto de Bellán, con quien presenta puntos de contacto (por los temas urbanos, la inclinación hacia asuntos de extraño erotismo), puede sospecharse un desconocimiento total. Sus afirmaciones se explican, quizá, por el nuevo desarrollo de una narrativa de tema rural entre 1925 y 1940, por obra de diversos escritores de provincia que el crecimiento de Montevideo atrae a la capital desde donde proceden a una reconstrucción de sus vidas pueblerinas: es el caso de Zavala Muniz (en actitud retrospectiva) y también, dentro de una literatura modernizada y original, Enrique Amorim, Francisco Espínola, Juan José Morosoli, figuras superiores dentro de una pléyade muchas veces mediocre. Por obra de ellos los temas del interior (más exactamente los temas pueblerinos, sustituyendo la literatura sobre el campo y los gauchos) se prolongan dentro de nuestra narrativa. (Apresurémonos a señalar que la distinción entre literatura del campo y literatura urbana responde a una clasificación primaria y simplista, que no debe aceptarse: atiende como criterio clasificador a los asuntos, sin reparar que son pasibles de muy distintos y hasta contrarios tratamientos literarios —así lo prueba la evolución histórica de una y otra literatura— siendo en ellos donde debe buscarse los criterios de interpretación y valoración.)

Es más probable que Onetti quisiera afirmar que la literatura —pensando siempre en la narrativa— debía expresar la nueva ciudad que era Montevideo, en este eco atenuado de la monstruosa capital porteña: una ciudad tensa, dramática, moderna, más que nunca parecida a las europeas y norteamericanas o más decidida a parecérseles. Esto, que está prefigurado en las novelas de Arlt y se desliza en Mallea, ha de constituirse en la tarea concreta de los novelistas que emergen a partir de 1940 (en nuestra banda serán Onetti y Carlos Martínez Moreno y Mario Benedetti y en la vecina serán Onetti y Sábato y Marechal y Viñas, entre muchos atros). Desde luego, por una ley de mimetismo que signa las letras hispano-americanas, este descubrimiento de la ciudad real en que se vive y donde se forja el nuevo sistema de relaciones humanas, viene orientado por la literatura extranjera; puede sospecharse que quienes abrieron los ojos de los jóvenes escritores acerca de la realidad ambiente, fueron los novelistas europeos y sobre todo los norteamericanos que en ese momento comienzan a irrumpir en el Plata (Dreiser, Scott Fitzgerald, Dos Passos, Hemingway) mostrando las posibilidades de un tema que estaba al alcance de todos. Por eso, en las primeras formulaciones del tema urbano puede detectarse fácilmente el rastro de las lecturas, tanto o más que el hallazgo directo de una realidad vivida durante mucho tiempo.

En los primeros libros de Onetti los nuevos montevideanos se reconocieron, y aun podría decirse que se envanecieron, encontrándose con una ciudad que los aproximaba a los modelos literarios que admiraban. En un artículo (publicado en *Alfar,* número 80, año 1942), Carlos Martínez Moreno dice: «debe hacerse mención expresa de que *Tierra de nadie* es —¡al fin!— nuestra novela, la novela de estas ciudades rioplatenses de crecimiento veloz y desparejo, sin faz espiritual, de destino todavía confuso». Y más de veinte años después uno de los admiradores de la primera hora, Carlos Maggi, reconoce explícitamente esta condición que en 1939 anunciara Onetti, o sea, la de crear imaginativamente la realidad ciudadana:

> Empieza a darle a Montevideo, a Buenos Aires, a nuestras poblaciones, una manera de ser, un olor a lugar vivido que es el primer hueso para componer el esqueleto de un alma que todavía no tienen y que no podrá nacer de la sola realidad, sino de la imaginación y del arte, del uso sensible de los hombres y las cosas.

Debe reconocerse, por tanto, que la invención onettiana tenía alguna correspondencia con la realidad, desde el momento que lectores especialmente dotados le reconocían un aura verosímil y a la vez original. Sólo cabe anotar que las anteriores novelas montevideanas eran igualmente auténticas (*Los amores de Juan Rivault*, de Bellán, por ejemplo), pero reflejaban o inventaban un Montevideo ya ido. Con *Tierra de nadie* no se inventa ni mucho menos la novela montevideana, sino que el escenario y su fauna se ponen al día, se corresponden con una nueva realidad, o, al modo wildeano, la inventan en la ficción para que la realidad la imite, ya que ambos procedimientos se conjugan en toda creación literaria, si a ésta se la encara sociológicamente.

Los novelistas que, como Onetti, y la mayoría de los contemporáneos, ya no son narradores de la totalidad humana —en el modo decimonónico—, sino descubridores de determinadas, precisas y recónditas zonas de una realidad, trabajan a partir de ese fragmento del todo real, pero, por el proceso de totalización unitaria propio de la creación artística, trasladan este sector al centro creativo y se lo ofrecen a los lectores como una interpretación orgánica de toda la realidad. En esa medida fecundan y modifican la cosmovisión de una sociedad.

5. *Una generación sin fe*

Pero no es la descripción escenográfica la que interesa a Onetti, quien nunca le concedió a la ciudad circundante otra utilidad que la de ambientadora de las vivencias humanas, y de ahí sus rápidas referencias a Capurro, la rambla, a la bajada de Eduardo Acevedo, al café Internacional. Lo que le importa son los nuevos seres humanos que en ella se han desarrollado o que acaso ella, sin que el propio novelista lo sospeche, haya generado: sus cosmovisiones, su comportamiento, sus pasiones y pánicos.

Explícitamente lo afirma al presentar —y disculpar— su novela *Tierra de nadie* —cuya acción se desarrolla a lo largo de los años 1939 y 1940 en la ciudad de Buenos Aires, aunque en esas fechas el autor vivía en Montevideo donde la concebía—:

> Pinto un grupo de gentes que, aunque puedan parecer exóticas en Buenos Aires, son, en realidad, representativas de una generación; generación que, a mi juicio, reproduce, veinte años después, la europea de la postguerra. Los viejos valores morales fueron abandonados por ella y todavía no han aparecido otros que puedan sustituirlos. El caso es que en el país más importante de Sudamérica, de la joven América, crece el tipo del indiferente moral, del hombre sin fe ni interés por su destino. Que no se reproche al novelista haber encarado la pintura de ese tipo humano con igual espíritu de indiferencia.

El texto es revelador: Onetti tiene conciencia de la novedad de los tipos humanos que presenta, que pueden ser disonantes para los hábitos literarios del Plata —a pesar de *Los siete locos* y *Los lanzallamas*— y se apresura a justificarse apelando al implícito patrocinio de las letras europeas y al latiguillo de la posguerra, aunque sus efectos en estas olvidadas tierras latinoamericanas disten mucho de parecerse a los que tuviera —y justificadamente— en las de Europa arrasada por la contienda. Más legítimo ahora, más lógico, nos parece apelar a la nueva realidad urbana consiguiente a la macrocefalia capitalina de ambos países del Plata y al asentamiento de la masa inmigratoria en vías de nacionlizrse que instaura nuevas relaciones humanas dentro del ritmo agitado de una incipiente sociedad de masas. Y al mismo tiempo al escepticismo que una circunstancia histórica signada por el oportunismo, cuando no por el cinismo, instauraba en las jóvenes generaciones, al ver cerrados los caminos de una transformación socio-política que les hubiera permitido una generosa tarea colectiva.

La realidad histórica de esos tipos puede entreverse fugazmente y aun aceptarse; son seres verosímiles que por momentos se parecen o se emparentan con seres reales, pero son, ante todo, invenciones de un novelista. Los años transcurridos han logrado lo que en 1939 se proponía Onetti, siguiendo la lección de Wilde (también la de Proust, con lo cual se nos revela el trasfondo estetizante que signa su literatura), a saber que la realidad comenzara a imitar al arte, y que proliferarán en las ciudades seres vivos semejantes a los que inventara para sus novelas. Pero aun admiendo la influencia de los productos culturales sobre las formas de vida, debe convenirse en la realidad original de esas criaturas, que Onetti realísticamente ha tomado como modelos, y que Martínez Moreno, en el artículo citado reconoce, aunque sin concederle valor artístico probatorio:

> Gente parecida a la que arrancó a Lawrence su formidable requisitoria de «Kangaroo» cuaja en esa quietud amorfa e inteligente, en esa falta de fe, de ternura, de felicidad, de verdadera pasión, el tipo perfecto del inhibido natural, del desposeído en pasividad que forma a menudo la trama borrosa, imprecisa, de la vida de las ciudades mayores.

Conviene aquí un rodeo explicativo. Onetti no es un escritor histórico, al menos en sus propósitos literarios; no es un stendhaliano para quien la lección de los hechos, de las precisas circunstancias históricas en sus diversas inflexiones fácticas, determina el comportamiento humano (del personaje) haciendo que éste, más que obedecer a una naturaleza, decretada *a priori,* responda a la acción de la circunstancia en que vive (o contra la cual vive). Por el contrario predetermina sus personajes, de modo que los hechos en que participan y donde obligadamente se nos revelan, son ancilares de una peculiar naturaleza previa. Más aún: los hechos, frecuentemente, no los expresan, ni siquiera cuando ellos los manejan, y, al contrario, ellos se mueven en un aura fatalizada donde han sido consolidados. Pueden vincularse dos textos de *El pozo:* «Porque los hechos son siempre vacíos, son recipientes que tomarán la forma del sentimiento que los llene»; «Es siempre la absurda costumbre de dar más importancia a la persona que a los sentimientos. No encuentro otra palabra. Quiero decir: más importancia al instrumento que a la música.» La «persona» queda desmerecida por un valor, el «sentimiento», que se concibe separado de ella, aparte de separado del «hecho» en que se expresa, anterior a él, como una energía que no se gasta y que puede aplicarse indistintamente a cualquier circunstancia sin que ésta lo contagie.

Su originaria visión de la criatura novelesca está definida por Eladio Linacero en las primeras páginas de *El pozo,* cuando se dispone a empezar el relato: «Me gustaría escribir la historia de un alma, de ella sola, sin los sucesos en que tuvo que mezclarse, queriendo o no», lo que supone la autonomía del alma con respecto a los sucesos, estableciendo en definitiva una cosmovisión cristiana —aunque agónica y escéptica— según la cual la persona, o el alma, como más explícitamente aquí dice, está construida con anterioridad a su existencia real. Podría hablarse de una suerte de oscura predestinación a la que los sucesos servirían de progresivos tramos del develamiento, de modo que la historia no sería sino el cumplimiento fatal de las esencias.

La vida que evoca Eladio Linacero se abre con la primera imagen correspondiente a sus quince años en Capurro y concluye a los cuarenta que cumple mientras escribe. Voluntariamente elimina los años de infancia («Estoy resuelto a no poner nada de la infancia. Como niño era un imbécil») para arrancar desde el punto en que ya *es* y no podrá variar. Todos los personajes de Onetti tienen este nacimiento, y en su literatura no hay lugar para el niño. Ese momento en que empiezan a *ser* y donde el personaje queda definitivamente fijado —siendo todo lo que luego les sobreviene, hasta la muerte, distintas incidencias no modificantes de una concepción estable de la naturaleza humana— es el del descubrimiento del sexo. Sus personajes nacen como tales al descubrir el sexo en la pubertad y allí quedan cristalizados: de ahí procede la semilla central que los anima y que permanece dentro de ellos, incontaminada, contemplando cómo el resto es gastado por la vida, y padeciendo de su atroz atracción.

Tal estructuración del personaje no es inmediatamente visible, ya que una novela no son personajes puestos en un medio neutro, o real: medio y hechos varios de la existencia son creados por el mismo autor de los personajes estableciendo el sutil acuerdo previo. Los sucesos en la narrativa onettiana son serviciales apoyos del personaje para permitir la articulación aparente de sus esencias y de este modo proporcionar la sensación de un engañoso acaecer histórico. Reciben blandamente al personaje y se acomodan a su sello guardando de él la huella repetida.

Pero además estas novelas reducen voluntariamente el campo de la peripecia y prefieren la concentración sobre vivencias de algunos seres en forma desarticulada, destruyendo o descuidando los enlaces causales, de tal modo que las escenas se presentan unas tras otras débilmente motivadas y débilmente engendradoras de otras posteriores, como imágenes estáticas, frecuentemente incoherentes. Ello es visible, especialmente, en *Tierra de nadie.* Allí Onetti maneja un nutrido grupo de personajes de variados ambientes, en distintos escenarios, que giran como poleas locas, separados unos de los otros, sólo vinculados por los que son, «en el fondo, todos líos de dormitorio» —según dice Violeta— que apenas dejan paso a conversaciones muertas, sin entusiasmo ni participación. Claro está que hay una permanente nostalgia de la peripecia, como equivalente de esa acción exterior, en estado puro, que corresponde a las historias infantiles que sueña el protagonista de *El pozo.* Hasta puede pensarse, considerando algunas extravagancias de la acción en sus libros mayores *(Para esta noche, La vida breve)* que el autor sofrena una íntima inclinación por la fantasía aventurera, pues si bien lo seduce es a la vez muy consciente que resulta chocante si se la aplica a un campo operativo realista.

Prefiere torcer el cuello a esas efusiones, de conformidad con la línea permanente de retención que lo singulariza en literatura, y concentrarse en las sensaciones que origina en un determinado personaje una acción pasada o futura que ni siquiera es desarrollada. Pero cuando irrumpen los elementos de una acción imposible de evitar, adquiren de inmediato un aire mecánico, son rápidamente enumerados, o se disuelven en un aire fantasmal. Ejemplo, el cuento «La casa en la arena»; su centro es una situación violenta, típica del contar de los «duros» americanos que Onetti traslada a un clima de pesadilla incoherente. Y es así para Onetti, la acción es incoherente, es ininteligible en sentido lato: sólo puede alcanzarla a través de la fantasía libre, o sea, cuando no funciona en lo real. Por eso sus criaturas novelescas son interiormente paralíticas, aunque se muevan de un lado a otro, y justamente por ese moverse sin sentido.

Estos personajes están signados por su creador y son todos próximos parientes, hijos de una misma hornada. El arte sutil de

Onetti consiste en imprimirles rasgos adultos y desplazarlos por un ambiente concreto, acusando su realidad por una carga interior de retenida, confusa fuerza vital, que mucho deben a ese urgido afán comunicante que nace del vivir en soledad. Todos ellos son, como dice la presentación de *Tierra de nadie,* del «tipo del indiferente moral, del hombre sin fe ni interés por su destino». Más exactamente —porque en verdad sus destinos los hipnotizan y sólo piensan en ellos, y su amoralismo funciona sobre un soterrado desafío moral— son incrédulos y escépticos, no ponen su energía vital en ninguna causa externa a ellos, en ninguna fe que los obligue a obrar: están dentro de sí mismos, sólo atentos a un placer que muy a menudo se identifica con la autodestrucción, como suspendidos en el tiempo, repitiendo gestos, esperando una extraña iluminación que los redima y que está indisolublemente ligada a una experiencia de amor auténtico que, desde afuera, los ponga en marcha.

Para que tal descreimiento funcione, hay que partir de una infravaloración de las acciones humanas, una disminución despectiva de sus posibilidades de hacer o transformar al mundo y a sí mismos. «Todo en la vida es mierda —dice Eladio Linacero— y ahora estamos ciegos en la noche, atentos y sin comprender.» Es la definición más nítida y precisa de la situación de los personajes de Onetti, y ella se extiende al contenido y las formas de su literatura: infravaloración de la sociedad humana, comprobación de un general estado de ceguera, reconocimiento de la nocturnidad existencial y a la vez de la atención lúcida que le opone el sujeto, que es atención, nada más, y obviamente sólo depara dolor e incomprensión. (No es casual que la mayoría de las obras de Onetti transcurran en lugares cerrados y en horas nocturnas, ni es extraño que sean escasas las referencias al paisaje natural, el cual tiende a manifestarse surrealísticamente en estado de descomposición alucinatoria.)

Que no se trata de la concepción de un simple personaje, se muestra por las afirmaciones similares en otros: del pueblo argentino dice Casal (en *Tierra de nadie,* p. 124) «acaso sea éste el único pueblo de la tierra que no tiene fe y no cree en la inmortalidad». No es una afirmación exclusiva de criaturas literarias; también la hace el autor. En *Marcha* dice siniestramente que nuestro pueblo es de los más inteligentes de la tierra, porque «es un pueblo sin influencias, que no cree en el destino, en palabras, en tareas históricas ni en nada».

Incredulidad y escepticismo parten de comprobar la suciedad del mundo y el egoísmo humano: «No hay nadie que tenga el alma limpia, nadie ante quien sea posible desnudarse sin vergüenza» *(El pozo);* «en las conversaciones nadie habla de sí mismo. Nos imaginamos a un tercero o un cuarto que no existe y hablamos de lo que suponemos que puede interesarles» *(Tierra de nadie)*. «Piense: desde el Sur hasta México. Separe los indios, claro; y los gringos. Nadie tiene necesidad de Dios ni de fe. Entienda, cuando digo Dios. La gente es burlona, fría, tranquila, sensual, metida en sí misma. No se dan cuenta. Son todos cínicos, haraganes, despreocupados» *(Tierra de nadie)*.

6. *Política, ideologías, nacionalismo*

A partir de esta concepción de hombre y sociedad, deben encararse las discusiones que sobre asuntos político-sociales ocupan un espacio tan importante en las primeras obras de Onetti. Debe anotarse que es uno de los primeros escritores que se enfrenta a la problemática social de su época, no meramente en el plano de las reivindicaciones proletarias o rurales inmediatas, que ya había dado la literatura social del período progresista, sino debatiendo las ideologías en pugna y trayendo a la novela algunos representantes de la vida proletaria para polemizar la política internacional y la estrategia de la lucha obrera. Pocos años antes Horacio Quiroga había reconocido que esos temas lo habían superado, que la gran discusión de las ideologías socialistas no era de su tiempo ni temperamento y que quedaba ajeno a ella. Por el contrario, esa discusión entra legítimamente en Onetti, pero desde el plano de los enfoques generales abstractos muchas veces, o desde el plano de sus refracciones sicológicas, saltándose por tanto el plano real y medio, de las reivindicaciones, instaladas en lo concreto de la vida de los trabajadores.

Es evidente que Onetti parte de una perspectiva de izquierda, aunque en la actitud del francotirador. Tiene una ubicación, no diría socialista, sino vagametne izquierdista o progresista, pero al mismo tiempo trata de mantener una arisca actitud independiente, crítica y escéptica para enjuiciar la acción de las izquierdas: no sólo sus formas dogmáticas, sino también su justificado activismo. Si bien *El pozo* está sostenido por una fuerte convicción antifascista, también responde de modo muy directo a la gran decepción del pacto germano-ruso, más aún que a la anterior decepción de los procesos de la era staliniana, lo cual condiciona la conducta del personaje y del autor respecto a la acción social.

El mundo de los comités, de las agrupaciones solidarias, de los sindicatos incluso, ejerce su atracción sobre el primer Onetti y hay testimonios claros en *El pozo, Tierra de nadie* y en *Para esta noche,* la novela más explícitamente referida a estos temas, pero justamente aquella donde se produce la reconversión a lo particular, a lo subjetivo y privado que caracterizará en adelante la narrativa de Onetti. Desde luego que no presenta a las masas, sino a individuos —por cuanto el suyo es un arte de individualidades solitarias—. Son dirigentes, intelectuales, incluso meros afiliados, como Lázaro, y sus ideologías se encaran desde el plano de su fundamentación o causación sicológica, resolviéndose por tanto en conflictos personales. Con esto no sólo manifiesta su radical desconfianza por las «ideologías», equiparadas a la falsa conciencia, sino también una oposición a sus valores suprahumanos. Un buen ejemplo lo ofrece Bidart (en *Tierra de nadie*) con la forma en que juega y arriesga la huelga que dirige, moviéndose en una irresponsabilidad ilusionista al estilo del *Astrólogo* de Arlt; o el cinismo de Rolanda para considerar las luchas revolucionarias, donde es visible la simpatía del autor.

En *El pozo,* el tema está adscripto a Lázaro, el compañero de pieza, en quien tipifica las virtudes y, sobre todo, las ridículas costumbres del afiliado convencido. El retrato es cruel y a la vez cariñoso, con un último respeto que parece nacer de la fe revolucionaria del inmigrante que le seduce aunque no puede hacer suya. A través de su relación con él, Eladio Linacero manifiesta sus convicciones sociales y se nos manifiesta como un pequeño burgués que se distingue de los congéneres a quienes repudia, por su mayor sensibilidad y cultura que lo remiten a una situación inestable de «desclasado». Su desdén por los obreros politizados radica en que los encuentra interesados, como es lógico, y agrega, «movidos por la ambición, el rencor o la envidia», que es como acusarlos de moverse en la realidad y querer conseguir, en ella, los que estiman sus derechos. Su actitud respecto a estos obreros, así como su elogio de las gentes de pueblo por su candor e inocencia, delatan la fragilidad de la formación ideológica de Eladio Linacero, su último reducto pequeño burgués, su temor a «los de abajo». Seguramente apoyaría sus reivindicaciones en forma abstracta, general, desde luego podría acompañarlos, de lejos, en su acción, pero no puede aceptarlos en el plano concreto y real por lo mismo que es el plano entero el que no quiere reconocer como verdadero y como apoyo de todo sentimiento o idea.

Hay un texto de C. Wright Mills (en *El fin de las ideologías*) que habría que traer aquí para discutir su alcance. Dice: «el fin de la ideología representa, negativamente, el intento de retirarse a sí mismo y de retirar la propia labor de toda relevancia política; en lo positivo, es una ideología de complacencia política que parece la única salida que tienen ahora muchos escritores para cohonestar o justificar el *statu quo*». El sociólogo americano se refiere específicamente a un período de la posguerra que se habría iniciado en 1955, por lo cual su afirmación no puede extenderse imprudentemente a cualquier período y situación. De su texto cabe retener

la relación estrecha entre el descrecimiento acerca de la potencialidad de las «ideologías» y el «retiro a sí mismo» abandonando así
la convicción que la obra o el pensamiento pueden engendrar una
efectiva acción política.

En este caso concreto tanto el descrecimiento como el retiro
respondieron a varios factores históricos que se conjugaron: el poder
apabullante de la guerra destructiva que aplastó en la conciencia el
sentimiento de una posible acción individual eficaz; la desconfianza
entre los elementos progresistas respecto a las formas totalitarias de
la época staliniana que se coronó con la gran decepción y desconcierto del pacto con la Alemania nazi; la frustracción nacional cuando el gobierno de Baldomir, a cuyo triunfo habían concurrido espe-
ranzadas las fuerzas de izquierda, demostró la continuidad del sistema, la inoperancia, y el peso nulo que aquellas fuerzas tenían
sobre las nuevas circunstancias; la mediocridad, anclada sobre los
slogans facilongos y esquemáticos, que dominaban a una izquierda
mal preparada y peor conducida, carente de una buena educación
teórica. Estos factores explican el retiro de la militancia política
que tampoco llevó a asumir con convicción la lucha de las potencias
capitalistas de Occidente, aunque en ella pusieron subrepticiamente
su esperanza, y que en cambio condujo al escepticismo y al basa-
mento sicológico de lo que sería más tarde el «tercerismo». Por
eso no puede concluirse, con C. Wright Mills, que este retiro llevara
a cohonestar el *statu quo,* al menos en los propósitos de quienes lo
cumplieron, aunque en el campo operativo significara restar fuerzas
para una transformación del sistema y por tanto concurriera a mantenerlo. Pero ese momento de interior y exterior desgarramiento
no parecía permitir otra cosa que una esperanza: que de la batalla
contra el fascismo saliera una modificación profunda de la estructura socio-política.

En Onetti, como en otros escritores de la época, la quiebra de
las ideologías es más grave porque establece un vacío absoluto para
las motivaciones de la conducta, ya que esa ausencia no es reempla-
zada por la energía del nacionalismo, última tabla de la cual aferrarse. Incluso es perfectamente explicable que este fracaso ideoló-
gico establezca las bases para un esfuerzo, que dará sus frutos
recién más tarde, tendiente a redescubrir —y aun inventar— un
nacionalismo reelaborado a la luz de las nuevas concepciones sociales,
nacionalismo agónico al que concurrirán no sólo hombres de izquierda, sino también —y con más fervor— los que hayan visto
fracasar las ideologías de derecha. Ese nacionalismo tendrá una
apertura regional a través de la concepción nueva del latinoameri-
canismo o del hispanoamericanismo, tal como se verá en la prédica
de Servando Cuadros.

La nostalgia del nacionalismo, como sustituto de la ideología político-social, está muy presente en el primer Onetti. Con envidioso rencor Eladio Linacero considera a Lázaro como representante de una raza, y no entiende por ello el simple hecho biológico, sino el sostén poderoso que presta al hombre una cultura nacional llegada al estadio civilizador: «con su tono presuntuoso de hijo, de una raza antigua, empapado de experiencia, para quien todos los problemas están resueltos». Son esos ingredientes los que permitirían una ubicación plena y esperanzada dentro de la historia, en vez de la inseguridad escéptica en que se mueve un latinoamericano. Así, incluso el fenómeno político germano puede ser comprendido, a pesar que se le condene, debido a que se inserta en la historia: «Hay posibilidades para una fe en Alemania; existe un antiguo pasado y un futuro, cualquiera que sea», y, contrastada, la situación del Uruguay: «¿Pero aquí? Detrás de nosotros no hay nada. Un gaucho, dos gauchos, treinta y tres gauchos.» Y la referencia a la cruzada libertadora que dio la independencia al país —los Treinta y Tres, gauchos en vez de orientales— marca la que entiende falta de valores culturales, de normas nacionales que no hayan sido fabricadas simplemente por una tierra, sino por una sociedad desarrollada de modo coherente.

En definitiva registra el desamparo nacional y latinoamericano reconociendo la desconexión con los «gigantes padres» que hicieron la independencia y de los que afirma Llarví (en *Tierra de nadie*) que «nada tienen que ver con la gente que vive hoy aquí, argentina». Eso indica que la duda sobre el nacionalismo sigue siendo uno de los efectos secundarios del impacto inmigratorio de 1880 a 1930, aunque, a diferencia con la posición de las anteriores generaciones literarias que registraron diversos momentos del proceso, aquí se da paso a una vaga y sardónica esperanza de futuro: «los hijos de los inmigrantes ya no son italianos, ni españoles. Que han recogido una cosa nueva, distinta, que encontraron aquí. ¿Cuál podría ser si suprimimos la tradicional? Casal acepta esto. Pero pide que se cierren las fronteras por un tiempo, que se ponga en práctica lo que preconiza el aviador Lindbergh. Y que mientras se acaba Europa, se espere el resultado. Un par de siglos de incomunicación y tendríamos al argentino puro. Presume Casal que el producto sería apropiado para un campo de concentración o algo por el estilo».

Dentro de esta problemática habría que situar la preferencia de Onetti por personajes extranjeros, en particular los centroeuropeos, cuya adaptación a la realidad latinoamericana le sucede como un enigma que puede aportarle la explicación de sí mismo.

7. *El soñador*

«Yo soy un pobre hombre que se vuelve por las noches hacia la sombra de la pared para pensar cosas disparatadas y fantásticas.» Así dice Eladio Linacero al finalizar su larga escritura, cuando desfallece. Si hay una línea original y dominante que atraviese el relato, definiendo al personaje, es esta capacidad de «soñar» desprendiéndose de la realidad. Se trata de un rasgo propio del poeta que hace de él un ser donde actúan con alta vivacidad los elementos instintivos, donde la fantasía es robusta y ocupa el centro de la vida síquica. Es el rasgo donde mejor se delata la conmixtión entre personajes y autor.

Pero esta calidad de «soñador», que lo es aquí en estado puro, sin necesidad de justificarse mediante la escritura de cuentos o poemas, sino como mero ejercicio desatado de la fantasía, se mueve —aun contra la voluntad del autor— sobre una conciencia culposa. Lo atestigua al confesar que «si alguien dijera de mí que soy un soñador, me daría fastidio» y trata de mostrarse como un ser normal que «ha vivido como cualquiera o más», es decir, reconoce que el «soñar de la vigilia» es juzgado por la sociedad como forma vicaria del vivir cuando no como forma viciosa, juicio del cual es oscuramente partícipe y que le conduce a la última desolada negación: «Me tiro en un rincón y me imagino todo eso. Cosas así y suciedades, todas las noches.»

El relato abunda en las frustraciones que origina su orgullo de «soñador»; primero con la prostituta Ester, luego con el intelectual Cordes; por último, él mismo se siente derrotado, al juzgarse como un «pobre hombre» que sueña. No es novedosa la censura exterior ni la íntima. Ya había apuntado Freud que «el adulto se avergüenza de sus fantasías y las oculta a los demás; las considera como cosa íntima y personalísima y, en rigor, preferiría confesar sus culpas a comunicar sus fantasías» *(El poeta y la fantasía)*. Por eso lo singular de la experiencia que se nos cuenta no radica en que un hombre tenga «sueños diurnos» que son motivo de desconfiado rechazo por los demás, sino que él los afirme una y otra vez de modo casi agresivo, como buscando la reprobación, y que en este alarde de su vida interior trate de afirmarse contra los demás.

El mismo Freud en otro de sus ensayos *(Los principios del funcionamiento psíquico)*, observaba: «Con la introducción del principio de realidad un cierto tipo de actividad del pensamiento fue cortado y separado del resto: fue mantenido libre del examen de la realidad y sobrevivió subordinado al principio del placer. Es el acto de 'fantasear' que ya comienza con los juegos infantiles y que más tarde como 'sueño diurno', se desprende de su dependencia de los objetos reales.» Del mismo modo, la fantasía de Eladio Linacero funciona partiendo de una realidad de la que súbitamente se aleja para trabajar en un plano puramente imaginativo, intensamente nutrido por el principio del placer, como lo revela la presencia de elementos eróticos. El modelo es el «sueño de la cabaña de troncos», donde los dos sectores —real e imaginario— nos son ofrecidos en forma detallada y separada: son nítidamente diferentes y a la vez obligadamente complementarios. Eladio Linacero llega a encarar el proyecto de ofrecer paralelamente ambos momentos —«podría ser un plan ir contando un 'suceso' y un sueño. Todos queríamos contentos»— reconociendo así la motivación concreta de la elaboración fantasiosa posterior, pero no insiste en él, y sólo vuelve a aludirlo de paso refiriéndose a los posibles sueños de Ester.

Ese ejemplo único revela que lo soñado es compensación de lo vivido. Por obra de su intrínseca realidad operativa, el sueño permite realizar en el terreno imaginario los deseos que han sido frustrados o todavía no han podido cumplirse en la realidad cotidiana. Pero anotemos desde ya, de acuerdo a lo dicho en el capítulo V sobre la visión del mundo, la incapacidad de actuar y el pensamiento ahistórico, que la poderosa fluencia de estos sueños compensatorios no sería tal si no estuvieran secretamente alimentados, en la conciencia, por la convicción que la realidad es inmodificable, que se mueve con leyes invariables que el hombre no puede cambiar y que, por tanto, ellos no pueden proyectarse en la materia como entes reales.

Si bien la mayoría de los hombres tienen «sueños diurnos», los temas y la intensidad de los sueños de Eladio Linacero nos permite filiar en él la permanencia tenaz de las concepciones infantiles, y, sobre todo, las de la pubertad, tal como ocurre por lo común en la estirpe romántica y simbolista de los poetas, asidos de sus dos nacimientos: a la vida y a la edad adulta. Todos sus sueños —aunque sobrevienen a los cuarenta años— corresponden a la problemática de una imaginación adolescente y pueden clasificarse en dos grandes tipos: los eróticos y las proyecciones ideales de la vida adulta. Este intelectual —que en definitiva lo es Eladio Linacero— se sueña hombre de acción: cazador en Alaska, contrabandista en Holanda, marinero en la bahía de Arrak, siempre hombre entre los hombres, rudo, fuerte, seguro, sobre todo seguro, bastándose a sí mismo, conociendo espontáneamente cuál es su lugar en la tierra, ocupándolo con dominio, actuando sin conflictos de conciencia, ejerciendo su poder contra la naturaleza y los demás hombres. Todas las historias corresponden a esa temática representativa de la imaginación infantil que el *Tit Bits* expresó con anterioridad a la nueva versión de las historietas americanas o a las novelas de Ian Fleming, y en la cual puede rastrearse la presencia de los mecanismos compensatorios para los estados —esos sí reales— de inseguridad, de temor, de indecisión, de debilidad y para todo el juego de represiones que sobre el niño y el adolescente, tan fuertemente instintivos, descargan las obligadas prestaciones de la vida civilizada. A través de esos sueños el adolescente se recupera a sí mismo como realidad —ilusoria— de su deseo, y obviamente aquí se insertan los ideales viriles de una determinada sociedad. Así se siente —o imagina— seguro y macizo: «puedo sentir la forma de mis pómulos, la frente, la nariz, casi tan claramente como si me viera en un espejo, pero de manera más profunda», dice el personaje del sueño hablando de la llama que lo ilumina, y lo podría decir Eladio Linacero del sueño en que él se sueña y donde se recobra como quisiera ser y evidentemente no es. El sueño conduce a un estado de embriagante felicidad. El deseo se hace realidad a través de un imaginario tejido; se va desarrollando progresivamente una historia que conduce a un clímax cercano a la entrega del orgasmo, que por lo mismo es inefable: «Lo que yo siento cuando miro a la mujer desnuda en el camastro no puede decirse, yo no puedo, no conozco las palabras. Esto, lo que siento, es la verdadera aventura.» La carga placentera, y, desde luego, erótica, de estas ensoñaciones, es conocida: ella alimenta los trances masturbatorios y es por esta alusión que la prostituta reciba la confesión de uno de los sueños con inmediata repugnancia: «Con razón no querías pagarme.»

Pero tanto en los sueños de la vida adulta como en los eróticos hay una nota obsesiva: la pureza. Todos ellos nacen directa o indirectamente de la realidad cotidiana en que vive el personaje y sirven, tanto para definir y enjuiciar la realidad, como para explicar sus propias motivaciones causales. En esta pugna precisan, —por añadidura, la personalidad del soñador, su cosmovisión. Enfrentándose a la vida, que «es una mierda», los sueños aspiran a un mundo grave, auténtico, rotundo, y puro, como corresponde a la más pura y absolutista cosmovisión adolescente. En la realidad, Ester «era tan estúpida como las otras, avara, mezquina, acaso un poco menos sucia»; en el sueño «ella me cuenta lo que sueña o imagina y son siempre cosas de una extraordinaria pureza, sencillas como una historieta para niños». En la realidad Ana María es suciamente ultrajada por Eladio y le escupe a la cara; en el sueño viene desnuda a encontrarlo y él queda suspendido de su misteriosa sexualidad adolescente, casi adorándola. Todos los demás sueños pueden cotejarse con la vida sórdida del protagonista.

La operación del soñar ha sido adscripta desde siempre, como función privativa, a los poetas. Lo singular de Onetti no es «soñar

despierto», sino la incapacidad para dar entera y total realidad
—mediante la literatura— a sus sueños, tal como han hecho los
poetas, sobre todo los románticos que fraguaron la imagen del Adán
que, al despertar, encuentra que su sueño se ha hecho realidad. En
Onetti los sueños quedan enquistados dentro de una narración realista; el autor permanece en este lado, en este hemisferio de su
doble mundo, el de la realidad más sórdida y desesperanzada. Pero
este hemisferio es gobernado de modo discordante por el otro, el
de los sueños: sus valores son determinados idealmente desde aquel
campo opuesto que rige, mide, sanciona, colorea la realidad en que
vivimos. El soñar más puro mide la realidad, y, por lo mismo de su
pureza, la condena. Los dos hemisferios son comunicantes de un
curioso modo, lo que nos permite entender el subrepticio afán de
sacralización que aceita la literatura onettiana: la realidad vivida
como experiencia grosera, de espesa materialidad y maldad, genera
la compensación de los sueños perfectos y puros, y a su vez éstos
revierten sobre lo real como imperativos ideales de la vida y la
conducta. Más que una reconversión grotescamente distorsionada del
funcionamiento de las ideas puras, quizá aquí pueda discernirse un
tipo de operación que los antropólogos han adscripto a la mentalidad primitiva, pero claro está que a partir de una visión agnóstica
del mundo. Una recuperación de lo sagrado, o, al menos, de lo
mágico.

«Il descend en éveile l'autre côté du rêve», dice Hugo en un
famoso verso. Onetti, dando prueba de su realismo, cree que no
es posible. Trató de mostrarlo en «Un sueño realizado»: allí la
mujer, que es una adolescente envejecida como insistentemente
acota el autor, quiere hacer realidad un sueño muy simple, pero
que le provocó una intensísima felicidad. Al hacerse realidad, el
sueño se transforma, fatalmente, en la muerte, porque el sueño
aspira a una cristalización perfecta donde no cabe el devenir, la
mudanza, el decaecimiento, en una palabra, la vida.

La curiosa entereza de este «soñador» consiste en añorar la
perfección, la belleza y la pureza del sueño, reconociéndose a la
vez —y dramática, doloridamente— como una parte de la realidad
sucia y corrompida donde está como exiliado, y de cuyas terribles
leyes es siervo, obligado cómplice. En *El pozo* juega los dos hemisferios de su mundo, sobrepotenciado, rabiosa, ansiosamente, el del
sueño, aunque viviéndolo siempre desde el de la realidad miserable
en la que termina cayendo y sumergiéndose. En adelante se irá
adentrando en el hemisferio real, viviendo de acuerdo a sus leyes,
pero sin aceptarlas íntimamente, limitándose a sufrirlas. De su
mundo de soñador guardará sólo una pluma del maravilloso pájaro:
el amor en su expresión intensa, pura, adolescente. Este será el

recuerdo del paraíso del que se siente arrojado, ya que para él el paraíso, se sitúa en el pasado y no en el futuro, está en el linde de la adolescencia, justo cuando ella se produce. Esa pluma, ese recuerdo, le permitirán vivir un tiempo largo, por el fenómeno de su periódica reviviscencia; ya ha dicho Fry que es «a phoenix too frequent».

8. *El amor adolescente*

Ana María, de *El pozo,* es el primer amor adolescente, la primera criatura de esa serie de adolescentes vírgenes, puras, entregadas al amor, que recorre la literatura de Onetti en diversas expresiones y que sólo entra en quiebra en *El astillero.* Lo que después de Nabokov se ha llamado una «Lolita», el tipo de relación cuyos orígenes históricos en nuestra cultura ha rastreado Denis de Rougemont *(El amor y el Occidente),* pero que, sin embargo, admite una emergencia mucho más antigua en las estructuras ideológicas de las que Toynbee ha definido como religiones superiores, aunque admitiendo su procedencia mágica. Una parte central de la sacralización que se opera en la narrativa de Onetti.

> Un encuentro entre dos personalidades sobrehumanas es el argumento de algunos de los más grandes dramas que ha concebido la imaginación humana... Podemos encontrar otra versión del mismo argumento en aquel ubicuo y siempre recurrente mito —una imagen primordial', si hubo alguna vez una— del encuentro entre la Virgen y el Padre de su Hijo. Los caracteres de este mito han desempeñado los papeles que les han correspondido en mil diferentes escenarios bajo una variedad infinita de nombres: Danae y la Lluvia de Oro, Europa y el Toro, Sémele la Tierra Herida y Zeus el Cielo que lanza el rayo, Greusa y Apolo en el *Ion* de Eurípides, Psyché y Cupido, Gretchen y Fausto. El tema vuelve, transfigurado, en la Anunciación.

Así dice Toynbee en su explicación mítica de la creación, pero este tema —la relación amorosa con la Virgen— ha tenido en la literatura occidental mil variantes en las cuales, como en el *Fausto,* el tema del hijo queda relegado, pasando al primer plano el sacrificio amoroso de la virgen joven, su graciosa entrega al hombre mayor que ella, para salvarlo en su sentido espiritual.

El tema del amor adolescente fue analizado con perspicacia por Rubén Cotelo en un artículo que no habíamos visto cuando la primera edición de este estudio («Muchacha y mujer», *El País,* 16/XI/1964) y donde apunta que en la reverencia por la adolescente virgen hay «una implícita concepción católica de la mujer, un horror casi medieval a la corrupción de la carne, un perverso, deformado, parcializado culto mariolátrico». Destaca Cotelo que ante esa «potencialidad perfecta», ese «instante riquísimo de virtualidad» que es la pureza, el agente de cambio el hombre, se presenta como «el reino de la necesidad». Cotelo enlaza el carácter urbano de la literatura de Onetti con «su negativa a reconocer un orden natural». Convendría mejor señalar que no lo niega, sino que lo añora y lo desea con la culposa conciencia de corresponderle la tarea de destructor, al fracasar en el intento de trasmutarse en él, de retornar a la pureza.

Progresivamente Onetti ha ido desarrollando —y mitificando— el tema de la virgen adolescente, a partir de ciertos elementos que están en sus primeros escritos, aunque en estos es posible recobrarlo con la complejidad de su originaria inserción realista. Anotemos los más característicos. En primer término es la mujer púber, en ese difícil pasaje que corresponde al abandono definitivo de la infancia, sin ingresar todavía, a la vida adulta; oscila entre los trece y los dieciséis años, tiene conciencia clara de su naturaleza femenina pero aún la domina intelectivamente, mezclando dos órdenes distintos en inestable entrecruzamiento: una función mental lúcida y clara y una sensibilidad cauta, casi infantil, siempre pudorosamente retenida. En segundo término y a pesar que le está adscripto el tema amoroso, nunca es Venus y casi siempre es Afrodita, para usar la dicotomía de la cultura griega, y desde luego, las figuras de esa familia de jóvenes templadas que resultan varoniles: Electra, Antígona, Eurídice. En tercer término tiene una entereza sin fisuras, usa su pureza como un desafío al mundo, al decaecimiento de la materia en el tiempo, y parece dueña de la llave de la perfección ideal, vencedora del tiempo de la muerte, altiva y desdeñosa para las debilidades de la carne, ausente incluso de ellas, prácticamente intocada por la sensualidad.

«Hanka me aburre; cuando pienso en las mujeres... Aparte de la carne, que nunca es posible hacer de uno por completo, ¿qué cosa de común tienen con nosotros? Sólo podría ser amigo de Electra... Tiene la cara como la inteligencia, un poco desdeñosa, fría, oculta y sin embargo libre de complicaciones. A veces me parece que es un ser perfecto y me intimida; sólo las cosas sentimentales mías viven cuando estoy al lado de ella.» Esto dice en *El pozo,* tipificando en una criatura que casualmente se llama Electra, esa función mental —que por excesivamente lúcida a veces se teñirá de diabolismo— que define a sus adolescentes. Ellas son escasa o nulamente sensuales: la sexualidad queda resguardada por una virginidad, si no real, al menos mental, es decir, nacida de un cierto extraño desinterés por la vida coporal.

Seres emanados de un mundo natural, fresco vivente, puro: así se nos presenta la imagen de Ana María, su cuerpo largo, su andar, su gesto altivo, su ajenidad de toda concupiscencia. Así también se nos presenta la Cecilia juvenil, y es con motivo de ella que Eladio Linacero explica su actitud, mostrando esa vinculación entre la inteligencia y el espíritu que hace que el fenómeno «muchacha» muera muy pronto para dejar paso a la «mujer»: «Y si uno se casa con una muchacha y un día se despierta al lado de una mujer, es posible que comprenda, sin asco, el alma de los violadores de niñas y el cariño baboso de los viejos que esperan con chocolatines en las esquinas de los liceos.» La adolescente es un producto «maravilloso» y «absurdo», como el amor, que tiene una brevísima duración. Es un centelleo fugaz.

La atracción que ejerce debe considerarse, «sin asco», como dice el texto citado, aun tratándose de violadores y viejos. «Debe haber alguna obsesión ya bien estudiada —dice Eladio Linacero al seguir a Ana María— que tenga como objeto la nuca de las muchachas, las nucas un poco hundidas, infantiles, con el vello que nunca se logra peinar. Pero entonces yo no lo miraba con deseo.» Ni entonces ni después, ni en este personaje ni en los restantes de *El pozo,* ni tampoco en las figuras adolescentes de la posterior narrativa de Onetti. Se nos cuente o no una relación amorosa, la presencia de las adolescentes virginales no genera, estrictamente, el deseo, sino más bien la adoración, el éxtasis, una mezcla muy oscura de devoción, temor, entrega afectiva, descanso. Funcionan como la negación del mundo, la otra alternativa a la realidad que es salvación de las leyes que el tiempo implacablemente rige, pero una salvación cuya fugacidad muy pronto es entrevista y que con frecuencia —ejemplo categórico *La cara de la desgracia*— sólo tiene como salida la muerte. Incluso podría decirse que la muerte es la interna complementación de su negatividad, porque a través de ella el instante fugaz de la plenitud púber se hace eterno para el recuerdo del hombre a quien le fue ofrecido. De algún modo la imagen de Ana María muerta —«la edad de Ana María la sé sin vacilaciones: dieciocho años, porque murió unos meses después y sigue teniendo esa edad cuando abre por la noche la puerta de la cabaña y corre, sin hacer ruido, a tirarse en la cama de hojas»— esa imagen parece traída necesariamente por Eladio Linacero para confirmar, en su pureza cristalina, en su perfección inalterable, el momento adolescente que lo ha deslumbrado. Y en *La cara de la desgracia*, más explícitamente, la muerte viene, como misteriosa gracia, inmediatamente después de la desfloración: «y tuve de pronto dos cosas que no había merecido nunca: su cara doblegada por el llanto y la felicidad bajo la luna, la certeza desconcertante de que no habían entrado antes en ella».

Esa muerte es oscuramente ansiada para impedir la transformación de la «muchacha» en «mujer», es decir, para que aquel absoluto que, por su ·fugacísima existencia, da testimonio del otro hemisferio donde se niega el mundo real, no se transforme en cómplice de este mundo y en su elemento comprobatorio: «terminan siendo todas iguales, con un sentido práctico hediondo, con sus necesidades materiales y un deseo ciego y obscuro de parir un hijo *(El pozo)*. El solo hecho de concebir esa muerte como coronación (y toda la historia real y el sueño con Ana María funcionan en el relato como la antítesis ideal de la relación de Eladio con Cecilia, incluyendo el vano esfuerzo de aquél para recobrar el momento prístino del amor ya definitivamente perdido debido a su radical incapacidad para aceptar las nuevas circunstancias de la vida humana) apunta a la subrepticia conciencia que la realidad no es operable, que en ella el sueño no puede cumplirse, apunta a una negativa cerrada a la materia y al tiempo, pero a la vez a la comprobación que ésos son los dos únicos dioses permanentes con imperio absoluto para el hombre.

Antes de encarar este dilema al que concurre la experiencia del amor adolescente en la narrativa de Onetti, conviene complementar la emergencia del tema en su primer período. Posteriormente, Onetti ha intensificado su mistificación *(Tierra de nadie, Para esta noche)* le ha dado formas extemporáneas o críticas *(Los adioses,* «Historia del caballero de la rosa y de la virgen encinta que vino de Liliput») y por último ha intentado destruirlo *(El astillero).* Pero aun en ese caso la figura de la virgen adolescente responde a una mirada adulta, cosa que no ocurre tan claramente en *El pozo*, donde el «suceso» de Eladio y Ana María, como de Eladio y Cecilia, sirven para poner en evidencia el sustento material y hasta grosero, urgido, que rodea al personaje femenino, destruyendo la tendencia abstraccionista que luego se irá acentuando. En este texto se lo recobra dentro de una realidad material, en el momento en que comienza el esfuerzo de idealización que todavía no ha podido vencer las circunstancias reales que lo desmienten.

Pero además, en ese período, Onetti intenta hacer real y plena una historia de amor, escribiendo *Tiempo de abrazar*. La novela, presentada al concurso de la casa editora norteamericana Farrar y Reinehart, fue mencionada por el jurado que seleccionó la producción local y elogió como representación uruguaya la novela de Diego Nollare, *Yyaris*. Uno de los jurados, Juan Mario Magallanes, declara: «Muy distinta de *Yyaris,* en ambiente, concepción y estilo, configura un escritor de alto vuelo, avezado y profundo, moderno y fuerte. Quizá demasiado seguro de su posición. Este libro, escrito con un desenfado elegante, no por esto menos escéptico y doloroso, tiene asimismo momentos impregnados de una gran ternura donde se ama la vida con desesperación. Depurado el estilo nos da situaciones de gran fuerza constructiva y deslumbrantes desde el punto de vista artístico» (*Marcha*, 14/V/1941). Algunos fragmentos fueron publicados en *Marcha* (18/VI/1943 y 31/XII/1943) y fueron presentados por Dionisio Trillo Pays señalando que la obra había sido escrita hacía años, y que «el novelista... que escribiera luego *Tierra de nadie* y *El perro tendrá su día* (su mejor obra, aún inédita), hizo su casi única profesión de fe en la vida en las páginas de *Tiempo de abrazar*, su obra más efusiva y diáfana». Los fragmentos publicados, a la vez que revelan un estilo aún inmaduro, muestran el único intento de Onetti para insertar y afirmar en la realidad y en la vida el amor adolescente. Porque en esta historia de amor aparece nuevamente esa «muchacha» que el protagonista ve «casi de espaldas», mostrando una mejilla y la concavidad de la nuca, el cuello alargado e infantil»; es la virgen que será desflorada y que de inmediato le será disputada al hombre por el mundo. En vez de imaginar la muerte, el joven protagonista encara la lucha contra el mundo, confiado en su fuerza. Es la única vez que así se presenta en Onetti: «una lucha de astucia o de coraje, contra todos, para conservarla y defenderla. Se incorporó con la cara endurecida y comenzó a pasearse. Luchar contra todos, contra la inmensa estupidez humana, contra la cobardía de la bestia humana» (*Marcha*, número 216). Estos textos muestran un pre-Onetti, una época anterior a *El pozo* y su restante producción, donde todavía encaraba como posible la realidad del sueño. Desde 1939, año de su primera publicación, ha abandonado la empresa, asumiendo la máscara dramática que en adelante será su rostro.

9. *De la oposición a la autodestrucción*

Si la muerte no es temible es porque hay algo peor: la vida, o, más exactamente, la sobrevivencia. Al tema dedicó Onetti uno de sus mejores cuentos: «Bienvenido Bob», todo él destinado a contraponer la fiereza del adolescente puro, despectivo, altivo, fuerte, con el hombre adulto, y a mostrar el fracaso adolescente, ya que no muere y alcanza la madurez. «Nadie amó a mujer alguna con la fuerza con que yo amo su ruindad, su definitiva manera de estar hundido en la sucia vida de los hombres.» «No sé si nunca en el pasado he dado la bienvenida a Inés con tanta alegría y amor como diariamente doy la bienvenida a Bob al temeroso y maloliente mundo de los adultos.»

Decía que el hemisferio del sueño, que es al mismo tiempo el de la concepción pura de la adolescencia, regirá desde lejos el hemisferio real. Esta concepción del mundo de los adultos, su «sucia vida», su calidad «tenebrosa y maloliente» atestiguan que la realidad ha obedecido mansamente a la visión absolutista de la edad juvenil, ya que corresponde de modo estricto a las definiciones del Bob muchacho: «No sé si usted tiene treinta o cuarenta años, no importa. Pero es un hombre hecho, es decir deshecho, como todos los hombres a su edad cuando no son extraordinarios... Usted es egoísta; es sensual de una sucia manera. Está atado a cosas miserables y son las cosas las que lo arrastran. No va a ninguna parte, no lo desea realmente. Es eso, nada más: usted es viejo y ella es joven.» Lo mismo había dicho en *El pozo*: «Viejos, cansados, sabiendo menos de la vida a cada día, estábamos fuera de la cuestión.»

Pero no sólo se asume el dictamen que sobre el mundo real expresa ese hemisferio del sueño puro y libre, sino también el criterio sobre el cual se funda y legitima: el absolutismo de los valores y la negativa a todo relativismo, que nacen de una operación consumada en el mundo de los imaginarios, sin apoyatura en la circunstancia real. En este sentido conviene recordar que Onetti, como otro antepasado rioplatense, Roberto Arlt, pertenecen a la línea dostoievskiana en la actitud agnóstica y rebelde de quienes están interiormente heridos, y se les pueden aplicar algunas de las consideraciones que sobre Dostoievski hace Romano Guardini: «la existencia del hombre está dirigida hacia arriba y hacia abajo, hacia lo sublime y hacia lo abyecto, pero asentada en un terreno medio del que se puede proyectar en una u otra dirección. Una vida en la que falta esta esfera media es algo fantástico porque es ella la esfera de las realizaciones, el campo y el taller de la existencia misma. En el sentido más estricto es esa esfera el terreno de la realización: es allí donde se da todo aquello que se llama posibilidad, medida, disciplina, salud, orden, tradición, afianzamiento... Quizá la objeción más seria que pueda hacerse a la imagen de la existencia humana en Dostoievski sea la de que en su mundo falta precisamente este terreno intermedio. Y ello se manifiesta de pronto con claridad meridiana a poco que se observe que las criaturas de sus novelas hacen de todo, salvo una cosa: trabajar. El trabajo, empero, es lo que llena toda esa esfera del acontecer cotidiano con toda su miseria y toda su dignidad» (*El universo religioso de Dostoievski*).

El mundo real en que existimos —esa esfera intermedia que dice Guardini— es desvalorizado de un modo drástico por el concepto absolutista y fantástico que se desprende de los sueños adolescentes: lo cotidiano, la trama común de las vidas, el derivar sobre el tiempo, la conquista y la pérdida del amor, la existencia grave, el vaivén de esperanzas y frustraciones, todo es remitido al desprecio. Esta cosmovisión adolescente no podrá subsistir si el adolescente deviene hombre adulto, y la única manera de aferrarse a ella consiste en asumirla desde la edad adulta con el mismo absolutismo: vivir la vida como castigo, admitir el encanallamiento y entregarse a él a fondo, afirmar que la realidad es el infierno y vivirlo integralmente. Así surge Larsen.

Larsen es el nuevo absolutismo. Él tipifica la materialidad de ese mundo que «es una mierda», lo que se hace evidente cotejándolo con la figura estilizada y mental con que Arlt crea el mismo tipo con la misma función en *El rufián melancólico*. Todavía en *El pozo* hay una distancia entre el personaje embebido en el sueño y el círculo de las «bestias sucias». Describe a prostitutas «cada vez más gastada, ordinaria», «mujeres gordas y espesas», «mujeronas sucias», «mujeres de piel oscura», «gordas de piel marrón, grasientas», o describe a hombres comunes: «sucio y grosero», «la cara llena de arrugas y pelos, haciendo bizquear los ojos entre las cejas escasas y las grandes bolsas de las ojeras».

Pero en *Tierra de nadie* el protagonista se llama Aránzuru, es abogado, su oficio inveterado es la relación amorosa y la búsqueda de la isla de la felicidad, y a lo largo de la novela se le verá abandonar el estudio, el círculo de amigos, devenir *cafishio* y vivir de una prostituta, entregarse a la mugre, robar y entrar en buenos tratos comerciales con Larsen. La distancia ha quedado abolida y la atracción del mundo material es poderosa e invasora, y se la acepta hasta la destrucción en forma absoluta, rabiosa. El dios de ese infierno se llama Larsen, él irá ganando progresivamente el centro de la escena hasta ser el protagonista de la saga. Habrá cambiado el universo que se describe, pero no los criterios rectores, porque en definitiva es el mundo real, su variada circunstancia y la acción que se juega sobre ella, los que no han sido aceptados por esta construcción artística.

Lo viejo equivale a lo deshecho, a lo sucio, y también a lo práctico. La acusación a Cecilia adulta es por su «sentido práctico hediondo» que tipifica en su capacidad para «distinguir los diversos tipos de carne de vaca y discutir seriamente con el carnicero cuando la engaña». En esa practicidad es condenado el mundo responsable de los seres adultos, ya que ella nace, una vez abolido el ilusorio romanticismo adolescente, del enfrentamiento a las coordenadas de la realidad para poder actuar.

Le basta el uso de los títulos de respeto para satirizar, estilísticamente, la vida adulta: «Lo que pudiera suceder con don Eladio Linacero y doña Cecilia Huerta de Linacero no me interesa. Basta escribir los nombres para sentir lo ridículo de todo esto.» El rechazo

global de la vida adulta delata que es su centro animador el que
es repudiado, o sea el sentido de responsabilidad imprescindible
para operar en un mundo de obligaciones (comprar la carne, parir
un hijo, conseguir un trabajo, establecer una casa y también luchar
por un partido, etc.) resolviéndose en cambio por una gozosa y
rebelde marginidad.

No se participará de la vida adulta, ni de sus responsabilidades,
ni de sus compromisos, ni de sus ventajas, consiguiéndose así mantener a salvo el espíritu independiente y, sobre todo, el derecho
a una crítica libre y absoluta. Si se aceptara una sola de las responsabilidades se ingresaría al sistema dentro del cual se terminaría
apresado. Es preferible entonces renunciar a todas las ventajas («no
me interesa ganar dinero ni tener una casa confortable con radio,
heladera, vajilla y un *watercló* impecable») para conservar perfecta
la pureza adolescente y, a partir de ella, actuar sobre el exclusivo
plano del «opositor». La fantasía, la irresponsabilidad, y la imaginación libre de la edad son potenciadas como valores absolutos,
engendradores de la actitud impoluta del opositor.

Sin duda debió haber una circunstancia real que intensificó
esta actitud, y por algunos textos puede sospecharse que *El pozo*
es la respuesta escéptica al fracaso de la experiencia de *Tiempo
de abrazar,* como si un primer golpe en el camino de una expansión
confiada, crédula en la vida, provocara la refluencia hacia una
actitud amarga, hostil, desilusionada. En la efusión final de *El pozo,*
se dice, por ejemplo: «Hubo un mensaje que lanzara mi juventud
a la vida; estaba hecho con palabras de desafío y de confianza. Se
lo debe haber tragado el agua como a las botellas que tiran los
náufragos.»

Esta motivación personal se instala en la social de su tiempo,
pues la actitud de oposición, de cerrada negativa al sistema, fue
fundamento del espíritu juvenil ante la realidad nacional. El fracaso
al que aludía Quijano en su texto sobre el año 1938 se hizo sentir
entre los nuevos escritores, entre toda una élite intelectual que
ingresaba a la sociedad y que adoptaría el espíritu de drástica oposición, negándose a todo compromiso con los partidos, los orga-
nismos públicos, con la gerontocracia que se había posesionado de
la política nacional y que, a consecuencia de la amplia participación del estado en la vida del país, parecía regir todo, con desem-
bozada estulticia e ignorancia. El éxito que el libro tuvo siempre
entre lectores juveniles y opositores políticos, revela cuán embebido está de esa rebeldía algo abstracta y tajante, y revela también
la permanencia en el país de tal actitud, de cuyo nacimiento es
testigo privilegiado.

La oposición al sistema no será, sin embargo, siempre marginal. Esta creación así lo prueba, porque a través de la literatura —a la que se consagraron muchos hombres jóvenes con vocación política, la que no siguieron por su repulsa moral de la vida politiquera— logra insertarse nuevamente en el sistema, siempre como un elemento negativo, pero ahora interno, estableciendo dentro de él el principio de la necesaria cancelación. Y en la medida en que esa cancelación no se produzca, seguirá manteniendo su vigencia urgente.

Si así se presenta la primera literatura de Onetti, a partir de *Para esta noche* se irá abriendo camino el otro absolutismo: Bob envejecido se hará Larsen y comenzaremos a conocer y adentrarnos en un descompuesto mundo infernal.

Si la obra narrativa de Onetti describe los distintos círculos de ese infierno, *El pozo* es el manifiesto de una extraña, contradictoria *Vita nova*. A veinticinco años de escrita conserva su dramatismo, su aspereza, la furia rebelde y amarga de la que nació, ese seductor aire inconformista, confuso, adolescente, irremisiblemente ingenuo y equivocado, pero lleno de vida y de arte.

Juan Carlos Onetti
y la aventura del hombre (*)

Mario Benedetti

---

   * Este estudio se publicó en el libro *Juan Carlos Onetti*, Casa de las Américas, La Habana, Cuba. Lo reproducimos de esa fuente con la autorización de ese centro cultural.

La atmósfera de las novelas y los cuentos de Juan Carlos Onetti, dominados y justificados por su carga subjetiva, estaba anunciada en una de las confesiones finales de *El pozo* (su primer libro, publicado en 1939): «Yo soy un hombre solitario que fuma en un sitio cualquiera de la ciudad; la noche me rodea, se cumple como un rito, gradualmente, y yo nada tengo que ver con ella.» Ni Aránzuru (en *Tierra de nadie)* ni Ossorio (en *para esta noche)* ni Brausen (en *La vida breve)* ni Larsen (en *El astillero)* dejaron de ser ese hombre solitario, cuya obsesión es contemplar cómo la vida lo rodea, se cumple como un rito y él nada tiene que ver con ella.

Cada novela de Onetti es un intento de complicarse, de introducirse de lleno y para siempre en la vida, y el dramatismo de sus ficciones deriva precisamente de una reiterada comprobación de la ajenidad, de la forzosa incomunicación que padece el protagonista y, por ende, el autor. El mensaje que éste nos inculca, con distintas anécdotas y en diversos grados de indirecto realismo, es el fracaso esencial de todo vínculo, el malentendido global de la existencia, el desencuentro del ser con su destino.

El hombre de Onetti se propone siempre un *mano a mano* con la fatalidad. En *Para esta noche,* Ossorio no puede convencerse de la posibilidad de su fuga y es a ese descreimiento que debe su ternura ocasional hacia la hija de Barcala. Sólo es capaz de una moderada —y equívoca— euforia sentimental, a plazo fijo, cuando querer hasta la muerte significa lo mismo que hasta esta noche. En *La vida breve* llega a tal extremo el convencimiento de Brausen de que toda escapatoria se halla clausurada, que al comprobar que otro, un ajeno, ha cometido el crimen que él se había reservado, protege riesgosamente al homicida mejor aún de lo que suele protegerse a sí mismo. Para él, Ernesto es un mero ejecutor, pero el crimen es inexorablemente suyo, es el crimen de Brausen. La única explicación de su ayuda a Ernesto, es su obstinado deseo de que el crimen le pertenezca. Lo protege, porque con ello defiende su destino. *La vida breve* es, en muchos sentidos, demostrativa de las intenciones de Onetti. En *Para esta noche,* en *Tierra de nadie,* había planeado su obsesión; en *La vida breve,* en cambio, intenta darle alcance. Emir Rodríguez Monegal ha señalado que *La vida breve* cierra, en cierto sentido, ese ciclo documental abierto diez años atrás por *El pozo.* El ciclo se cierra, efectivamente, pero en una semiconfesión de impotencia, o más bien de imposibilidad: el ser no puede confundirse con el mundo, no logra mezclarse con la vida. De esa carencia arranca paradójicamente otro camino, otra posibilidad: el protagonista crea un ser imaginario que se confunde con su existencia y en cuya vida puede confundirse. La solución irreal, ya en el dominio de lo fantástico, admite la insuficiencia de ese mismo realismo que parecía la ruta preferida del novelista y traduce el convencimiento de que tal realismo era, al fin de cuentas, un callejón sin salida.

Sin embargo, no es en *La vida breve* donde por primera vez Onetti recurre a este expediente. Paralelamente a sus novelas, el narrador ha construido otro ciclo, acaso menos ambicioso, pero igualmente demostrativo de su universo, de las interrogaciones que desde siempre lo acosan. En dos volúmenes de relatos: *Un sueño realizado y otros cuentos* (1951) y *El infierno tan temido* (1962), ha desarrollado temas menores dentro de la estructura y el espacio adecuados. A diferencia de otros narradores uruguayos, ha hecho cuentos con temas de cuento, y novelas con temas de novela.

Es en «Un sueño realizado», el relato más importante del primer volumen, donde recurre francamente a una solución de índole fantástica, y va en ese terreno más allá de Coleridge, de Wells y de Borges. Ya no se trata de una intrusión del sueño en la vigilia,

ni de la vulgar pesadilla premonitoria, sino más bien de forzar a
la realidad a seguir los pasos del sueño. La reconstrucción, en una
escena artificiosamente real, de todos los datos del sueño, provoca
también una repetición geométrica del desenlace. El autor elude
expresar el término del sueño; ésta es en realidad la incógnita
que nunca se despeja, pero es posible aclarar paralelamente al desenlace de la escena. En cierto sentido, el lector se encuentra algo
desacomodado, sobre todo ante el último párrafo, que en un primer
enfrentamiento siempre desorienta. Desde el principio del cuento,
la mujer brinda datos a fin de que Blanes y el narrador consigan
reconstruir el sueño con la mayor fidelidad. Así recurre a la mesa
verde, la verdulería con cajones de tomate, el hombre en un banco
de cocina, el automóvil, la mujer con el jarro de cerveza, la caricia
final. Pero cuando se construye efectivamente la escena, se agrega
a estas circunstancias un hecho último y decisivo: la muerte de la
mujer, que no figuraba en el planteo inicial. El desacomodamiento
del lector proviene de que hasta ese momento la realidad se cal-
caba del sueño, es decir, que los pormenores del sueño permitían
formular la realidad, y ahora, en cambio, el último pormenor de
la escena permite rehacer el desenlace del sueño. Es este desenlace
—sólo implícito— del sueño, el que transforma la muerte en suicidio. El lector que ha seguido un ritmo obligado de asociaciones,
halla de pronto que éste se convierte en otro, diametralmente
opuesto al anunciado por la mujer.

No es esta forzosa huida del realismo, el único ni el principal
logro de «Un sueño realizado». Cuando el narrador presenta a la
mujer, confiesa no haber adivinado, a la primera mirada, lo que
había dentro de ella «ni aquella cosa como una cinta blanduzca y
fofa de locura que había ido desenvolviendo, arrancando con sua-
ves tirones, como si fuese una venda pegada a una herida, de sus
años pasados, para venir a fajarme con ella, como a una momia,
a mí y a algunos de los días pasados en aquel sitio aburrido, tan
abrumado de gente gorda y mal vestida», y agrega: «La mujer
tendría alrededor de cincuenta años y lo que no podía olvidarme
de ella, lo que siento ahora que la recuerdo caminar hacia mí en
el comedor del hotel, era aquel aire de jovencita de otro siglo que
hubiera quedado dormida y despertara ahora un poco despeinada,
apenas envejecida pero a punto de alcanzar su edad en cualquier
momento, de golpe, y quebrarse allí en silencio, desmoronarse
roída por el trabajo sigiloso de los días.» Es decir que ésta también
es una rechazada, alguien que no pudo introducir su soledad en la
vida de los otros, pero sin que esto llegue a serle de ningún modo
indiferente; por el contrario, le resulta de una importancia terrible, sobrecogedora.

Cuando ella le explica a Blanes cómo será la escena, y concluye diciéndole: «Entretanto yo estoy acostada en la acera, como si fuera una chica. Y usted se inclina un poco para acariciarme», ella sabe efectivamente que alcanzará su edad (la de la chica que debió ser) en ese momento y podrá así quebrarse en silencio, desmoronarse roída por el trabajo sigiloso de los días. Esa propensión deliberada hacia la caricia del hombre, ese elegir la muerte como quien elige un ideal, fijan inmejorablemente su ternura fósil, desecada, aunque obstinadamente disponible. Para ella, Blanes no representa a nadie; es sólo una mano que acaricia, es decir, el pasado que acude a rehabilitarse de su egoísmo, de su rechazo torpe, sostenido. La caricia de Blanes es la última oportunidad de perdonar al mundo. En «un sueño realizado», Onetti aísla cruelmente al ser solitario e indeseable, superior a la tediosa realidad que construye, superior a sus escrúpulos y a su cobardía, pero irremediablemente inferior a su mundo imaginario.

Los cuentos de Onetti tienen, no bien se los compara con sus novelas, dos diferencias notorias: la obligada restricción del planteo, que simplifica, afirmándolo, su dramatismo, y también el relativo abandono —o el traslado inconsciente— de la carga subjetiva que en las novelas soporta el protagonista y que constituye por lo general una limitación, una insistencia a veces monótona del narrador. La simetría, que en las novelas parece evidente en *La vida breve* (el asesinato de la Queca se halla en el vértice mismo del argumento) y más disimulada en *El astillero* (la entrevista de Larsen con el viejo Petrus, que en muchos sentidos da la clave de la obra, tiene lugar en el centro de la novela), constituye en los cuentos una modalidad técnica. Siempre hay un movimiento de ida y otro de vuelta, una mitad preparatoria y otra definitiva. En la primera parte de «Un sueño realizado» la mujer cuenta su sueño; en la segunda, se construye la escena. También en «Bienvenido Bob», el narrador diferencia hábilmente al adolescente del comienzo, «casi siempre solo, escuchando *jaz*, la cara soñolienta, dichosa, pálida», del Roberto final, «de dedos sucios de tabaco», «que lleva una vida grotesca, trabajando en cualquier hedionda oficina, casado con una gorda mujer a quien nombra 'miseñora'». En «Esberg, en la costa», la estafa separa dos zonas bien diferenciadas en las relaciones de Kirsten y Montes. En «La casa en la arena», la llegada de Molly transforma el clima y provoca las reacciones siniestras, faulknerianas, del Colorado.

Ese vuelco deliberado, que significa en Onetti casi una teoría del cuento, no quita expectativa a sus ficciones. La mitad preparatoria suele enunciar los caminos posibles; la final, pormenoriza la elección.

En los cuentos de Onetti —y, de hecho, también en sus novelas— es poco lo que ocurre. La trama se construye alrededor de una acción grave, fundamental, que justifica la tensión creada hasta ese instante y provoca el diluido testimonio posterior. Con excepción de «Un sueño realizado» —cuya solución remite a un mero regreso a su desenlace— los otros cuentos del primer volumen carecen precisamente de solución. Existe una esforzada insistencia en descubrir el medio (con sus pormenores, sus datos, sus inanes requisitos) en que el relato se suspende. Existe asimismo el evidente propósito de fijar las nuevas circunstancias que, a partir del punto final, agobiarán al personaje.

Nada culmina en «Bienvenido Bob», como no sea el increíble desquite, pero en el último párrafo se establece la cronicidad de un presente que seguirá girando alrededor de Roberto, hasta agotar su voluntad de regreso, su capacidad de recuperación: «Voy construyendo para él planes, creencias y mañanas distintos que tienen la luz y el sabor del país de juventud de donde él llegó hace un tiempo. Y acepta: protesta siempre para que yo redoble mis promesas, pero termina por decir que sí, acaba por muequear una sonrisa creyendo que algún día habrá de regresar al mundo y las horas de Bob y queda en paz en medio de sus treinta años, moviéndose sin disgusto ni tropiezo entre los cadáveres pavorosos de las antiguas ambiciones, las formas repulsivas de los sueños que se fueron gastando bajo la presión distraída y constante de tantos miles de pies inevitables.» Nada culmina tampoco en «Esbjerg, en la costa», pero Montes «terminó por convencerse de que tiene el deber de acompañarla (a Kirsten), que así paga en cuotas la deuda que tiene con ella, como está pagando la que tiene conmigo; y ahora, en esta tarde de sábado como en tantas noches y mediodías (...) se van juntos más allá de Retiro, caminan por el muelle hasta que el barco se va (...) y cuando el barco comienza a moverse, después del bocinazo, se ponen duros y miran, miran hasta que no pueden más, cada uno pensando en cosas tan distintas y escondidas, pero de acuerdo, sin saberlo, en la desesperanza y en la sensación de que cada uno está solo, que siempre resulta asombrosa cuando nos ponemos a pensar». De modo que la tarde de sábado es también allí un presente crónico, un incambiable motivo de separación, que desde ya, corrompe todo el tiempo e invalida toda escapatoria.

En cuanto se desprende de sus relatos, puede inferirse que el mensaje de Onetti no incluye, ni pretende incluir, sugerencias constructivas. Sin embargo, resulta fácil advertir que el hombre de estos cuentos se aferra a una posibilidad que lentamente se evade de su futuro inmediato. Roberto tiende, sin esperanza, a recuperar

la juventud de Bob; Kirsten no puede olvidar su Dinamarca, y
Montes no puede olvidar la Dinamarca de Kirsten; sólo la mujer
de «Un sueño realizado» consigue su caricia, a costa de desaparecer.

Lo peculiar de todo esto es que la actitud de Onetti —como
dice Orwell acerca de Dickens— «ni siquiera es destructiva. No
hay ningún indicio de que desee destruir el orden existente, o de
que crea que las cosas serían muy diferentes si aquél lo fuera».
Onetti dice pasivamente su testimonio, su versión cruel, agriamente
resignada, del mundo contra el que se estrella; pero arrastra consigo un indisimulado convencimiento de que no incumbe obligadamente a la literatura modificar las condiciones —por deplorables
que resulten— de la realidad, sino expresarlas con elaborado rigor,
con una fidelidad que no sea demasiado servil. Es claro que estos
cuentos no logran transmitir en su integridad el clima oprimente
de Onetti ni todos los matices de su mundo imaginario. Sus novelas resultan siempre más agobiadoras. Eladio Linacero padece una
soledad más inapreciable y más cruel que la del último Bob;
Brausen realiza sueños más vastos que la mujer acariciada por
Blanes; el Díaz Grey de *La vida breve* está en varios aspectos más
encanallado que su homónimo de «La casa de la arena»; el Larsen
de *El astillero* está más seguro en su autoflagelación que el Montes
de «Esbjerg, en la costa». No obstante, esos relatos breves son
imprescindibles para apreciar ciertas gradaciones de su enfoque, de
su visión agónica de la existencia, que no siempre recogen las
novelas. Los cuentos parecen asimismo (con excepción de «El infierno tan temido») menos crueles, menos sombríos. Por alguna
hendidura penetra a veces una disculpa ante el destino, un breve
resplandor de confianza, que los Brausen, los Ossorio, los Aránzuru, los Linacero, no suelen irradiar ni percibir. Cofianza que,
por otra parte, no es ajena a «la sensación de que cada uno está
solo, que siempre resulta asombrosa cuando nos ponemos a pensar».

Entre el primero y el segundo de los volúmenes de cuentos
publicados por Onetti, hay otro relato, titulado «Jacob y el otro»,
que obtuvo la primera de las menciones en el concurso literario
que en 1960 fuera convocado por la revista norteamericana *Life*
en español. Situado, como la mayor parte de sus narraciones, en la
imaginaria y promedial Santa María, «Jacob y el otro» abarca un
episodio independiente, basado en dos personajes (el luchador Jacob
van Oppen y su representante el Comendador Orsini) que sólo
están de paso. Santa María los recibe, a fin de presenciar una
demostración de lucha y un posible desafío, en el que estarán en
juego 500 pesos. El desafiante es un almacenero turco, joven y
gigantesco, pero su verdadera promotora es la novia («pequeña
intrépida y joven, muy morena y con la corta nariz en gancho

los ojos muy claros y fríos») que precisa como el pan los 500 pesos, ya que está encinta y necesita el dinero para la obligatoria boda.

Con este planteamiento y la aprensión de Orsini por la actual miseria física de su pupilo, Onetti construye un cuento acre y compacto, mediante sucesivos enfoques desde tres ángulos: el médico, el narrador, el propio Orsini. Con gran habilidad, el escritor hace entender al lector que quienes gobiernan el episodio son la novia del turco y Orsini, mientras que Jacob y el desafiante son meros instrumentos; pero en el desenlace uno de esos instrumentos se rebela y pasa a actuar por sí mismo. Aunque Onetti empieza por contar ese desenlace (en la versión del médico que opera al gigante maltrecho), en realidad el lector ignora de qué luchador se trata; sólo imagina el nombre, y por lo común imagina mal. Lo que verdaderamente pasó, sólo se sabrá en las últimas páginas. Es un relato cruel, despiadado, en que los personajes dejan al aire sus peores raíces; por tanto, no invita a la adhesión. Pero con personajes desagradables y hasta crapulosos, puede hacerse buena literatura, y el cuento de Onetti es una inmejorable demostración de esa antigua ley.

El volumen que se titula *El infierno tan temido,* incluye, además del relato que le da nombre, otros tres: «Historia del caballero de la rosa y de la virgen encinta que vino de Liliput», «El álbum» y «Mascarada». Este último es, seguramente, el menos eficaz de todos los cuentos publicados hasta ahora por Onetti. La anécdota es poco más que una viñeta, pero soporta una cargazón de símbolos y semisímbolos, que la agobian hasta frustrarla. No obstante, puede tener cierto interés para la historia de nuestra narrativa. Se trata de un cuento publicado separadamente hace varios años, cuando todavía no estaba de moda la novela objetiva. Si se lee el cuento con atención, se verá que el personaje María Esperanza está visto (por cierto que muy primitivamente) como objeto, y como tal se lo describe, sin mayor indagación en su intimidad. «El álbum» cuenta, como casi todas las narraciones de Onetti, una aventura sexual. Pero —también como en casi todas— planea sobre la aventura un reducido misterio, un arcano de ocasión, que oficia de pretexto, de justificación para lo sórdido. El muchacho de Santa María que se vincula a una desconocida, a una extraña que «venía del puerto o de la ciudad con la valija liviana de avión, envuelta en un abrigo de pieles que debían sofocarla», juega con ella el juego de la mentira, de los viajes imaginarios, de la ficción morosamente levantada, palmo a palmo. Pero cuando la mujer se va y sólo queda su valija, el crédulo se enfrenta con un álbum donde innumerables fotografías testimonian que los viajes narrados por la mujer no eran el deslumbrante impulso de su imaginación, sino algo mucho más ramplón: eran meras verdades. Ese desprestigio de la verdad está diestramente manejado por Onetti, que no puede evitar ser corrosivo, pero en esa inevitabilidad funda una suerte de tensión, de ímprobo patetismo.

En «El Caballero de la Rosa» el logro es inferior. Hay un buen tema, una bien dosificada expectativa, tanto en la grotesca vinculación de la acaudalada doña Mina con una pareja caricatural, como en el proceso que lleva a la redacción del testamento. Pero la expectativa conduce a poca cosa, y el agitadísimo final sólo parece un flojo intento de construir un efecto. Hay buenos momentos de prosa más o menos humorística, pero si se recuerda la excepcional destreza que Onetti ha puesto otras veces al servicio de sus temas, este relato pasa a ser de brocha gorda. En compensación, «El infierno tan temido» es el mejor cuento publicado hasta hoy por Onetti. En su acepción más obvia, es sólo la historia de una venganza; pero en su capa más profunda, es algo más que eso. Risso, el protagonista, se ha separado de su mujer, a consecuencia de una infidelidad de extraño corte (ella se acostó con otro, pero sólo como una manera de agregar algo a su amor por Risso). La mujer desaparece, y al poco tiempo empieza a enviar (a él, y a personas con él relacionadas) fotos obscenas que, increíblemente, van documentando su propia degradación. Risso llega a interpretar esa agresiva publicidad, ese calculado desparramo de la impudicia, como una insólita, desesperada prueba de amor. Y quizá (pese al testimonio de alguien que narra en tercera persona y adjetiva violentamente contra la mujer) tuviera razón. Lo cierto es que el último envío acierta «en lo que Risso tenía de veras de vulnerable»; acierta, en el preciso instante en que el hombre había resuelto volver con ella. Lucien Mercier ha escrito que este cuento «es una introducción al suicidio». Yo le quitaría la palabra *introducción:* es el suicidio liso y llano. La perseverancia con que Risso construye su interpretación, esa abyección que él transfigura en *prueba de amor,* demuestra algo así como una inconsciente voluntad de autodestrucción, como una honda vocación para ser estafado. En rigor, es él mismo quien cierra las puertas, clausura sus escapes, crea un remedo de credulidad para que el golpe lo voltee mejor. De tan mansa que es, de tan mentida o tan inexperta, su bondad se vuelve sucia, más sucia acaso que la metódica, entrenada venganza de que es objeto. Para meterse con tema tan viscoso, hay que tener coraje literario. Como sólo un Céline pudo hacerlo, Onetti crea en este cuento la más ardua calidad de obra artística: la que se levanta a partir de lo desagradable, de lo abyecto. Es ese tipo de literatura que si no llega a ser una obra maestra, se convierte automáticamente en inmundicia. La hazaña de Onetti es haber salvado su tema de este último infierno, tan temido.

«Yo quiero expresar nada más que la aventura del hombre.» Esta declaración de intenciones aparentemente mínimas, pertenece a Jun Carlos Onetti y consta de un reportaje efectuado por Carlos María Gutiérrez. Por más que la experiencia aconseje no prestar excesivo crédito al *arte poética* de los creadores, conviene reconocer que ésta de Onetti, tan cautelosa, es asimismo lo suficientemente amplia como para albergar no sólo su obra en particular, sino casi toda la literatura contemporánea. Desde Marcel Proust a Michel Butor, desde Italo Svevo a Cesare Pavese, desde James Joyce a Lawrence Durrell, son varios los novelistas de este siglo que podrían haber refrendado ese propósito de expresar nada más que la aventura del hombre. Todo es relativo sin embargo; hasta la aventura.

Para Proust, la aventura consiste en remontar el tiempo hasta ver cómo el pasado proyecta «esa sombra de sí mismo que nosotros llamamos el porvenir»; para Pavese, en cambio, la aventura es un destello instantáneo («la poesía no nace de *our life's work,* de la normalidad de nuestras ocupaciones, sino de los instantes en que levantamos la cabeza y descubrimos con estupor la vida»); para Butor, en fin, la aventura consiste en rodear la peripecia de incontables círculos concéntricos, todos hechos de tiempo. Y así sucesivamente. Ahora bien, ¿cuál será, para Onetti, la aventura del hombre? Ya que su *arte poética* no derrama mucha luz sobre el creador, tratemos de que esta vez sea la creación la que ilumine el *arte poética.*

Con 12 libros publicados en poco menos de treinta años, Onetti representa en nuestro medio uno de los casos más definidos de vocación, dedicación y profesión literarias. Desde *El pozo* hasta *Juntacadáveres* este novelista ha logrado crear un mundo de ficción que sólo contiene algunos datos (y, asimismo, varias parodias de datos) de la maltratada realidad; lo demás es invención, concentración, deslinde. Pese a que sus personajes no rehúyen la vulgaridad cotidiana, ni tampoco la muletilla del coloquialismo vernáculo, por lo general se mueven (a veces podría decirse que flotan) en un plano que tiene algo de irreal, de alucinado, y en el que los datos verosímiles son poco más que débiles hilvanes.

Hay, evidentemente, como ya lo han señalado otros lectores críticos, una formulación onírica de la existencia, pero quizá fuera más adecuado decir insomne en lugar de onírico. En las novelas de Onetti es difícil encontrar amaneceres luminosos, soles radiantes; sus personajes arrastran su cansancio de medianoche en medianoche, de madrugada en madrugada. El mundo parece desfilar frente a la mirada (desalentada, minuciosa, inválida) de alguien que no puede cerrar los ojos y que, en esa tensión agotadora, ve las imágenes un poco borrosas, confundiendo dimensiones, yuxtaponiendo cosas y rostros que se hallan, por ley, naturalmente alejados entre sí. Como sucede con otros novelistas de la fatalidad (Kafka, Faulkner, Beckett), la lectura de un libro de Onetti es por lo general exasperante. El lector pronto adquiere conciencia, y experiencia, de que los personajes están siempre condenados; sólo resta la posibilidad —no demasiado fascinante— de hacer conjeturas sobre los probables términos de la segura condena.

Sin duda, desde un punto de vista narrativo, este quehacer parece destinado a arrastrar consigo una insoportable dosis de monotonía. Onetti ha sido el primero en saberlo. No alcanza, para estar en condiciones de proponer un mundo de ficción, con estar seguro, como lo está Onetti, del sinsentido de la vida humana. No alcanza con dominar la técnica y los resortes del oficio literario. La máxima sabiduría de este autor es haber reconocido, penetrantemente y desde el comienzo, esa limitación temática que a través de veintinueve años habría de convertirse en rasgo propio.

Desde *El pozo* supo Onetti que su obra iba a ser un renovado, constante trazado de proposiciones acerca de la misma encerrona, del mismo círculo vicioso en que el hombre ha sido inexorablemente inscripto. En aquel primer relato figuraba una reveladora declaración: «El amor es maravilloso y absurdo, e, incomprensiblemente, visita a cualquier clase de almas. Pero la gente absurda y maravillosa no abunda, y las que lo son, es por poco tiempo, en la primera juventud. Después comienzan a aceptar y se pierden.» Virtualmente, todas las novelas que siguieron a *El pozo,* son historias de seres que empezaron a aceptar y se perdieron, como si el autor creyese que en la raíz misma del ser humano estuviera la inevitabilidad de su autodestrucción, de su propio derrumbe.

Poco después de ese comienzo, Onetti tal vez haya intuido (o razonado, no importa) que había dos caminos para convertir su cosmovisión en inobjetable literatura. El primero: la creación de un trozo de geografía imaginaria, que, aunque copioso en asideros reales, pudiera surtir de nombres, de episodios y personajes, a todo su orbe novelístico, con el fin de que el tronco común y el intercambio de referencias (como sucedáneos de una más directa sustancia narrativa) sirvieran para estimular el mortecino núcleo original de sus historias. Una compilación codificada de todas las novelas de Onetti revelaría que aquí y allá se repiten nombres, se reanudan gestos, se sobreentienden pretéritos. Ningún lector de esta morosa saga podrá tener la cifra completa, podrá realizar la indagación decisiva, esclarecedora, si no recorre todas sus provincias de tiempo y de lugar, ya que ninguna de tales historias constituye un compartimiento estanco; siempre hay un nombre que se filtra, un pasado que gotea sin prisa enranciando el presente, convirtiendo en viscosa la probable inocencia. Mediante esa correlación, Onetti construye una suerte de *enigma al revés,* de misterio preposterado, donde la incógnita —como en su maestro Faulkner— no es la solución sino el antecedente, no el desenlace, sino su prehistoria. Esto es más importante de lo que pueda parecer a simple vista, porque no sólo revela una modalidad creadora de Onetti, sino que, en última instancia, también sirve para desemejarlo de Faulkner, su célebre, obligado precursor.

Es cierto que el novelista norteamericano (por ejemplo, en *Absalom, Absalom!)* perfora el tiempo a partir de una peripecia que se nos da desde el comienzo; es cierto asimismo que esa novela consiste en una inmersión en el pasado, gracias a la cual la anécdota se ilumina, adquiere sentido, recorre su propia fatalidad. Pero también es cierto que cada personaje de Faulkner posee una fatalidad distinta, particular, propia, mientras que en Onetti la fatalidad es genérica: siempre ha de conducir a la misma condena. Todos los personajes de Faulkner —como ha anotado Claude-Edmonde Magney— han sido hechizados por el destino, pero todos tienen un destino diferente. De ahí que en Onetti resulte más coadyuvante aún que en Faulkner (y asimismo más funcional o inevitable) el recurso de desandar el pasado, de rastrear en él la aparente motivación, porque si el desenlace preestablecido (no por capricho, sino por legítima convicción de su autor) es la condena, entonces parece bastante explicable que a Onetti no le interese saber hacia dónde va el personaje (de todos modos, él ya lo sabe, y el lector también), sino de dónde viene, porque es en el pasado donde reside su única raigambre de misterio.

El otro camino entrevisto desde el comienzo por Onetti para convertir su obsesión en literatura, es el andamiaje técnico, el bordado estilístico. A medida que se fue acercando a esa novela-clave que, hasta la aparición de *El astillero,* fue considerada como su obra mayor (me refiero a *La vida breve)* su oficio literario se fue enrareciendo, fanatizando en el merodeo del detalle, en una vivisección vocabulista que provisoriamente lo acercó a algunas de las más influyentes y diseminadas manías de Jorge Luis Borges. Si las palabras de Jean Génet («la oscuridad es la cortesía del autor hacia el lector») resultasen verdaderas, de inmediato Onetti pasaría a ser el más cortés de nuestros literatos.

Paradójicamente, ese barroquismo de la frase, de la imagen, de la adjetivación, no sirvió para ocultar los trucos, sino para revelarlos. *La vida breve* no es tan sólo importante como novela de gran aliento, como obra ambiciosa parcialmente lograda, sino también, y principalmente, como medida de un indudable viraje de su autor, como punto y aparte de su trayectoria. Después de esa novela, y a partir de *Los adioses* (1954), Onetti pudo apearse de la complicación verbal, del puntillismo estilístico. No se bajó de golpe, claro, y es obvio que durante años ha venido extrañando el cambio. Ni *Los adioses* (1954) ni *Una tumba sin nombre* (1959) ni *La cara de la desgracia* (1960), alcanzan para mostrar a un escritor capaz de transitar la llaneza estilística con la misma seguridad que antes tuviera para lo complejo. Pero en *El astillero* (1961) Onetti se acerca a un equilibrio casi perfecto, a una economía artística que resulta algo milagrosa si se tiene en cuenta la ingrata materia humana que maneja, el ejercicio del asco en que prefiere inscribir su asentada, luctuosa sabiduría.

En apariencia, *El astillero* sigue un orden cronológico, una línea de trazado sinuoso, pero de segura dirección; el barroquismo ha desaparecido casi totalmente de la adjetivación y el compás metafórico, provocando la imprevista consecuencia de que las pocas veces en que se hace presente («A través de los tablones mal pulidos, groseramente pintados de azul, Larsen contempló fragmentos rombales de la decadencia de la hora y del paisaje, vio la sombra que avanzaba como perseguida, el pastizal que se doblaba sin viento. Un olor húmedo, enfriado y profundo, un olor nocturno o para ojos cerrados, llegaba del estanque») ocasione un efecto de contraste, cree un lote de brillantes imágenes que se estaciona al borde de la sordidez y momentáneamente la reivindica. En *El astillero,* Onetti ha reservado la hondura y hasta la complejidad para el sentido último de la historia, que es, como en sus obras anteriores, la obligada aceptación de la incomunicación humana. Sólo en *El pozo* había usado Onetti un lenguaje tan obediente al interés narrativo, tan poco encandilado por el aislado destello verbal.

Muchos de los más exitosos gambitos literarios de Onetti provienen de su habilidad para trasladar (transformándolo) un procedimiento heredado, para apoyar una técnica de segunda mano sobre bases de creación personal, por él inauguradas. Así como ha transformado el fatalismo sureño de Faulkner mediante el simple expediente de volverlo estático, incambiable; así como ha trasplantado el regusto de Céline por la bazofia, mediante el simple recurso de quitarle dinamismo e insuflarle un desaliento tanguero; así también ha conseguido renovar otros procederes y técnicas, exprimidos hasta el cansancio por varios lustros de influencias encadenadas. Por ejemplo: Onetti crea un ámbito fantasmagórico, irreal, sin recurrir a ninguna de las turtorías de la literatura fantástica; nada más que valiéndose de convenciones realistas, de diálogos creíbles, de seres aplastados, de monólogos interiores que sólo adolecen de la improbabilidad de estar demasiado bien escritos. Que con ese regodeo en lo vulgar, esa chatura cotidiana, esa impostación de lo probable, haya podido levantar un mugriento, húmedo, neblinoso, pero también alucinado alrededor, que a veces parece estar aguardando el paso de la Carrera Fantasma, debe ser acreditado a la maña concertadora de este escritor, a su capacidad de sugerir, más allá de los límites de su mero lenguaje literario.

Pero hay un traslado todavía más sutil. En *El astillero,* Onetti emplea una técnica que hasta ahora había sido monopolizada por los poetas. Un poeta suele partir de sobreentendidos; suele dar por obvios ciertos episodios que sólo él y su sombra (en algunos casos, tan sólo su sombra) conocen; suelen referirse, en las entrelíneas, a esa propiedad privada, como si fuera *vox populi* y no *vox Dei.* Otros novelistas han precedido a Onetti en la adopción de ese truco, pero —desde Max Frisch hasta Lawrence Durrell— todos han sido víctimas del prejuicio de explicarse; siempre concluyen por brindar las claves que al principio trataron de escamotear. Onetti, en cambio, realizando también en su obra esa vocación de solitario (y, a veces, de prescindente) que lo ha mantenido tercamente al margen de grupos, revistas, compromisos y manifiestos, siempre se guarda algún naipe en la manga, la baraja que en definitiva no va a ceder a nadie, esa que seguramente romperá en pedazos, en estricta soledad, ni siquiera frente al espejo. Detrás de los sobreentendidos, el lector vislumbra la presencia de un creador que no quiere darse nunca por entero, que cree en esa última inútil reserva, como si allí pudiera concentrarse y justificarse un magro desquite contra ese sinsentido de la vida que constituye su obsesión más firme, su pánico más sereno y sobrecogedor.

En las líneas generales, en la esfumada superficie, *El astillero* es increíblemente simple: sólo la fantasmal empresa de un tal Petrus, sólo un astillero situado junto a la conocida Santa María, que Brausen había definido en *La vida breve* como «una pequeña ciudad colocada entre un río y una colonia de labradores suizos»; un astillero ruinoso que no tiene ni trabajo, ni obreros, ni clientes, sólo un Gerente Técnico y un Gerente Administrativo, que llevan, sin embargo, planillas e improvisan el cobro extraoficial de sus gajes mediante la malbaratada venta de antiguos materiales. A ese anexo santamariano llega Junta Larsen (el mismo Larsen que había aparecido en las primeras páginas de *Tierra de nadie;* el mismo Junta del penúltimo capítulo de *La vida breve),* Larsen el proscripto, el gordo, cínico cincuentón que, junto a sus agrias composiciones de lugar, todavía conserva una última disponibilidad de fe, una dosis inédita de entusiasmo, una dulzona, miope ingenuidad.

Está condenado, claro, *porque es de Onetti;* admitámoslo de una buena vez para que no nos siga exasperando. Pero antes de alcanzar su condena, antes de tragarla como una hostia, como un indigesto espíritu santo, Larsen deberá recorrer su periplo, deberá sorprenderse frente a Gunz y Gálvez (los gerentes de biógrafo), besar la frente perdida de Petrus, rehusar la comunicación con la mujer de Gálvez, intentar la seducción de la semitarada Angélica Inés, pero deberá también acostarse con Josefina, la sirvienta, o sea, la mujer genérica, universal, usada.

Con el abandono del barroquismo, con la consciente sobriedad de *esta aventura* de *este hombre* llamado Larsen, ha quedado en evidencia un Onetti que hasta ahora sólo había sido intuido, adivinado, a través de promesas, símbolos, fisuras. En *Para esta noche* escribió Onetti unas palabras introductorias que definían aquella novela como un cínico intento de liberación. *El astillero*, ¿será algo de eso? En opinión de Díaz Grey (ese comodín de Onetti que a veces es él mismo, otras veces es sólo Díaz Grey, y otras más es alguien tan impersonal que resulta Nadie), Larsen puede ser definido así: «Este hombre que vivió los últimos treinta años del dinero sucio que le daban con gusto mujeres sucias, que atinó a defenderse de la vida sustituyéndola por una traición, sin origen, de dureza y coraje; que creyó de una manera y ahora sigue creyendo de otra, que no nació para morir, sino para ganar e imponerse, que en este mismo momento se está imaginando la vida como un territorio infinito y sin tiempo en el que es forzoso avanzar y sacar ventajas.» Antes, en *La vida breve,* Junta Larsen había tenido «una nariz delgada y curva y era como si su juventud se hubiera conservado en ella, en su audacia, en la expresión imperiosa que la nariz agregaba a la cara». Y más lejos aún, en *Tierra de nadie,* Larsen había avanzado, «bajo y redondo, las manos en el sobretodo oscuro», o había estado esperando, «gordo y cínico». Sí, Larsen fue desde siempre, desde su origen literario, un cínico, pero cuando llega al Astillero ya está gastado, maltratado, pobre, tan débil y doblado que se resigna a la fe, una fe crepuscular, deshilachada («entonces, con lentitud y prudencia, Larsen comenzó a aceptar que era posible compartir la ilusoria gerencia de Petrus, Sociedad Anónima, con otras formas de la mentira que se había propuesto no volver a frecuentar»); es un Larsen que ha perdido dinamismo y capacidad de menosprecio, que ha perdido sobre todo la monolítica entereza de lo sórdido, que se ha dejado seducir por una postrera, tímida confianza, no importa que el pretexto de esa confianza esté tan sucio y corrompido como el imposible futuro próspero del Astillero; al igual que esos ateos inverecundos que en el último abrir de ojos invocan a Dios, Larsen (que no usa seguramente a Dios) en su última arremetida tiene la flaqueza de alimentar en sí mismo una esperanza.

Por eso, si bien *El astillero* es también, como *Para esta noche,* un intento de liberación, no es empero, un *cínico* intento. Larsen ha sido tocado por algo parecido a la piedad, ya que el autor no puede esta vez ocultar una vieja comprensión, una tierna solidaridad hacia este congénito vencido, hacia este vocacional de la derrota. Pasando por encima de todos los cínicos, de todos los pelmas, de todos los miserables, que pueblan el mundo de Onetti novelista, el personaje Larsen tiende un cabo a su colega Eladio Linacero, que en *El pozo* había formulado una profecía con apariencia de deseo: «Me gustaría escribir la historia de un alma, de ella sola, sin los sucesos en que tuvo que mezclarse, queriendo o no.» Onetti ha ejecutado ahora aquel deseo de una de sus criaturas. Aquí está escrita la historia del alma Larsen; y hasta ha sido escrita *sin* los sucesos (sencillamente porque no hay sucesos).

También aparece con mayor claridad (debido tal vez a que, sin barroquismo, todo se vuelve más claro) que Larsen, más definidamente aún que Linacero, o que el Aránzuru de *Tierra de nadie,* o que el Ossorio de *Para esta noche* o que el Blanes de «Un sueño realizado», no es una figura aislada, un individuo, sino El Hombre. En un artículo sobre *El astillero,* Ángel Rama señalaba la vertiente simbólica, pero es posible ampliar el hallazgo. Onetti va de lo particular (Larsen) a lo general (El Hombre), pero después regresa a lo particular, y El Hombre pasa a ser además *todo hombre,* cada hombre, Onetti incluido. En el castigo que, desde antiguo, Onetti viene infligiendo a sus personajes, hay algo de sadismo, pero al cerrarse el circuito Larsen-El Hombre-Onetti, el viento ya ha cambiado la dirección del castigo y éste pasa a llamarse autoflagelación. Una autoflagelación que también tiene cabida en el obsesivo tratamiento de la virginidad, de la adolescencia.

Allí ha estado, para muchos personajes de Onetti, la única posibilidad de pureza, de última verdad. En *El astillero,* el creador castiga triplemente a Larsen: la virgen (Angélica Inés) que a los quince años «se había desmayado en un almuerzo porque descubrió un gusano en una pera», tiene alguna anormalidad mental («está loca», dice Díaz Grey, «pero es muy posible que no llegue a estar más loca que ahora»); la mujer de Gálvez, que representa para Larsen la única posibilidad de comunicación, aparece ante sus ojos corrompida, primero por el embarazo, luego por el alumbramiento, volviéndose por tanto inalcanzable; sólo Josefina es asequible, pero Josefina es la mujer de siempre, su igual, hecha de medida no ya para la comunicación, sino para que él tenga conciencia de que se halla «en el centro de la perfecta soledad». Por eso es triple el castigo: la virginidad (Angélica Inés) está desbaratada por la locura, la comprensión (mujer de Gálvez) está vencida por el alumbramiento, la posesión (Josefina) está arruinada por la incomunicación.

Entonces uno se da cuenta de que esta suerte de odio del creador hacia sí mismo (o quizá sea más adecuado llamarle inconformidad) fue más bien una constante a través de los 12 libros y los veintinueve años; sólo que estuvo hábilmente camuflada por un verbalismo agobiador, por una visión de lupa que al lector le mostraba el poro, aunque le hurtaba el rostro. Fue necesario llegar a *El astillero* para encontrar un Onetti que empuña por primera vez una segunda franqueza (¿brutal?, ¿químicamente pura?), un Onetti que por primera vez supera, al comprenderlo, al transformarlo en arte, ese sentimiento de autodestrucción y de castigo, un Onetti que por fin se inclina sobre ese Larsen que (para él) es todos nosotros, y es también él mismo, a fin de sentirlo «respirar con lágrimas».

¿Aventura del hombre? Por supuesto que sí. Pero sobre todo la aventura del hombre Onetti, que a través de los años y de los libros ha venido afinando artísticamente su actitud solitaria, corroída, melancólica, deshecha, hasta convertirla en este sobrio diagnóstico de derrota total que es *El astillero*, hasta reivindicarla en una depurada y consciente piedad hacia ese ser humano, que para Onetti es siempre el derrotado. Ni el abandonado Astillero sirve ya para reparar barco alguno, ni el abandonado individuo sirve ya reparar ninguna de las viejas confianzas. Pero en mi ejemplar de *El astillero* quedó subrayado, sin embargo, un amago de escapatoria, un sucedáneo de la esperanza: «Lo único que queda para hacer es precisamente eso: cualquier cosa, hacer una cosa detrás de otra, sin interés, sin sentido, como si otro (o mejor otros, un amo para cada acto) le pagara a uno para hacerlas y uno se limitara a cumplir en la mejor forma posible despreocupado del resultado final de lo que hace. Una cosa y otra cosa, ajena, sin que importe que salgan bien o mal, sin que no importe qué quieren decir. Siempre fue así: es mejor que tocar madera o hacerse bendecir; cuando la desgracia se entera de que es inútil empieza a secarse, se desprende y cae.» Ahora que Onetti, con *El astillero,* ha cumplido *en la mejor forma posible,* esperamos que su anuncio tenga fuerza de ley; esperamos que en la lobreguez de su vasto mundo de ficción la desgracia se entere de que es inútil, y empiece a secarse, y se desprenda y caiga.

Después de leídos y releídos los 12 libros de Onetti, uno tiene la impresión de que en algún día (o año incompleto, o simple temporada) del pasado, este autor debe haber concebido no sólo la idea de una Santa María promedial y semiinventada, sino también la historia total de ese enquistado mundo, con los respectivos pobladores y el correspondiente tránsito de anécdotas. Uno tiene la impresión de que únicamente después de haber creado, distribuido, correlacionado y fichado, ese universo propio, Onetti pudo empezar calmosamente a escribir su saga. Sólo a partir de una organización y un orden casi fanáticos, es posible admitir la increíble capacidad del narrador para hacer que sus novelas se crucen, se complementen, y hasta recíprocamente se justifiquen. Sólo a partir de esa trama general, concertada y precisa hasta límites exasperantes, es posible comprender que la historia narrada en *Juntacadáveres* (1964), ya estuviera bosquejada en una novela de 1959, *Una tumba sin nombre* (ver páginas 29 a 31); que, *El astillero* (1961), la peripecia que luego es desarrollada en *Juntacadáveres* significa un mero episodio en el pasado del protagonista; que el cuento «El álbum», incluido en *El infierno tan temido* (1962), estuviera atravesado por varios personajes que reaparecen en la novela más reciente; y, sobre todo, que en el penúltimo capítulo de *La vida breve* (1950) ya apareciera, como un misterioso diálogo marginal, la misma conversación que, quince años más tarde, sirve de cierre a *Juntacadáveres*. Recomiendo al lector un tranquilo cotejo de estos dos diálogos. Se verá que algunas frases son textualmente reproducidas; otras, en cambio, reaparecen con una leve variante, como si el autor hubiera querido dejar constancia de la inevitable erosión, que, de recuerdo en recuerdo, soportan las palabras.

Antes destaqué, con referencia al cuento «Mascarada», cierta condición de adelantado de la novela objetiva que podría ser reclamada por Onetti. Pero ahora veo más claramente otro rasgo afín. Piénsese que una de las novedades introducidas por Robbe-Grillet (*Le voyeur*) o Michen Butor (*L'emploi du temps*) fue la omisión de un hecho fundamental dentro de la minuciosa construcción de una novela. Pues bien, Onetti se ha pasado *omitiendo* hechos importantes, pero en vez de confiarlos eternamente a la vocación remendadora del lector cómplice, con tales elusiones ha escrito nuevas novelas, en las cuales por supuesto también hay sectores omitidos (algunos de ellos ya desarrollados en novelas anteriores; otros, a desarrollar probablemente en novelas futuras). Presumo que, para algún erudito de 1990, representará una desafiante tentación el relevamiento de un índice codificado que incluya todos los personajes onettianos, sus cruces y relaciones, así como las anécdotas de cada novela que aparecen imbricadas en las demás.

Pese a todos los presupuestos (mundo único, encerrona del hombre, derrota total) que el lector de Onetti está dispuesto a admitir y reconocer en su obra, *Juntacadáveres* significa un viraje, aun cuando, de una primera y apresurada lectura, pueda inferirse una confirmación de aquellos presupuestos. Si *El astillero* era una historia virtualmente despojada de sucesos, *Juntacadáveres* en cambio es una historia *con* sucesos. Larsen (el personaje que hiciera, creo, su primera aparición en *Tierra de nadie*) ahora abre y regenta un prostíbulo en Santa María, pero la fructuosa empresa es sólo un pretexto para enfrentar al farmacéutico y concejal Barthé con el histriónico cura Bergner. Como consecuencia de la despiada pugna, el único derrotado es Larsen, cuyo apodo Juntacadáveres recaba su origen de una demostrada capacidad para conseguir que «gordas cincuentonas y viejas huesosas» *trabajen* para él. Pero esa historia, primariamente sórdida, se entrelaza con otra: la de Jorge Malabia (ya incorporado al mundo de Onetti en *Una tumba sin nombre* y en «El álbum») extrañamente atraído por Julita, la viuda de su hermano, que cada día inventa una puesta en escena distinta para su obsesión cardinal. La relación entre tierna y monstruosa, que mantienen el lúcido adolescente y la cuñada loca, se convierte (no sé si en cumplimiento de la voluntad del autor, o a pesar de ella) en el centro narrativo de la novela. El problema del prostíbulo, la consiguiente lucha entre el cura y el boticario, el malón de tóxicos anónimos que van socavando las paces conyugales del pueblo, la ambigua intervención de Marcos (hermano de Julita) en contra y en pro de Larsen, la infaltable presencia del testigo Díaz Grey, la relación de éste con el fidelísimo Vázquez (otro conocido de relatos anteriores); todo eso pasa a un plano secundario, aunque, eso sí, descrito con gran destreza formal y riqueza de lenguaje.

El paseo por la ciudad, que las prostitutas Nelly e Irene llevan a cabo en su lunes de asueto; las meditaciones de Díaz Grey sobre la tentación del suicidio y la teoría del miedo; la descripción del demagógico silencio del cura; el texto mismo de los anónimos (conviene transcribir esta obrita maestra de la ponzoña: «Tu novio, Juan Carlos Pintos, estuvo el sábado de noche en la casa de la costa. Impuro y muy posiblemente ya enfermo fue a visitarte el domingo, almorzó en tu casa y te llevó a ti y a tu madre, al cine. ¿Te habrá besado? ¿Habrá tocado la mano de tu madre, el pan de tu mesa? Tendrás hijos raquíticos, ciegos y cubiertos de llagas, y tú misma no podrás escapar al contagia de esas horribles enfermedades. Pero otras desgracias, mucho antes, afligirán a los tuyos, inocentes de culpa. Piensa en esto y busca la inspiración salvadora en la oración»), son muestras de un asombroso dominio del oficio, incluidos los efectos puros y los impuros. No obstante, aun justificado con esa pericia, el tema del prostíbulo, no puede competir con el episodio del adolescente y la loca, acaso como decisiva prueba de que los cadáveres metafóricos juntados por el veterano Larsen, nada tienen que hacer frente al cadáver de carne, de locura y de hueso, comprendido y querido por Jorge Malabia, ese neófito del destino que en la última página pronuncia una obscenidad, como absurda (y, sin embargo, pertinente) manera de reencontrarse con la dulzura, la piedad, la alegría, y también como única forma de abroquelarse contra el mundo normal y astuto que lo está esperando más allá del final. En la obra de Onetti, Julita puede ser considerada una más de las foras de pureza (un concepto que, en éste y otros casos, el autor no vacila en asimilar a la locura) extinguidas, o quizá salvaguardadas, en última instancia por la muerte. Pero ésta es acaso la primera vez en que semejante rescate por distorsión no deja como secuela la fatalizada actitud del «hombre sin fe ni interés por su destino». En este libro, Onetti pone en boca de Jorge Malabia la misma palabrota que pronunciara Eladio Linacero en la primera de sus novelas. Sin embargo, y pese a la persistente influencia de Pierre Cambronne, hay una visible distancia entre una y otra actitud. El antiguo protagonista, después del exabrupto, seguía diciendo: «y ahora estamos ciegos en la noche, atentos y *sin comprender*». Jorge Malabia, en cambio, inmediatamente después de haberlo pronunciado, se baja del insulto cosmoclasta para acceder a la comprensión, a la cifra de un mundo por fin aprendido.

La verdad es que, de todos modos, para el lector y el crítico de Onetti, *Juntacadáveres* cumple una función despistadora. Por lo pronto me atrevería a decir que esta novela es mucho más entretenida que cualquiera anteriores. Presumo que el lector se estará preguntando si esto es elogio o es diatriba. La verdad es que frecuentemente se confunde fluidez narrativa con frivolidad, y viceversa; no falta quien considere el tedio estilístico como casi sinónimo de la hondura. *Juntacadáveres* es entretenida y no me parece justo reprocharle esa cualidad. Claro que no se trata del magistral despojo, de la impecable concepción de *El astillero;* seguramente *Juntacadáveres* no llega al nivel de esa obra mayor. Conviene recordar, sin embargo, que *El astillero* es la culminación de un largo recorrido, y por tanto Onetti pudo volcar en ese libro lo más depurado de su oficio, los más insobornables de sus descreimientos, lo más profundo de su corroída y corrosiva sapiencia. Pero *Juntacadáveres* es otra cosa, otro camino, tal vez otra actitud.

Ángel Rama ha señalado con razón que «no es casual que la mayoría de las obras de Onetti transcurran en lugares cerrados y en horas nocturnas, ni es extraño que sean escasas las referencias al paisaje natural, el cual tiende a manifestarse surrealísticamente, en estado de descomposición alucinatoria». Pero, ¿se ha fijado alguien en el paisaje, en el aire libre de esta nueva novela? Compárese el alucinado, pero · también neblinoso y sucio alrededor, de *El astillero,* con esta descripción insólitamente aireada, incluida en la nueva novela: «El olor de los jazmines invadió a Santa María con su excitación sin objeto, con sus evocaciones apócrifas; fue llegando diariamente como una baja y larga ola blanca...», y luego: «Noviembre se llenó de asombros triviales por el exceso de jazmines y en su mitad fue un noviembre normal, reconocible, con precios y cifras de las cosechas, con renovadas discusiones sobre puentes, caminos y tarifas de transportes, con noticias de casamientos y muertes.» Tengo la impresión de que tanto la cualidad amena como el enriquecimiento del alrededor, responden a un cambio sustancial en la actitud de Onetti. Una transformación que no es tan visible, porque el tema elegido (la instalación del prostíbulo, frente al plúmbeo puritanismo, frente a la hipocresía provinciana) lleva implícitas connotaciones tan sórdidas, que el lector ingresa en la novela esperando la agotada cosmovisión de siempre. No la halla, al menos como gesto totalizador, y el chasco puede automáticamente convertirse en desconfianza, como si la (todavía tímida) vitalidad que respira la novela fuera una suerte de traición a la ya veterana complicidad del lector, a su demostrada baquía en los meandros del mundo onettiano. Reconozco que *Juntacadáveres* es una novela desigual, que aquí y allá deja personajes y cabos sueltos, con zonas varias de decaimiento literario; pese a ello, no puedo avalar el diagnóstico negativo emitido por otros críticos. Después de *El astillero* y su veta gloriosamente agotada, la última novela me parece una nueva apertura que puede deparar formidables sorpresas. Hasta *El astillero* inclusive, tuve la impresión de asistir, como lector, a un proceso (notablemente descrito) de deterioro. Ahora, frente a *Juntacadáveres,* me parece reconocer un Onetti renovado. Como si después de la madurez, no fueran obligatorios el desgaste, la corrosión. Todo pronóstico parece aún prematuro, pero *Juntacadáveres,* con su entrenada y prometedora inmadurez, podría ser también un punto de partida, el comienzo de un buen talante creador. Sin abandonar los temas y los ambientes que desde siempre lo obseden, sin reconciliarse con el absurdo llamado destino, sin exiliarse de sus viejos pánicos, Onetti parece haber trazado dos rayas sobrias y conclusivas debajo de la suma de sus consternaciones, para abrir de inmediato una cuenta nueva, una revisada disposición de ánimo. En *Juntacadáveres* hay, como siempre, seres fatigados, prostituidos, deshechos; pero lo nuevo es cierta tensión vital, cierta capacidad de recuperación, cierto impulso hacia adelante y hacia arriba. No es mucho, pero acaso *Juntacadáveres* sea el primer desprendimiento de la desgracia. Por algo vuelven al diálogo los temas políticos, las nomenclaturas sociales, que no aparecían desde las novelas de la primera época.

La recorrida curiosa, ingenua, bien dispuesta, de Nelly e Irene; la sólida capacidad de comunicación de María Bonita; el duro aprendizaje del amor que realiza Jorge Malabia; la plebeya lucidez de Rita; sirven para verificar que Onetti ha escapado, o está escapando, a la tentación del circular y obsesivo regodeo en la fatalidad. «Volvió a sentir», dice el autor refiriéndose a Díaz Grey, «con tanta intensidad como cinco años atrás, pero con una *cariñosa curiosidad* que no había conocido antes, la tentación del suicidio». Esa puede ser también la actitud del actual Onetti, ya no frente al suicidio, sino frente a lo fatal: una cariñosa curiosidad. Pero la curiosidad y el cariño no forman parte de la muerte, sino de la vida. Y eso se nota. Santa María y sus hechos no han variado en su aspecto exterior. No obstante, cabe recordar, como fue dicho en *El pozo* (hace casi treinta años), que «los hechos son siempre vacíos, son recipientes que tomarán la forma del sentimiento que los llene». Eso es lo que ha variado: el sentimiento. Y es de esperar que el cambio ayude a Onetti a convertir su vieja derrota metafísica en una nueva victoria de su arte.

La fortuna de Onetti

Emir Rodríguez Monegal

La polémica intergeneracional sule tener sus extravagancias. Una de las más típicas es la incomprensión total, el diálogo de sordos, la omisión deliberada de todo reconocimiento. En este país en que el olvido suele practicarse con tanto entusiasmo (hay especialista en la amnesia, en la política del silencio, en la distracción prefabricada), no es extraño que el trazarse panoramas literarios o balances críticos zonas enteras de nuestra literatura desaparezcan como devoradas por un terremoto: la mezquindad, la envidia, el fariseísmo del cronista las ha omitido.

Por eso mismo resulta más notorio el caso de Juan Carlos Onetti, cuya fortuna literaria ha ido acentuándose hasta ser hoy el único escritor uruguayo aceptado por tirios y troyanos, por los partidarios de la extrema experimentación narrativa o por los conservadores apegados al realismo documental, por los escritores ya establecidos de la generación del 45 y por nuevas, más inmaduras, promociones. La fortuna de Juan Carlos Onetti, para usar un tér-

mino muy habitual en la crítica literaria europea, es tanto más
curiosa si se piensa que es un narrador nada fácil, que su mundo
está creado con la angustia de una experiencia vital morosa y hasta
única, que su estilo deriva de las más complejas circunvoluciones
de William Faulkner. También es curiosa su fortuna si se tiene en
cuenta otro aspecto de su personalidad.

En un país politizado hasta los tuétanos, Juan Carlos Onetti
se ha dado el lujo de dedicar en 1961 una de sus mejores novelas
a Luis Batlle Berres (*El astillero,* se llama), de ser colaborador de
Acción y militar amistosamente al menos en el Partido Colorado,
sin haber perdido por eso su predicamento en círculos blancos o
en grupos de izquierdismo más o menos ostentoso.

Es claro que hay una clara respuesta para estos aparentes enig-
mas. La obra de Onetti es de tal calidad, su dedicación a la narrativa arrastra tal fuerza de convicción, su universo es tan entero
que hay muy buenas razones literarias para justificar que Onetti
se encuentre, casi el único, *au dessus de la mélée* de esta todavía
provinciana Montevideo. Sin embargo, conviene aclarar que no
siempre ocurrió así. Hubo una época (hace más de veinte años)
que los lectores de Onetti se contaban con los dedos de una mano,
y todavía sobraban; una época en que su primer libro, *El pozo,*
dormía el sueño de los justos en los depósitos de la imprenta que
tuvo la osadía de publicarlo (ahora es uno de los auténticos incu-
nables de estas últimas décadas); una época en que Onetti era
objeto de un culto secreto. Los tiempos han cambiado y ahora
todos lo leen, lo imitan, escriben sobre él.

Hay una paradoja detrás de esta aceptación, más que populari-
dad, de Onetti (sus obras no son *best-sellers* en la categoría de las
de Carlos Maggi o Mario Benedetti). Es evidente que sus libros
no suelen ser analizados muy a fondo. En realidad, para un escritor de su importancia resulta paradójico que el primer estudio
largo que se le haya dedicado (en la revista *Número*) sea de 1951;
que otro trabajo extenso y posterior, de Mario Benedetti, sea recopilación de artículos sueltos. Existen, eso sí, muy largas reseñas
de sus obras, algunas de ellas son verdaderos estudios en síntesis.
Pero no hay todavía un trabajo que analice a fondo el mundo
misterioso, sobrerreal de Juan Carlos Onetti.

Incluso sus más devotos cronistas suelen equivocarse sobre el
significado interior de sus textos. Releyendo uno de sus últimos
libros, *Tan triste como ella* (1963), me llamó mucho la atención
que el símbolo sexual de que se vale Onetti para abrir y cerrar
el primer cuento largo de ese volumen no fuera señalado por la
crítica más fervorosa. Es, sin embargo, un símbolo de tal importancia para la comprensión del relato, de su mera anécdota incluso,

que parece imposible hablar del significado del cuento sin empezar por aclararlo previamente. En la forma del suicidio de la muchacha hay una clarísima referencia a su primer contacto con el protagonista, con lo que el comienzo y el fin del largo relato se unen en la misma imagen, creando un universo completamente cerrado y cíclico: un universo de indudable obsesión fálica.

Pongo este ejemplo cercano para ilustrar precisamente una de las dificultades de acceso a la obra de Onetti y para comentar la paradoja de la fortuna de que goza actualmente su obra. Es indudable que la aceptación general de un escritor no es siempre prueba de comprensión profunda; también es indudable que muchos de los que ahora aplauden y exaltan su obra, apenas si la entienden bien; también es posible sospechar que otros lo ensalzan como forma de deprimir a narradores importantes de una generación inmediata, pero éste es tema que merecería ser analizado aparte. De todos modos me parece bien que, ya sea por las buenas o las malas razones, su obra sea considerada, comentada, aplaudida. Pocos escritores tiene o ha tenido el Uruguay que puedan compararse con éste.

La literatura occidental abunda en escritores que han sido grandes cuentistas y malos novelistas o viceversa. La misma mano que orquesta tan sabiamente los efectos de *La dama del perrito* (para citar uno de los mejores cuentos de Anton Chejov) fracasa cuando trata de escribir una novela, *Extraña confesión*. Toda la habilidad de Maupassant en *La maison Tellier* resulta a la postre ineficaz en *Une vie,* en *Pierre et Jean.* Lo que Chejov y Maupassant necesitaron y encontraron en el relato breve fue la concentración, la disciplina, la necesidad de síntesis, que les permitía revelar un alma, un caso, una situación, por medio de algunos detalles significativos. Por el contrario, tanto Marcel Proust como Thomas Mann se sentían limitados en la extensión reducida de un cuento. Puesto a escribir un ensayo de tardía refutación de Sainte Beuve, Proust se descubre redactando de un tirón 300 páginas en que el motivo central (demostrar que el ilustre crítico se equivoca al buscar en la biografía de un autor claves para elucidar su obra) se pierde en las laberínticas ramificaciones de las opiniones de Proust sobre Balzac, en la evocación de una charla con su propia madre, en el trazado de varios personajes secundarios; es decir: en la materia prima de los volúmenes de *A la recherche du temps perdu.* A Mann le pasó algo semejante: al comienzo de su carrera todavía puede crear estructuras breves y casi perfectas como *Tristán,* como *La muerte en Venecia,* pero el día que decide escribir una historia complementaria y paralela a la de esta última *nouvelle* termina en el grueso volumen de *La Montaña Mágica;* cuando quiere reinterpretar algunos capítulos de la Biblia sobre Jacob y sus descendientes, se encuentra con las manos llenas de cuatro volúmenes de densa prosa narrativa.

En las letras uruguayas son conocidos, y han sido muchas veces glosados, los casos de Javier de Viana y Horacio Quiroga, admirables cuentistas que fracasan cada vez que intentan la novela. Quiroga llegó a confesar su incomprensión de la dimensión novelesca al asegurar (en su excelente *Decálogo del perfecto cuentista*) que un cuento es una novela depurada de ripios. Opuesto, aunque no tan glosado por la crítica, es el caso de Eduardo Acevedo Díaz, caudaloso novelista de la serie histórica que abre *Ismael* y cuyos cuentos (salvo algún par de excepciones) son triviales, como lo ha puesto de relieve una lamentable selección reciente: *El combate de la tapera y otros cuentos* (1965).

Por eso mismo conviene subrayar desde el comienzo que Juan Carlos Onetti se desempeña con pareja solvencia en el cuento y en la novela. Sin embargo, sus novelas han obtenido no sólo más favor del público, sino más atención crítica. Sus cuentos también merecen ser revisados. Hasta la fecha han sido recogidos en tres volúmenes: *Un sueño realizado* (1951), *El infierno tan temido* (1962), *Tan triste como ella* (1963). Los dos primeros volúmenes ofrecen cuatro cuentos cada uno, el tercero dos, de una producción total que cabe estimar en más de una docena. (Falta recoger, aún *Jacob y el otro,* espléndido relato con el que Onetti obtuvo mención en el Concurso de *Life* en español, 1960.) Pero, aunque esos volúmenes sólo permiten apreciar parte de la producción cuentística de Onetti, bastan para certificar su madurez.

El más antiguo de los cuentos es, tal vez, «Mascarada» (del segundo libro). Figura allí el tema del desencuentro entre dos seres, una noche en el Parque Rodó, que será tan habitual en todas las ficciones de Onetti. La pareja absurda de este cuento reaparece en las de otros relatos y novelas. En «Esberg en la costa» (del primero), asume la forma de esa danesa que se hace acompañar por su marido porteño a mirar los barcos que parten hacia Europa; en «Historia del Caballero de la Rosa y de la virgen encinta que vino de Liliput» del (segundo), se da otra vuelta de tuerca al motivo que ya había asomado en la novela *Los adioses* (1954) y que había tenido su esbozo en la incongruente pareja que forma el protagonista de *Para esta noche* (1943), con la chiquilina de Barcala. También asoma esa trágica, imposible intimidad en «La cara de la desgracia» (del tercer volumen). Detrás de esas parejas está la convicción de una soledad esencial del ser humano, una incomunicación definitiva que los gestos habituales de ternura o insulto no logran vencer.

Pero más atrás aún está otro tema que corroe no sólo la intimidad de las parejas, sino la soledad final de esos hombres que meditan obsesivamente sobre un vaso y un cigarrillo en las altas horas del día. Es la experiencia de una pureza perdida, el paraíso de la infancia y la frescura de la adolescencia, que están ahora convertidos sólo en recuerdo más o menos corrompido. Por esos cuentos circulan frescas muchachas que son sólo memoria o que reaparecen (como la envejecida protagonista de «Un sueño realizado») ya sobreimpresas a la decadencia, al seguro abandono a la cercanía inexorable de la muerte. En cada uno de esos cuentos hay la huella indeleble de algo que fue puro y ya no es. El cinismo, la palabrota, el gesto obceno, la fotografía sucia (como en ese relato desgarrador, «El infierno tan temido»), son apenas trastos y utillería de una vocación fantasmal que realiza el narrador y por medio de los cuales trata de conjurar la magia de una pureza extinta.

En la entraña de estos cuentos duros, de estos cuentos cínicos, de estos cuentos agresivos, se encuentra una sensibilidad que se resiste a aceptar que la vida sea sólo corrupción y sordidez, y vuelve empecinada la cara hacia el recuerdo de una frescura. Como la protagonista de «Un sueño realizado», el narrador también crea en el espacio mágico de sus ficciones un sicodrama que le permite vivir y realizarse, al fin, en sus sueños hasta exorcizar del todo el carácter pesadillesco. Como la protagonista de «Un sueño realizado», la mano de la ficción pasa y repasa sobre la cabeza angustiada y trae el gesto de ternura, de perdón, de olvido, de paz, que hace falta para seguir muriendo. En las novelas esta visión negra y exigente adquiere máxima expresión.

En 1939 escribió Eladio Linacero:

> Lo curioso es que si alguien dijera de mí que soy «un soñador» me daría fastidio. Es absurdo. He vivido como cualquiera o más. Si hoy quiero hablar de los sueños, no es porque no tenga otra cosa que contar. Es porque se me da la gana simplemente. Y si elijo el sueño de la cabaña de troncos, no es porque tenga alguna razón especial. Hay otras aventuras más completas, más interesantes, mejor ordenadas. Pero me quedo con la cabaña porque me obligará a contar un prólogo, algo que sucedió en el mundo de los hechos reales hace unos cuantos años. También podría ser un plan ir contando un «suceso» y un sueño.

El plan allí enunciado por Linacero fructificó no sólo en las 99 páginas de *El pozo* (novela que firmaba J. C. Onetti), sino, diez años más tarde, en una obra de mayores proporciones: *La vida breve* (también de J. C. Onetti). En esos diez años el arte lineal del primer memorialista maduró en la compleja estructura de vidas y sueños que recoge en un largo relato su legítimo descendiente, Juan María Brausen. Vale la pena examinar con este pretexto los fundamentos del arte novelesco de su creador.

Con elogiable economía, Onetti enfrenta desde las primeras páginas de *La vida breve* (1950) los dos mundos en que va a circular el protagonista:

> —Mundo loco— dijo una vez más la mujer, como remedando, como si lo tradujese.
> Yo la oía a través de la pared. Imagine su boca en movimiento frente al hálito de hielo y fermentación de la heladera o la cortina de varillas tostadas que debía estar rígida entre la tarde y el dormitorio, ensombreciendo el desorden de los muebles recién llegados. Escuché, distraído, las frases intermitentes de la mujer, sin creer en lo que decía.

Los dos mundos que separa la débil, facilitadora pared del departamento, nunca llegarán a confundirse. Para saltar de uno a otro será necesario que Juan María Brausen asuma un nuevo nombre; que deje de ser Brausen y empiece a ser Juan María Arce. En algún momento ambos mundos llegan a ser tangenciales, pero nunca se solapan; están en distintos planos; distintas leyes los rigen y el juego del vivir no puede ser el mismo en ambos.

El mundo de Juan María Brausen es el mundo de la responsabilidad y la rutina, del hastío y el sinsentido, del malentendido que llaman amor. En alguna parte resume Brausen su vida:

> Gertrudis y el trabajo inmundo y el miedo de perderlo (...); las cuentas por pagar y la seguridad inolvidable de que no hay en ninguna parte una mujer, un amigo, una casa, un libro, ni siquiera un vicio, que puedan hacerme feliz.

O un poco más tarde y con más reconocible elocuencia:

> A esta edad es cuando la vida empieza a ser una sonrisa torcida (...). Y se descubre que la vida está hecha, desde muchos años atrás, de malentendidos. Gertrudis, mi trabajo, mi amistad con Stein, la sensación que tengo de mí mismo, malentendidos. Fuera de esto nada; de vez en cuando, algunas oportunidades de olvido, algunos placeres, que llegan y pasan envenenados. Tal vez, poco importa. Entretanto, soy este hombre pequeño y tímido, incambiable, casado con la única mujer que seduje o me sedujo a mí, incapaz, no ya de ser otro, sino de la misma voluntad de ser otro. El hombrecito que disgusta en la medida en que impone la lástima, hombrecito confundido en la legión de hombrecitos a los que fue prometido el reino de los cielos. Asceta, como se burla Stein por la imposibilidad de apasionarse y no por el aceptado absurdo de una convicción eventualmente mutilada. Este, yo en el taxímetro, inexistente, mera encarnación de la idea Juan María Brausen, símbolo bípedo de un puritanismo barato hecho de negativas —no al alcohol, no al tabaco, un no equivalente para las mujeres—, nadie, en realidad.

O, también, dicho en las palabras con que el protagonista comprende, al fin, lo que había estado sabiendo durante semanas, que «yo»:

> Juan María Brausen y mi vida no eran otra cosa que moldes vacíos, meras representaciones de un viejo significado mantenido con indolencia, de un ser arrastrado sin fe entre personas, calles y horas de la ciudad, actos de rutina.

Ese mundo puede resumirse en la imagen con que Onetti golpea al lector desde el comienzo, al empezar a comunicar Brausen su obsesión: el pecho recién cortado de su mujer. Las imágenes se acumulan, incesantes, crueles:

> ... pensé en la tarea de mirar sin disgusto la nueva cicatriz que iba a tener Gertrudis en el pecho, redonda y complicada, con nervaduras de un rojo o un rosa que el tiempo transformaría acaso en una confusión pálida, del color de la otra, delgada y sin relieve, ágil como una firma, que Gertrudis tenía en el vientre y que yo había reconocido tantas veces con la punta de la lengua; ... pensaba en la mañana, unas diez horas atrás, cuando el médico fue cortando cuidadosamente, o de un solo tajo que no prescindía del cuidado, el pecho izquierdo de Gertrudis. Había sentido vibrar el bisturí en la mano, sentido cómo el filo pasaba de una blandura de grasa a una seca, a una ceñida dureza después; ... mientras no lograra olvidar aquel pecho cortado, sin forma ahora, aplastándose sobre la mesa de operaciones como una medusa, ofreciéndose como una copa. No era posible olvidarlo, aunque me empeñara en repetirme que había jugado a mamar de él, de aquello; ... Ablación de mama. Una cicatriz puede ser imaginada como un corte irregular practicado en una copa de goma, de paredes gruesas que contenga una materia inmóvil, sonrosada, con burbujas en la superficie, y que dé la impresión de ser líquida si hacemos oscilar la lámpara que la ilumina. También puede pensarse cómo será quince días, un mes después de la intervención, con una sombra de piel que se le estira encima, traslúcida, tan delgada que nadie se atrevería a detener mucho tiempo sus ojos en ella. Más adelante las arrugas comienzan a insinuarse, se forman y se alteran; ahora sí es posible mirar la cicatriz a escondidas, sorprenderla desnuda alguna noche y pronosticar cuál rugosidad, cuáles dibujos, qué tonos sonrosados y blancos prevalecerán y se harán definitivos. Además, algún día Gertrudis volvería a reírse sin motivo bajo el aire de primavera o de verano del balcón y me miraría con los ojos brillantes, con fijeza, un momento. Escondería en seguida los ojos, dejaría una sonrisa junto con un trazo fijado en los extremos de la boca. Habría llegado entonces el momento de mi mano derecha, la hora de la farsa de apretar en el aire, exactamente, una forma y una resistencia que no estaban y que no habían sido olvidados aún por mis dedos. Mi palma tendrá miedo de ahuecarse exageradamente, mis yemas tendrán que rozar la superficie áspera o resbaladiza, desconocida y sin promesa de intimidad de la cicatriz redonda.

Sólo en Louis Ferdinand Céline (especialmente en *Voyage au bout de la nuit,* 1932), solía encontrarse tamaña provocación a la sensibilidad del lector. El mismo Onetti en sus anteriores novelas no había dado con nada tan cruelmente eficaz; tampoco Jean Paul Sartre, de quien Onetti es coetáneo y con quien presenta tantos curiosos puntos de contacto. En efecto, *La Nausée* y *Le mur* son de 1938; *El pozo,* del 39. No es seguro que Onetti haya conocido antes de 1945 estas primeras obras de Sartre; y, sin embargo, su corta primera novela está en la misma tradición de literatura negra. El parentesco parece más fácil de trazar por la vía de una común admiración por Céline —*La Nausée* tiene un epígrafe suyo— y por la influencia compartida de novelistas norteamericanos en que descuellan Dos Pasos y Faulkner.

La brutalidad de estas descripciones de *La vida breve* deja más al desnudo la sensibilidad herida del personaje. A través de ella busca el autor alcanzar la sensibilidad del lector. Todo el resto de la novela sólo puede agregar circunstancias, nombres, anécdotas. Si el lector ha asimilado el castigo, bastaría esa única imagen para poder deducir —en angustia, en pasión— todo el resto. Pero Onetti es un verdugo metódico y proyecta sus vicisitudes (para usar sus palabras) con precisión y frialdad. Nada queda omitido. Y pieza tras pieza, en lúcido, ordenado *puzzle,* se desarrolla ante el lector la historia de Juan María Brausen: su fracaso amoroso, la pérdida del empleo, la separación de Gertrudis, un nuevo fracaso al intentar (en qué términos tan equívocos) el rescate de la juventud vivida en Montevideo.

Mientras la existencia de Brausen se envilece hasta llegar a las heces, la fascinación del mundo del otro lado de la pared, se ejerce con creciente energía. En un primer momento parece obvio su significado: es un escape, una huida de la realidad. Pero es también realidad e impone sus reglas. Un día Brausen aprovecha una ausencia de su vecina, *La Queca,* y visita el departamento vacío. «Empecé a moverme sobre el piso encerado —escribe—, sin ruido ni inquietud, sintiendo el contacto con una pequeña alegría a cada paso lento. Calmándome y excitándome cada vez que mis pies tocaban el suelo, creyendo avanzar en el clima de una vida breve en la que el tiempo no podía bastar para comprometerme, arrepentirme o envejecer.» Desde ese momento, Brausen empieza a concebir el desquite. No en su propia existencia ratonil, sino en el mundo al lado. Al ingresar allí, es como si los valores morales (sus valores, en los que ya no cree) cambiaran de signo, aceleraran su metamorfosis: él, hombre de una sola mujer, podrá convertirse en amante de una prostituta, en macró; él, temeroso de hacer sentir a su mujer la imparidad de sus pechos, descubrirá el placer de golpear a una mujer, de brutalizar y brutalizarse; él, aceptando como un capricho («de primavera» se dice) la idea de matar a Gertrudis, arderá en deseos de vengar con el asesinato premeditado de *La Queca* «todos los agravios que me era posible recordar».

Una fuerte escena marca el acceso al mundo de al lado. En su primera tentativa de entrar en contacto con *La Queca*, Brausen (vacilante, improvisando) es echado a patadas por uno de sus amantes, Ernesto. Mientras se levanta y se limpia la ropa maculada, Brausen comprende que ha sido aceptado, que ahora empieza a ser también Juan María Arce. La violencia parece ser la regla de este otro juego. Pero no es su tónica. Poco a poco, Arce descubre el verdadero sentido de este mundo, eufóricamente anticipado en la visita al departamento vacío. En un segundo intento de aproximación (éste sin el torvo Ernesto) Arce consigue a *La Queca*; puede contemplarse vivir:

> ... ahora yo también estoy dentro del escándalo, dejando caer ceniza de tabaco por todas partes, aunque no fumo: usando copas, moviéndome con ardor entre los muebles y objetos que empujo, arrastro, cambio de lugar; inmóvil, cumplo mi tímida iniciación, ayudo a construir la fisonomía del desorden, borro mis huellas a cada paso, descubro que cada minuto salta, brilla y desaparece como una moneda recién acuñada, comprendo que ella me estuvo diciendo, a través de la pared que es posible vivir sin memoria ni previsión.

Con *La Queca*, la rutina del sexo se convierte en otra cosa: «Si la olvido (piensa mientras la mira caminar por la pieza), podría desearla, obligarla a quedarse y contagiarme su silenciosa alegría. Aplastar mi cuerpo contra el suyo, saltar después de la cama para sentirme y mirarme desnudo, armonioso y brillante como una estatua, efebo por la juventud transmitida a través de epidermis y de mucosas, desbordante de mi vigor de tercera mano.» De estas experiencias, un nuevo hombre (no sólo un nuevo nombre) emerge. Cuando acepta irse a Montevideo con *La Queca*, en viaje financiado por un viejo amante de ella, la nueva etapa de la degradación le permite mirarse desde la altura de Brausen y sentirse «irresponsable de lo que él (Arce) pensara o hiciera»; se ve «descender con lentitud hasta un total cinismo, hasta un fondo invencible de vileza del que (Arce) estaría obligado a levantarse para actuar por mí».

Una verdad suplanta a los valores destruidos por Brausen. Tendido en la cama de la prostituta (en la que se complace en «descubrir antiguas presencias mezcladas, contradictorias») y mientras se distrae pensando en su pasado como si fuera ajeno,

> ... algunos anticipos de Arce y de la verdad iban cayendo sobre mi pereza: supe que no es el resto, sino todo lo que se da por añadidura;

que lo que lograra obtener por mi esfuerzo nacería muerto y hediondo;
que una forma cualquiera de Dios es indispensable a los hombres de
buena voluntad, que basta ser despiadadamente leal con uno mismo para
que la vida vaya encajando, en momento oportuno, los hechos oportu-
nos. Libre de la ansiedad, renunciando a toda búsqueda, abandonado
a mí mismo y al azar, iba preservando de un indefinido envilecimiento
al Brausen de toda la vida, lo dejaba concluir para salvarlo, me disolvía
para permitir el nacimiento de Arce. Sudando en ambas camas, me
despedía del hombre prudente, responsable, empeñado en construirse
un rostro por medio de las limitaciones que le arrimaban los demás,
los que lo habían precedido, los que aún no estaban, él mismo. Me despedía del Brausen que recibió en una solitaria casa de Pocitos, Montevideo, junto con la visión y la dádiva del cuerpo desnudo de Gertrudis, el mandato absurdo de hacerse cargo de su dicha.

Para poder ingresar totalmente a este mundo de verdad (ese
mundo de Arce) el personaje necesita purificarse matando a *La
Queca*; bastarían entonces pocos minutos para aliviarse de todo
lo que puede ser dicho a una persona, «para quedarme vacío de
todo lo que había tenido que tragarme desde la adolescencia, de
todas las palabras ahogadas por pereza, por falta de fe, por el sentimiento de inutilidad de hablar». Cuando llega al departamento
a matar a *La Queca*, descubre que ésta acaba de ser asesinada por
Ernesto.

> Sentí que despertaba (comenta luego) no de este sueño, sino de otro
> incomparablemente más largo, de otro que incluía a éste y en el que
> yo había soñado que soñaba este sueño.

Brausen (es claro) no deja nunca de ser Brausen. Ni aún cuando
se libera de compromisos (el empleo, Gertrudis, la amistad); ni
aún cuando entierra, con Raquel, la nostalgia de la juventud en
Montevideo; ni aún cuando vive, tantos meses, como Arce. Rechaza,
es cierto, las reglas del juego en que vivía, cambia de mundo, pero
subsiste profundamente como Brausen. La reacción frente al asesinato de *La Queca* lo demuestra. Ante la realidad brutal (no imaginaria) del crimen, Arce se desvanece —el nuevo juego (*su* juego)
exigía que matara a Ernesto— y es un renovado Brausen el que
protege al asesino, el que intenta salvarlo creándole una vida
nueva. (Quizá ya Brausen sienta que Ernesto ha matado por él,
aunque sólo más tarde llegue a formulárselo tan claramente, llegue
a sentirse solitario y a escribir: «no es más que una parte mía;
él y todos los demás han perdido su individualidad, son partes mías»).
En su desesperada intentona de evasión, ambos llegan a Santa María
y acaban por ser detenidos, lo que de golpe entrega a Brausen la
libertad, la verdadera: «esto era lo que yo buscaba desde el principio (se dice), desde la muerte del hombre que vivió cinco años con

Gertrudis; ser libre, ser irresponsable ante los demás, conquistarme sin esfuerzo una verdadera soledad». Entre tanto, su huida también lo ha llevado a interpolarse en un tercer mundo, del que no he hablado todavía pero que es tan antiguo como la misma novela.

Antes de que Juan María Brausen supiese que era posible incorporarse al mundo de *La Queca* —que corría vertiginoso del otro lado de la pared—, la necesidad de evadirse del mundo propio le había forzado a la creación de un mundo imaginario. Un médico cuarentón en Santa María, ciudad provinciana junto al río, constituía la primera imagen. Poco a poco, y mientras Brausen se esconde y emerge gradualmente como Arce, la historia de Díaz Grey se va formando como otra vía de escape. El mundo en que Díaz Grey vive es una transparente estilización de la realidad que oprime a Brausen: la sordidez está objetivada en la profesión («Los ojos... hartos hasta el fin de la vida de observar entrepiernas, pliegues, combas, blanduras, lugares comunes y anormalidades... La cara colgante inclinada sobre adelantos y retrasos, el olor de la carne fresca y cocida que se alza desprendiéndose del perfume de las sales de baño o del de la colonia distribuida previamente con un solo dedo. Abrumado, a veces, por la involuntaria tarea de analizar el claroscuro, las formas y los detalles barrocos de lo que miraba y tratar de representarse lo que aquello había significado o podría significar para un hombre cualquiera, enamorado»); la tentación de la hembra, es Elena Sala («La vi avanzar en el consultorio, seria, haciendo oscilar apenas, un medallón con una fotografía entre los dos pechos, demasiado pequeños para su corpulencia y la vieja seguridad que reflejaba su cara»); la consumación del rabioso deseo se alcanza en la posesión de esa misma Elena (que sólo se entrega porque sabe que luego va a suicidarse); la pureza adolescente llega en una aventura imposible con una Elena Sala imaginaria, y que Díaz Grey se cuenta para poder seguir viviendo (como Brausen se cuenta la de Díaz Grey, como vive la de Arce); la huida y persecución está en la sucia aventura final con el marido y un amante de Elena Sala, aventura en la que Díaz Grey participa por saber que descenderá la paz en medio del desastre, que la joven violinista con la que al fin se queda es la Elena Sala imposible y ya muerta. Hasta en los menores detalles, este mundo de Díaz Grey es tributario del de Brausen. No sólo porque el protagonista es el mismo Brausen, y Elena es una renovada Gertrudis; lo es, sobre todo, porque el dueño del hotel junto a la playa es el mismo viejo Macleod que había echado a Brausen de su empleo; lo es porque hay cosas de Elena Sala que sólo Brausen entiende; la prostibularia sonrisa que ofrece a Díaz Grey y que nace del mismo «ademán, el mismo breve, desesperanzado sonido (reiterado) años atrás en zaguanes de prostíbulos, donde mi mano avanzaba lívida bajo la luz alta en el techo»; nace de su promiscuidad con *La Queca*, de su implacable enfoque del sexo.

En esta tercera existencia de Brausen, Onetti abandona, es claro, toda pretensión de realismo. Me refiero al de las esencias. La superficie sigue siendo de sórdido, minucioso naturalismo. Pero las coordenadas de tiempo y espacio, las identidades de sus personajes, son susceptibles de modificación y un retoque de la voluntad o un capricho del creador, pueden alterar o petrificar la faz del mundo, sus valores.

Así como Arce se disuelve al final de su aventura en Brausen —y el policía que lo detiene como encubridor de Ernesto lo identifica (ante el asombro del lector); «usted es el otro... Entonces, usted es Brausen»—, Díaz Grey cierra la novela, conquistada ya del todo su objetividad por haberse asimilado a Brausen. El mundo real de Díaz Grey se hace ficción y la palabra 'Fin' en la página 390 demuestra que, en efecto, la única verdad es la de fábula. Se comprende, recién, entonces la lealtad de esta advertencia (ya **citada**):

> Sentí que despertaba (dice el protagonista) no de este sueño, sino de otro incomparablemente más largo, otro que incluía a éste y en el que yo había soñado que soñaba este sueño.

Otra lectura de *La vida breve* parece también posible. En vez de considerar a la novela como documento contemporáneo, testimonio sobre el mundo desvalorizado que vivimos, el lector puede seguir a Brausen en su aventura interior. Entonces no se trata de escapar a la realidad, vivir la vida breve, o inventarse un cuento para llevar al cine. Se trata de crear otra realidad, competir con la creación. Gradualmente, Brausen libera en sí mismo las fuerzas de la imaginación. Mientras vive su gris rutina o la más excitante de Arce, o la rectificable de Díaz Grey, Brausen explora las provincias de la creación. Empieza por tantear este mundo compacto y enterizo, tan ingobernable en apariencia. Por un resquicio —descubierto a qué costa, con qué esfuerzo— es posible interpolar en él una ventana sobre el río, un médico asomado a ella. Brausen se confiesa: «estaba un poco enloquecido... sintiendo mi necesidad creciente de imaginar y acercarme a un borroso médico de cuarenta años, habitante lacónico y desesperanzado de una pequeña ciudad colocada entre un río y una colonia de labradores suizos. Santa María, porque yo había sido feliz allí, años antes, durante veinticuatro horas y sin motivo». Otro resquicio para la creación pueden ser los pechos de una mujer, «demasiado pequeños para su corpulencia y la vieja seguridad que reflejaba su cara», entre los que se balancea un medallón con un retrato. Bastan esas fisuras para que un nuevo mundo sea posible, empiece a existir.

Toda la novela entonces adquiere profundidad en el tiempo y en el espacio. En vez de contar tres historias más o menos novelescas que se yuxtaponen en universos incomunicados y recogidos por sus propias leyes, el libro ordena en un mismo cuadro espacial y temporal sus varias anécdotas; ese territorio común de las tres historias es la creación narrativa: el tema esencial que permite su existencia simultánea.

Cada vez que Brausen piensa a Díaz Grey, lo va creando. Esa repetición insomne, ese obstinado rigor en el deseo, va haciendo viable a Díaz Grey; lo hace salir de la costilla de este Adán. En Sus primeras tentativas de vida, la criatura está demasiado adherida a Brausen, y su mundo sólo logra trasponer —en cifra melodramática y concisa— la dolorosa rutina. Pero la renovada invención permite que se acentúen los ragos y se empiece a advertir que en Díaz Grey se realiza el milagro del desquite de esta vida primera. La originalidad e independencia de lo creado empieza luego a hacerse evidente. En el capítulo XIII emerge un tercer agonista, el marido de Elena Sala, ente totalmente de ficción, aunque engendrado por la pasada desdicha y los vientres de Gertrudis y *La Queca* (como el mismo Brausen se dice). Con el ingreso de este personaje el relato adquiere por vez primera realidad objetiva; nada en el largo capítulo traiciona la existencia de un creador que mueve los hilos; los muñecos actúan como si fueran mortales. (Apenas algún juego del omnisciente e invisible relator, en que a la manera de *Citizen Kane* se salta el tiempo entre un apretón de manos de despedida, y el mismo apretón de saludo, traiciona una impaciencia técnica, al paso que denuncia una conciencia que vigila.)

Puede creerse entonces que Díaz Grey ha logrado su plenitud de cosa creada, su eternidad en el papel. El proceso empieza entonces a revertirse: la criatura empieza a inventar a su creador. O mejor, a presentirlo. Brausen cuenta: «Abandonado en el aire libre al cansancio, al frío, a las olas de sueños que a veces lo arrastraban para devolverlo en seguida (Díaz Grey) contemplaba la mancha negra del pequeño fondeadero, trataba de distraerse evocando las formas y los colores de las pequeñas embarcaciones, llegaba a intuir mi existencia, a murmurar 'Brausen mío' con fastidio.» La invención de un creador acentúa, paradójicamente, la condición de ente real que no tiene (que no puede tener) Díaz Grey. Otra operación que emprende luego confirma el engaño, aumenta la confianza de sus movimientos. Díaz Grey (¿por qué no?) se improvisa un pasado. Para escapar a la extorsión de Elena Sala —que se ofrece, pero con asco, profesionalmente—, el médico la recrea en la imaginación. Parece ridículo o meramente patético. Sacado de la nada, inventado por la urgencia de otro a los cuarenta años, pequeño y rubio, contra una ventana sobre el río, cómo atreverse a tener un pasado en un taxi con una muchacha recién poseída, que es también la imposible Elena. Díaz Grey lo hace y asegura —demuestra— así su realidad. La posesión «real» de Elena Sala, antes del suicidio, no mata más que la comezón de la carne. El deseo («hijo del cuerpo, pero éste ya no bastaba para aplacarlo») sólo podrá ser satisfecho cuando encuentre a la muchacha violinista y huya con ella hacia el triunfo total sobre el desastre, cuando, igual que Brausen, cercado por la policía, alcance la paz sobre las serpentinas muertas del alba —como ha escrito Borges en otro contexto.

Y es entonces (terminada ya la novela en la descripción objetiva de esa fuga y esa victoria) cuando el lector comprende que la verdad es que Díaz Grey acaba inventando a su Brausen, acaba siendo más Brausen que el otro. Porque cuando Brausen, que ha enterrado dentro de sí a Arce, huye con Ernesto hacia la imaginada Santa María, descubre allí la realidad de su creación; descubre, también, que la aventura de Díaz Grey ocurrió allí mismo, pero en otro tiempo, hace ya muchos años; que esa aventura lo ha anticipado, que fue. Y en vez de interpolar su ficción (Díaz Grey, inventado por él) en la actualidad de la policía que acecha y de Ernesto que golpea a un hombre para escaparse, acaba rindiéndose a la ficción, entregándose a ella, libre e irresponsable. Vale decir: acaba por renunciar y aceptar también su condición de ente ficticio, de creatura creada por otro: Díaz Grey u Onetti.

¿Qué concluir de este laborioso análisis? A primera vista, Onetti no ha sabido resistir a la mediocre tentación de ilustrar —en gran escala— una de las máximas de Pero Grullo: El novelista es el Dios de sus creaturas. (Para demostrar su autosatisfacción, podría insinuarse, no ha vacilado en introducir su autorretrato en el cuadro, como si fuera un Veronese cualquiera.) Pero esta explicación, que no deja de tener sus atractivos, es lamentablemente falsa. Como Proust en *A la recherche du temps perdu*, como Gide en *Les faux monnayeurs*, como Huxley en la novela en que parodia a este último *(Point Counter Point)*, Onetti ha querido explorar la creación literaria desde dos planos simultáneos e inseparables: el teórico y el práctico. Su novela analiza la creación mientras crea. No sólo obtiene por este simple recurso una mayor vitalidad, también logra despojar a un tema ilustre de todo intelectualismo y vacía especulación al asediarlo con rabia y pasión.

Además (y esto solo ya sería mucho), con tal procedimiento consigue dar un contenido profundo al mensaje evidente de la

obra. No sólo es cierto que la liberación de la rutina y de la desvalorización del alma sólo llega cuando nos encontramos con la
verdad de nosotros mismos, nos despojamos de inhibiciones y compromisos, aventamos malentendidos (Brausen al despertar del sueño
después de haberse purificado en Arce); la liberación puede llegar-
nos por la creación, por las fuerzas que desata el creador al
rehacer el mundo, al descubrir con asombro su poder y la riqueza
de la vida. Por eso, el protagonista consigue develar —en uno de
sus numerosos ensoñares— la verdadera ambición de este artista
y de esta obra, el último mensaje. Dice así:

> A veces escribía y otras imaginaba las aventuras de Díaz Grey, aproxi-
> mado a Santa María por el follaje de la plaza y los techos de las cons-
> trucciones junto al río, extrañado de la creciente tendencia del médico
> a revolcarse una y otra vez en el mismo suceso, a la necesidad —que
> me contagiaba— de suprimir palabras y situaciones, de obtener un solo
> momento que lo expresara todo: a Díaz Grey y a mí, al mundo entero,
> en consecuencia.

La doble o triple lectura de *La vida breve* no excluye otra que
parece lícito examinar también. Proyectada sobre el cuadro de la
ficción rioplatense de los años 40, esta novela (y la obra entera
de Juan Carlos Onetti que le sirve de antecedente) adquiere un
significado peculiar. Ante todo, parece fácil clasificar a Onetti
como novelista de la ciudad y novelista del realismo, oponiéndolo
a un Güiraldes, a un Benito Lynch, a un Amorim (en su primera
época), a un Espínola y emparejándolo a un Manuel Gálvez (en su
período prehistórico), a un Roberto Arlt, a un Amorim (segunda
época), a un Eduardo Mallea, a un Felisberto Hernández (antes
del onirismo), a un Leopoldo Marechal en su único intento totali-
tario (*Adán Buenosayres*). Un examen comparado de sus respec-
tivas obras deja a Onetti solo. No porque no sea posible oponer
reparos a sus creaciones. Cualquiera advierte la sospechosa monotonía de sus personajes, la unilateralidad en el método descriptivo,
el (a veces excesivo) simbolismo de sus acciones y caracteres, el
desarrollo deliberadamente barroco que entorpece la lectura, los
rasgos aislados de mal gusto. Pero ninguno de los nombrados en
su categoría (ciudadana y realista) alcanza la violencia y lucidez de
sus testimonios, la calidad segura de su arte que sabe superar el
realismo superficial y se mueve con pasión entre símbolos.

No es casual la mención en las páginas precedentes de algunos
nombres (Céline o Sartre, Dos Passos o Faulkner) que constituyen
los mejores representantes de una literatura que sin dejar de ser
arte es también testimonio y agonía. Onetti supo ver y denunciar
antes de 1950, en la superficie falsa y vacía del mundo rioplatense

lo que esa superficie encerraba; supo encontrar las imágenes que en un solo momento lo expresaran todo. En este sentido, *Tierra de nadie* ha hecho por Buenos Aires lo que *Manhattan Trasfer,* por Nueva York. La aproximación no es caprichosa. Parte de la técnica de Dos Passos ha servido de clara inspiración a Onetti. Pero la modalidad técnica no constituye el valor principal de su novela, agria e imperfecta en este sentido. Su importancia esencial consiste en la ardida descripción de un mundo sin valores, poblado de indiferentes morales, de espaldas a su destino: un mundo en que el arte o el sexo, la política o el intelecto, se ejercen en el vacío, como formas desprovistas de contenido y sin sangre.

Que Onetti no sólo supo ver la superficie sino que caló hasta el fondo lo demuestra mejor ahora que nunca esta fantasía de una ciudad sitiada que se tituló *Para esta noche.* La imaginaria ciudad, gobernada por la delación, el terror y la brutalidad fue ya en 1943 el anticipo de un Buenos Aires peronista, menos melodramático pero no menos irrespirable. Y lo que entonces pareció un ejercicio en imaginación, escrito (según confesaba el autor) «por la necesidad satisfecha en forma mezquina y no comprometedora —de participar en dolores, angustias y heroísmos ajenos», y capaz por tanto de ser emparentado con la amanerada reconstrucción del asesinato de García Lorca en *Fiesta en noviembre* de Mallea, se convirtió en duro, en apasionado testimonio del futuro. *La vida breve* cierra en cierto sentido ese ciclo documental abierto diez años antes por *El pozo.*

Pero abre nuevas perspectivas. Sobre todo, porque excava en la misma realidad un territorio fantástico no menos sugestivo que el real; además porque desde el punto de vista del realismo documental significa el cierre de una etapa. La generación perdida que empezó a examinarse en *El pozo,* cuyo despiadado censo levantó *Tierra de nadie,* la que anticipó en pesadilla su destrucción en *Para esta noche,* encuentra su definitiva metáfora, su cabal resumen, en *La vida breve.* Pero ya no es más. Las fuerzas imaginarias de *Para esta noche* están operando sobre la realidad, y el mundo de aquella ficticia y real generación pertenece ya al pasado. Ese 1950 marca la hora para el novelista de inaugurar la pintura de este nuevo universo que funda con *La vida breve,* primera obra del ciclo de Santa María. El libro siguiente *Los adioses* (1954), marca una etapa de clara transición en su desarrollo. Aunque vinculado al ciclo, sólo lo trata lateralmente. Pero por la ejemplaridad de su visión y de su estilo justifica un análisis pormenorizado.

Un hombre llega a una ciudad de las sierras, donde hacen su cura los tuberculosos. Pasiva pero firmemente se niega a asimilarse a esa vida de sanatorio, de alentada esperanza, que contamina toda la ciudad. Es taciturno, no acepta. Vive sólo para las dos cartas (el sobre manuscrito, el dactilografiado en la máquina de tipos gastados) que llegan regularmente y que son la vía por la que continúa comunicado con el mundo exterior. Un día llega la mujer, autora de una de la serie de cartas, y el hombre rompe su silencio, su hermetismo, su negativa empecinada. Otro día, distinto, llega la de las cartas a máquina: es una muchacha fuerte, indestructible, viva: para ella, el hombre ha alquilado un chalet.

Así se plantea el tema de *Los adioses,* novela (o *nouvelle,* tal vez) que interrumpe un silencio de algunos años, sólo alterado por una recopilación de cuentos. En unas 80 páginas se irá revelando el misterio que encierra esa gran figura agobiada; el misterio de la mujer y su niño, de la muchacha, con todas las obscenas asociaciones que despierta el retiro en el chalet, la larga e ininterrumpida cohabitación de esas vacaciones, que escandalizan la sórdida pero rígida moralidad ciudadana de todos los mirones.

Porque (conviene aclararlo) toda la historia está contada desde fuera, está comunicada al lector por medio de un *testigo.* Ese testigo es el dueño del almacén, un ex tuberculoso que sigue viviendo en las sierras con su medio pulmón y que registra desde su observatorio ciudadano los avatares de todos los enfermos. Enfermo él también, y no sólo de los pulmones, se jacta de saber (desde el primer momento) que el hombre no es de los que se curan, y por eso edifica su teoría. También tiene su teoría para explicarse las dos mujeres, el chalet en la colina y la clase de orgías que van consumiendo rápidamente al hombre. En esto no está solo: lo acompañan el enfermero y la muchacha del hotel. Entre los tres, con los datos aportados por los tres, se va armando este relato que la solapa y una faja significativa puesta al volumen califican de Historia de Amor.

Pero el amor que muestran estos testigos es la corrupción de la carne, el deseo consumiéndolo todo. Cuando llega la muchacha y comprende que el hombre tiene otra mujer, la obscenidad de los mirones contamina todo lo que ven. Con fariseísmo, lamentan que la muchacha sea demasiado joven para él, pero no pueden dejar de valorarla (en la imaginación) por los supuestos méritos eróticos.

> Imaginaba (dice, al borde de la revelación, el testigo principal) imaginaba la lujuria furtiva, los reclamos del hombre, las negativas, los compromisos y las furias despiadadas de la muchacha, sus posturas empeñosas, masculinas.

Ya que el testigo, y sus colaboradores espontáneos, no sólo apuntan lo que ven sino que ven lo que se imaginan. El pasado del hombre, jugador de *basket-ball,* se reconstruye así:

Acepté una nueva forma de la lástima (declara el testigo), lo supuse más débil, más despojado, más joven. Comencé a verlo en alargadas fotos de *El Gráfico* con pantalones cortos y una camiseta blanca inicialada, rodeado por otros hombres vestidos como él, sonriente o desviando los ojos con, a la vez, el hastío y la modestia que conviene a los divos y los héroes. Joven entre jóvenes, la cabeza brillante y recién peinada, mostrando, aun en la grosera retícula de las sextas ediciones, el brillo saludable de la piel, el resplandor suavemente grasoso de la energía, varonil, inagotable. Lo veía acuclillado, al relámpago del magnesio, los cinco dedos de una mano simulando apoyarse en una pelota o protegerla; y también en una habitación sombría, examinando a solas, sin comprender, la lámina flexible de la primera radiografía, rodeado por trofeos y recuerdos, copas, banderines, fotografías de cabeceras y banquetes. Podía verlo correr, saltar y agacharse, sudoroso, crédulo y feliz, en canchas blanqueadas por focos violentos, seguro de ser aquel cuerpo largo y semidesnudo, convencido de la eternidad de cada tiempo de veinte minutos y de que el nombre que gritaba la multitud con agradecimiento y exigencia servía para expresarlo, mencionaba algo real y perdurable.

También reconstruye el testigo los movimientos del hombre en su soledad:

El Doctor Gunz le había prohibido las caminatas; pero solamente usaba el ómnibus para volver al hotel cuando llevaba en el bolsillo uno de los sobres escritos a máquina. Y no por la urgencia de leer la carta, sino por la necesidad de encerrarse en su habitación, tirado en la cama, con los ojos enceguecidos en el techo o yendo y viniendo de la ventana a la puerta, a solas con su vehemencia, con su obsesión, con su miedo a la esperanza, con la carta aún en el bolsillo o con la carta apretada con otra mano o con la carta sobre el secante verde de la mesa, junto a los tres libros y al botellón de agua nunca usada.

O en esa otra soledad, más reservada e inviolable con la muchacha:

Se sentaron junto a la ventana y me pidieron café. Ella, adormecida, me siguió por un tiempo con una sonrisa que buscaba explicar y ponerla en paz. Les miré los ojos insomnes, las caras endurecidas, saciadas, voluntariosas. Me era fácil imaginar la noche que tenían a las espaldas, me tentaba, en la excitación matinal, ir componiendo los detalles de las horas de desvelo y de abrazos definitivos, rebuscados.

Esa descontada y triste obscenidad que contamina el testimonio del relator (reflejo de la obscenidad que contamina la ciudad entera) explica la sensación de estafa, de burla premeditada, que se tiene cuando se revela el misterio del hombre y de la muchacha. El lector, que ha ido aceptando el testimonio del relator, que no ha podido no aceptarlo; el lector, partícipe vicario del chisme y del regodeo, no puede someterse a la solución que la verdadera historia le propone.

Es precisamente esta resistencia elemental (e inevitable) lo que explica que muchos lectores, y no de los peores, se detengan aquí en su juicio y hablen de los trucos de Onetti. Es cierto. La novela está trucada. Pero no basta reconocerlo. Hay que preguntarse para qué está trucada. Una segunda lectura lo revela mejor. La clave está en algunas palabras de la página 83. El narrador comenta su vergüenza y su rabia y «el viboreo de un pequeño orgullo atormentado» cuando descubre en una carta no reclamada por el hombre la verdadera solución. Entonces comprende:

> Pero toda mi excitación era absurda, más digna del enfermero que de mí. Porque suponiendo que hubiera acertado al interpretar la carta, no importaba, en relación a lo esencial, el vínculo que unía a la muchacha con el hombre. Era una mujer; en todo caso, otra.

En realidad, ésta es una Historia de Amor y no de Sexo. No importa que el testigo haya creído en una relación culpable; tampoco importaría que su creencia final en la inocencia de la muchacha sea también mentira. No importa que sea lujuria o incesto la apariencia que une a esos dos seres. Lo que los une, en verdad esencial, es el amor. De manera que los datos materiales, los hechos, la realidad de un lecho compartido o no, son trivialidades, circunstancias que sólo sirven para enmascarar (y revelar al fin) la naturaleza esencial de una relación que es sólo amor, cualquiera sea su forma corpórea.

Dentro de la primera historia (la historia que cuenta el testigo con fruición para la cosa sexual imaginada o real) ocurre otra historia que es tragedia. Es la historia de un hombre que no escapa, no puede escapar a su destino: la destrucción total. La historia de un hombre que empieza por negarse (contra toda evidencia) a aceptar la condición de enfermo, pero que tampoco tiene voluntad para curarse y que acaba no aceptando el sacrificio de la muchacha, huyendo (por qué vía) para no compartir siquiera la muerte.

Como en una alegoría, la historia de cuerpos contaminados o sanos, de sórdidos hoteles y de mirones que registran hasta la menor inflexión sensual de un movimiento, lleva dentro otra historia: la de una devoción y la de un sacrificio, la de no aceptar, decir No a la enfermedad, al amor, a la vida luego. Y del mismo modo, con la misma ambigüedad, el testimonio del relator (ese hombre sólo ojos que compensa su impotencia de vivir con la imaginación con que acecha la vida ajena), también el testimonio del relator lleva otro dentro.

La existencia de un testigo (de la mirada ajena, diría Sartre), crea al hombre y le impone su destino. Cuando todavía la historia está en sus comienzos, y el relator no ha comprendido la fuerza y la importancia de su testimonio, ocurre una súbita, fugaz revelación:

> Así quedamos (recuerda o retoca) el hombre y yo, virtualmente desconocidos y como al principio; muy de tarde en tarde se acomodaba en el rincón del mostrador para repetir su perfil encima de la botella de cerveza —de nuevo con su riguroso traje ciudadano, corbata y sombrero—, para forcejear conmigo con el habitual duelo nunca declarado: luchando él por hacerme desaparecer, por borrar el testimonio de fracaso y desgracia que yo me empeñaba en dar; luchando yo por la dudosa victoria de convencerlo de que todo esto era cierto, enfermedad, separación, acabamiento.

Pero lo que ahí parece sólo un duelo, nunca declarado pero tenaz, entre la aceptación del mundo (su corrupción, su entrega anticipada a la muerte) y la lírica, la romántica negativa del hombre, se revela más adelante como algo más complejo y único. El testigo descubre entonces que es algo más que el antagonista: es también «el responsable del cumplimiento de su destino» (para decirlo con sus propias palabras). Por eso, cuando todo se revela al final, cuando las piezas de este *puzzle* encajan en el diseño definitivo (no aquel que la maledicencia y la triste obscenidad de todos propusieran), el testigo relator, ahora convertido en narrador, puede contar:

> Salí afuera y me apoyé en la baranda de la galería temblando de frío, mirando las luces del hotel. Me bastaba anteponer mi reciente descubrimiento (lo que revelaba la carta no reclamada) al principio de la historia para que todo se hiciera sencillo y previsible. Me sentía lleno de poder, como si el hombre y la muchacha, y también la mujer grande y el niño, hubieran nacido de mi voluntad para vivir lo que yo había determinado.

El testigo, el sórdido relator de la Historia de Sexo, se ha convertido en lo que verdaderamente era desde el comienzo: el Narrador (el Creador) de una Historia de Amor.

Los lectores de *La vida breve* (1950) no podrán extrañarse de esta transformación final operada por Onetti sobre el relator. También allí (aunque en forma más envolvente y compleja) el protagonista desprendía de sí mismo dos seres: uno representable, otro imaginario, que acababa por interpolar en la realidad real y que lo iban sustituyendo hasta identificarse con él en una realidad que era sólo la de la creación. Pero lo que en la anterior novela asumía las proporciones de una creación fantástica, limítrofe entre la narración realista y las concepciones borgianas de un cuento como *Las ruinas circulares,* aquí en *Los adioses* es sólo una indicación apuntada al pasar y revelada (para el lector atento) sólo en las últimas páginas. Porque aquí Onetti, más que en cualquiera otra de sus ficciones, ha usado (y abusado, según algunos) de la ambigüedad.

La técnica misma de la novela explica la ambigüedad general. Al elegir un único punto de vista para contar su historia (el derrotado y obsceno testigo), al presentar sus revelaciones en el orden en que van ocurriendo para ese par de ojos, Onetti ha pagado tributo a la técnica que ha impuesto, desde el siglo pasado, Henry James. También en James el punto de vista, aparentemente objetivo, pero subjetivísimo, de un testigo es clave de la ambigüedad. No se trata ya, como en la sórdida y hermosa novela *What Maisie Knew* (1898), que el testigo sea una niña, demasiado joven para comprender del todo la corrupción que la rodea pero no demasiado para que esa corrupción no la vaya contaminando monstruosamente. Aún en libros más aparentemente objetivos, como *The Portrait of a Lady* (1881) o el magnífico *The Ambassadors* (1903), James se prevalece del punto de vista narrativo para omitir toda una porción, esencial, de la historia y cuando la revela, desenmascarando sus más sórdidas o culpables entrelíneas, la revelación también es ambigua. Porque no basta saber que Madame Merle (en la primera novela) ha sido amante del esposo de la protagonista y es un ser perverso; James también muestra o sugiere su sufrimiento y su desdicha y su sujeción a cánones morales que ha violado repetidamente. Tampoco basta que en la otra novela Strether se convenza de que la relación entre Chad y la condesa de Vionnet es culpable; el lector nunca sabrá si el amor también no la rescataba y si el sacrificio que se pide a los amantes no es sino el peor aspecto de la hipocresía social.

El mismo James ha usado una forma más sutil de la ambigüedad, en *The Abasement of the Northmore,* por ejemplo. En este cuento corto nunca se sabe si Warren Hope era tan brillante como su mujer pretendía; tampoco se sabe si el proyecto de humillación de los Northmore llega a término. James no dice nada: se limita a insinuar al lector, a su lector, otra posible lectura.

Onetti no toma este recurso de James, al que declara (enfáticamente) no entender. (Recuerdo una conversación nocturna con Borges en Buenos Aires, a quien pedía, con monótona insistencia, que le explicara a James.) Pero lo toma de uno de los narradores contemporáneos que, directa o indirectamente, ha ido a la escuela de James: lo toma de William Faulkner. En *Light in August* (1933), por ejemplo, hay toda una historia —contada desde distintos puntos de vista, es cierto—, pero que sólo se revela gradualmente, y cuando se revela (porque se revela), la naturaleza del protagonista, el oscuro, el ambiguo Chrismas, aparece completamente transformada. También de *Light in August* toma Onetti la figura femenina, la resistente, la inmortal Lena, arquetipo de esas adolescentes del escritor uruguayo que sobreviven a la violación y al parto, e imponen su ciega fuerza, su confianza animal, hasta a los mismos hombres que las corrompen y también las necesitan.

Pero Onetti es algo más que un lector de Faulkner. Es un creador que usa la ambigüedad no porque esté de moda o porque haya un maestro que le indique el camino. Onetti usa la ambigüedad porque su visión del mundo es ambigua, porque toda su concepción del universo descansa en la dualidad de criterios que hace que la mayor sordidez (para el espectador, el testigo) contenga una carga de irredente poesía (para el paciente). La ambigüedad es la clave sobre la que edifica su testimonio de un mundo corrompido por la pérdida de valores morales, de seres que se asfixian, y manotean para sobrevivir. Sobre ese mundo, levanta Onetti (sin declamación pero con honda confianza) algunos valores rescatables: la ilusión adolescente, el Amor (no el Sexo), la creación. Con esos valores, este aparentemente crudo y sádico novelista, libera una ilusión romántica, una ficción cálida, humana, íntimamente hermosa.

En un memorable análisis de *Light in August* (en *Scrutiny,* Cambridge, junio 1933) el crítico inglés F. R. Leavis levantaba contra la novela de Faulkner estas objeciones: la aplicación de un mismo recurso técnico (introspección, monólogo interior, morosa descripción aislada de cada gesto) a distintos personajes en distintas circunstancias, sin dar al mismo tiempo la intimidad minuciosa en el registro de la conciencia que esos recursos implican; vacilación en el enfoque o alteración casual del mismo que no obedece a ninguna necesidad interior del relato; monotonía de los personajes que sólo presentan al lector una superficie misteriosa, pero no siempre provocativa; vinculación de estos procedimientos con las simplificaciones sentimentales y melodramáticas que practicaba ya Dickens.

Esas objeciones han sido invocadas algunas veces también contra Onetti. Es cierto que en su anterior novela (y en esta *nouvelle)* el narrador uruguayo las ha prevenido casi siempre al concentrar la narración en un personaje (aunque visto desde distintos planos) y al utilizar como enfoque casi constante ya el relato autobiográfico (como *La vida breve),* ya la exposición de un testigo (como en *Los adioses).* La caracterización de los demás personajes queda empobrecida, es cierto, y se subraya (y hasta exaspera) la monotonía del tema expuesto, pero también se logra una concentración, una tensión no mitigada del conflicto, que bien vale el sacrificio de la variedad.

De las objeciones arriba ordenadas, la que más validez presenta ahora es la que se refiere a la morosa descripción aislada de cada gesto. Onetti parece regodearse en ofrecer siempre lo que podría calificarse cinematográficamente de primer plano narrativo. Unas manos que reciben el cambio de 100 pesos (los dedos aprietan los billetes, tratan de acomodarlos, los revuelven y convierten luego en una pelota achatada que esconden con pudor en un bolsillo del saco) o que se sumergen en el bolsillo del pantalón (el dueño está perniabierto y recostado en un árbol) o que en el bolsillo del saco aprietan un sobre («con aprensión y necesidad de confianza, como si fuera un arma y como si le fuera imposible prever la forma, el dolor y las consecuencias de sus heridas»), o que realizan cada uno de los innumerables pequeños gestos, mecánicos o distraídos o funcionales o reveladores, que ayudan a moverse, a vivir, a ser; unas manos (apenas) sirven a este narrador para contar (prácticamente) toda la historia. Asumen el primer plano y se cargan de elocuencia. Como en el popular relato de Stephan Zweig, dicen lo que la cara, ya ensayada y docilizada por el histrión, oculta; comunican lo que está detrás de la indiferencia y del desgano estudiado con que todos nos vestimos.

Pero del punto de vista narrativo, esas manos destruyen el equilibrio. Porque asumen una importancia inmerecida. De medios, se convierten en fines; de modo, se convierten en manera. Y lo que se dice de las manos, podría señalarse de otras partes del ser que Onetti ilumina y aísla por completo. Así, cuando el narrador quiere presentar a la muchacha, ingresando lentamente a su almacén, la va dando como en fragmentos recortados y pegados uno junto a otro, pero cuidando de no borrar los bordes, como en un *collage:*

> No puedo saber si la había visto antes o si la descubrí en aquel momento, apoyada en el marco de la puerta: un pedazo de pollera, un zapato, un costado de la valija introducidos en la luz de las lámparas.

Esta atomización, esta fragmentación del universo sensible, esta exaltación de cada una de las piezas que componen la máquina del mundo, podría justificarse en parte porque la historia de amor es comunicada a través de un observador, ajeno y resentido. Lo que no se justifica es la exageración del procedimiento, la retórica en que acaba por sumergirse todo. Aquí radica la debilidad mayor de una obra que es, sin embargo, tan admirable. El procedimiento estilístico tan acentuado se interpone entre la obra y el lector; fuerza a éste, lo descoloca frente a la sustancia dramática (y aún trágica) y lo obliga a atender a lo que, al fin y al cabo, es sólo la *manera.* Por no haber superado la trampa que su propia tensión narrativa le tendía, Onetti ha malogrado parcialmente una *nouvelle* que, desde otro punto de vista, certifica completamente su madurez de escritor.

Mucho más plena y redonda es la novela que, con el título de *El astillero,* publica Onetti en 1961, después de otro lapso de silencio en que sólo aparecen libros breves como *Una tumba sin nombre* (1959) o *La cara de la desgracia* (1960). Con *El astillero,* Onetti avanza rápidamente hasta ocupar uno de los centros narrativos más fecundos del ciclo de Santa María: la historia de Junta Larsen. Este fragmento de un mundo propio es de capital importancia para entender la extensión y profundidad de su creación narrativa.

> Sospechó, de golpe, lo que todos llegan a comprender, más tarde o más temprano: que era el único hombre vivo en un mundo ocupado por fantasmas, que la comunicación era imposible y ni siquiera deseable, que tanto daba la lástima como el odio, que un tolerante hastío, una participación dividida entre el respeto y la sensualidad **eran lo único** que podía ser exigido y convenía dar.

Este momento de revelación que tiene el protagonista hacia la mitad de *El astillero* sintetiza de modo admirable la soledad, la imposibilidad de comunicación, el horror de un mundo solipsista que están en la entrada de esta sórdida y desolada novela.

Poco importa que Junta Larsen se agite de uno a otro extremo de las 200 páginas, que recorra varias veces la distancia que va de la morosa ciudad de Santa María al astillero de Jeremías Petrus, que incursione en un pasado hecho de humillaciones y de la misma, repetida, actividad con alguna mujer que acaba por ser la mujer. Poco importa que la sinuosa, elusiva y compleja trama sea susceptible de un resumen anecdótico —Junta Larsen regresa al pueblo, desde donde fuera expulsado hace años, para reconstruir su vida— y que la atención del lector (o del relator) sea capaz de encontrar, en sucesivas capas superpuestas, los hilos de una intriga que también atañen a Petrus y a su hija semiidiota o loca, a la criada de esta hija, a dos empleados de Petrus, a la mujer (grotescamente embarazada) de uno de ellos.

Aquí la anécdota sólo cuenta lo más externo e insignificante. Porque lo que ocurre interesa poco, o pudo haber ocurrido de otro modo. Que Larsen sea nombrado gerente general del astillero de Petrus (abandonado, entrampado, deshaciéndose a ojos vistas) o el puesto lo ocupe otro; que sea Gómez (el de la mujer embarazada) el que amenace con un chantaje a Petrus o el chantaje lo ejecute otro, que el desenlace involucre la muerte de dos o más hombres, nada importa. La trama, el argumento, no es más que el cebo con que Juan Carlos Onetti mantiene alerta la atención de su irritado lector, de su devoto lector, de su esclavo lector.

La verdadera historia corre por dentro y está hecha de los silencios, las pausas, los hiatos, de esa historia superficial. Es la historia de una conciencia solitaria que regresa al pasado, a un mundo en que fue feliz y fue humillado, en busca de huellas perdidas, de una salvación, también perdida, de un sentido final para una vida sin sentido. Cuando Larsen regresa a Santa María, lleva a sus espaldas (aunque eso sólo se sabe más tarde) un pasado de macró, una condena y una expulsión del equívoco paraíso fluvial. Vuelve, más viejo y gastado, a enredarse en la historia confusa de la liquidación del astillero de Petrus, en una no menos confusa y morosísima seducción de la hija de Petrus (acaba conformándose con la fácil criada), en los mediocres negociados de los empleados de Petrus.

Pero debajo de esa espesa y oscura capa anecdótica el lector va descubriendo de a poco y casi retrospectivamente la otra historia de Larsen: la historia de una necesidad de amor y verdadera comunicación que le están negadas. Porque toda su vida lo que Larsen conoció fue la mentira, el beso parricida con que corona la testa de Petrus, la mujer a la que usa con antigua sabiduría. Lo que siempre ha añorado Larsen es creer en algo, mentir que algo vale realmente la pena, encontrar a alguien que le pruebe que no es el único ser vivo en un mundo de cadáveres.

Por eso, al margen de sus actividades mediocres de seducción de la hija de Petrus y de reorganización del erosionado astillero, Larsen va tanteando (como ciego en un mundo sin relieve) en busca de una mano de verdad. Esa mano existe en el libro y Larsen sabe que es la de la mujer de Gómez. Pero esa mujer que pertenece a otro, esa mujer de vientre horriblemente hinchado por el embarazo, no es para él. La corteja con el viejo disimulado cinismo, pero no para obtenerla, sino para dejar testimonio de su reconocimiento. Y cuando la crisis culmina, cuando está acosado por los invisibles sabuesos de su destrucción, tiene un último alucinante encuentro con la mujer, ya herida de parto. Entonces, Larsen huye horrorizado.

Lo que Larsen no soporta es la vida. Soporta la mentira del sexo, la mentira de las adolescentes en flor, la mentira de los viejos visionarios con negocios en ruina, la mentira de la policía y hasta la mentira de otros suicidas. Pero cuando se enfrenta con la mujer rugiendo y sangrando, huye. Esa es la vida. Pero este cínico, este sórdido, este vulgar macró, es un romántico de corazón, un almita sensible que se acoraza de podredumbre y cieno y llanto fingido, para no aceptar que el mundo viola inocencia, que las mujeres que queremos dejan un día de ser muchachas, que la vida irrumpe en el mundo destrozándolo todo.

La última delirante fuga de Larsen por el círculo final de su infierno es una fuga de la vida misma. Como Eladio Linacero, que huía de su ámbito en *El pozo* por la ruta de los sueños que se contaba; como Juan María Brausen que escapaba de una mediocre realidad suburbana en *La vida breve,* inventándose otra personalidad y hasta creando un mundo entero, este nuevo protagonista de Onetti, enfrentado con las raíces mismas de la vida, se fuga por la muerte. Toda la novela tiene la marca simbólica del regreso al país de los muertos. Así como Ulises desciende en busca de las sombras en la *Odisea,* y Eneas baja al Averno y Dante se hunde en la Ciudad de Dite, Junta Larsen regresa a Santa María y a la muerte final.

Por más de un hilo está vinculada esta valiosa novela de Onetti con su ya vasto cuerpo narrativo. La ciudad de Santa María, en que ocurre gran parte de *El astillero,* apareció por primera vez en *La vida breve.* En esa ciudad se refugia la fantasía de Juan María Brausen: la va creando de a poco, la va poblando de seres, acaba por incorporarla a la realidad, por irse a hundir realmente en ella. Entre los seres que crea Brausen está el doctor Díaz Grey, que hace una aparición secundaria en *El astillero,* como viejo conocedor de la historia local.

Santa María está también al fondo de otra aventura de Díaz Grey de la que queda documento en *La casa de la arena,* relato que se publicó en la colección titulada *Un sueño realizado* (1951). Otra *nouvelle* de Onetti, *Una tumba sin nombre,* también ocurre en Santa María y hasta menciona al pasar la Villa Petrus. El cuento con que Onetti obtuvo mención en el Concurso organizado por *Life* en español (1960) y que se llama «Jacob y el otro», está asimismo ambientado en Santa María. Todos estos elementos indican la creación de un mundo imaginario, una ciudad de provincias recostada a un gran río, que vincula *El astillero* a lo que podría llamarse *La Saga de Santa María.*

A partir de *La vida breve,* Onetti ha hecho explícita su intención de componer una secuencia novelesca que tendría como centro geográfico Santa María y en la que se entrecruzarían las vidas y los destinos de muchos personajes. Pero si *La vida breve* echa la piedra fundacional de este mundo, alguno de los personajes centrales de la larga secuencia llega de otra novela anterior. Me refiero a *Tierra de nadie* (1941) donde ya aparece ese Junta Larsen que irá desplazando, en la lenta fabulación de Onetti, a Brausen o a Díaz Grey, que parecían el centro novelesco de *La vida breve.* Poco a poco, Junta Larsen se impone, como Flem Snopes se imponía en la serie que Faulkner dedica a su ascenso en *The Hamlet* (1940), *The Town* (1957) y *The Hansion* (1960). En las dos últimas novelas que ha publicado

Onetti (*El astillero, Juntacadáveres*) el protagonista indiscutido es Larsen.

También aparece Larsen en otras obras menores. Pero no es éste el momento de detallar todos sus avatares. Me interesa considerar, en cambio, un curioso problema literario que ha planteado Onetti a su lector. La secuencia de publicación de sus novelas oculta y hasta confunde al lector la importancia de Larsen; por otra parte, el episodio capital de su vida (la fundación de un burdel en el pueblo de Santa María) sólo aparece explicado en la por ahora última novela de la serie. De este modo, quien haya ido leyendo las novelas en el orden de publicación se encuentra con que el Larsen de *Tierra de nadie* es apenas la caricatura de un macró, que el de *El astillero* es un personaje largamente agonizante, sobre cuyo pasado no hay sino oscuras vislumbres, y sólo al llegar a *Juntacadáveres,* en 1964, se le aparece la figura entera del personaje.

El procedimiento que sigue Onetti para la comunicación de su secuencia narrativa es bastante complicado; como se ve. En otros autores (Proust, por ejemplo) basta leer con paciencia y en orden de publicación los volúmenes de *A la recherche du temps perdu* para que la obra entera adquiera sentido, los personajes se expliquen, la filosofía del tiempo y la eternidad sea evidente. En Onetti no ocurre así.

Como hizo Balzac con su *Comédie Humanic,* como repitió y perfeccionó Faulkner en su ciclo sobre Yoknapatawpha, como está haciendo Gabriel García Márquez con su ciclo de Macondo. Juan Carlos Onetti ha incrustado en la realidad del mundo rioplatense un territorio artístico que tiene coordenadas claras y se compone de fragmentos argentinos y uruguayos. Ya los eruditos del futuro recogerán los rasgos (una alusión a la capital argentina en el nombre mismo de la ciudad, una plaza Artigas, la mención de un Camino de las Tropas) que van indicando puntos reales de un universo extraído de la tradición rioplatense. Ahora basta certificar esa común vinculación entre los relatos que Onetti ha ido escribiendo desde 1950.

Junta Larsen asomaba su perfil en *Tierra de nadie;* sólo asoma, entero aunque en escorzo, en un capítulo de *La vida breve.* Allí aparece (p. 360) como «un hombre pequeño y grueso, con la boca entreabierta, estremeciendo el labio inferior al respirar; la luz caía amarilla sobre su pedazo redondo, casi calvo, hacía brillar la pelusa oscura, el mechón solitario aplastado contra la ceja». Luego se completa su retrato con otros rasgos de la misma novela: la nariz curva y delgada, el pulgar de una mano enganchado en el chaleco, las preguntas deliberadamente leguleyas de su confusa conversación. Pero en esta novela era imposible prever a qué grado de soledad y miseria iba a llegar ese hombre gordo, de juventud ya perdida.

Sólo en *Juntacadáveres* y en *El astillero* se redondea el retrato, se ve lo que lleva dentro Larsen, su figura se convierte en cifra de toda la humanidad. Entre la instantánea de *La vida breve* y el retrato completo de *El astillero,* su creador, Juan Carlos Onetti, ha madurado notablemente. En 1950 *La vida breve* fue la prueba del enorme talento narrativo de Onetti. Construida con un rigor que sólo el análisis más ceñido hacía aparente, implacable en su busca del estilo, fría y morosa, llevaba a la culminación a un narrador que en tres novelas anteriores (*El pozo, Tierra de nadie, Para esta noche*) había demostrado altas dotes.

Pero *La vida breve* se había dejado a la vista todo el andamiaje técnico. Era como si Onetti hubiera tirado la piedra sin saber esconder la mano. El prestidigitador hacía los trucos, pero también los explicaba. Su largo aprendizaje con Céline y con Faulkner era demasiado evidente. Varios años después, cuando escribe *El astillero,* ya Onetti está en camino de una madurez que significa sobre todo despojamiento, elipsis, concentración fanática en la peripecia interior. Por eso se ven menos ahora los andamios, aunque algo sobreviven en los títulos de cada capítulo, con sus maniáticos resabios faulknerianos.

Lo que sobre todo se ve ahora es un progresivo ahondarse en la verdadera materia narrativa. Ese mundo del astillero, decrépito y polvoroso, en que vanamente trata Larsen de soñar que está dirigiendo algo: esa glorieta que es cifra de la Villa Petrus y donde seduce en cómodas cuotas semanales a la loca hija de Petrus, esa casilla en que asiste fascinado y rechazado a la vez a los movimientos de la mujer embarazada, y más al fondo, todo el pueblo de Santa María y el río, son el lugar poético en que Onetti ha sabido ir creando (por mera insinuación atmosférica, por milagrosa simpatía entre el paisaje y el ser) una tierra para la soledad de Larsen, para su hambre de comunicación, para su descubrimiento de ser el único hombre vivo entre fantasmas.

Por eso, el estilo mantiene esa tensión no mitigada que permite vincular esta novela no sólo con el obvio antecedente de Faulkner, sino con los trabajos más modernos de la escuela objetiva. No es que Onetti esté tratando de ponerse a la moda (de todos modos, *El astillero* ya estaba escrita en 1957), sino que la moda está poniéndose a tono con Onetti. Ese lector que ahora aguanta a Robbe-Grillet y a Michel Butor, que devora pausadamente las paralíticas novelas de Samuel Beckett, que transita sin impaciencia por *Le square* o *Moderato Cantabile,* de Marguerite Duras, es un lector que ya está bien maduro para Onetti.

En este escritor uruguayo encontrará no menos sino más rigor, una visión alucinada y alegórica del universo que está increíblemente vertida en términos de novela, un ímpetu vital que desmiente la (aparente) negatividad y sordidez del asunto. Encontrará sobre todo que el cinismo, la desesperanza, la frustación de su protagonista, no le impiden ser también un alma tierna y desgarrada. Encontrará, en fin, una obra maestra y la confirmación de un gran escritor.

*Función del amor en la
obra de Juan Carlos Onetti(*)*

Fernando Ainsa

* De la obra *Las trampas de Onetti* (Alfa, 1970), especialmente amplia-
do para este *Homenaje*.

> *—«¿Qué te parecieron? —volvió a preguntar Tito.*
> *—Son mujeres —dije, sacudiendo desinteresado una mano.»*
>
> JUNTACADÁVERES.

Cuando el héroe aburrido y resignado de Onetti decide participar en el mundo que *apesta,* sólo tiene un modo de hacerlo: odiando o amando, dos sentimientos no necesariamente antagónicos. Y esa voluntad, para lograr plasmarse con eficacia, necesita de un catalizador inexorable: la mujer. Lo que motiva al personaje de Onetti, lo que únicamente logra romper su estado existencial básico —el fatalismo— es la presencia de una mujer y las relaciones que suscita. Una mujer, *la mujer* que Onetti persigue siempre (e inútilmente) en todos los relatos, desde *El pozo* a *La novia robada.* La mujer a la que se ama o se odia con igual intensidad, pero con la cual siempre existe una relación de *dolorismo* para encarar el tema del amor, ya que el protagonista preferirá siempre —como típico integrante de una época de disociación y no

de una de composición o unidad— la angustia o el sufrimiento al
goce sereno de un amor, goce que ni se encara como posible. El
análisis de la función del amor resulta, pues, esclarecedor de sus
claves esenciales, entendiéndolo en cada una de sus variantes, como
jalones de una misma búsqueda imposible.

El personaje de Onetti parece supervalorar la serie de sentimientos que enriquecen el amor hasta sufrir el espejismo de hacerlo
inasequible, exaltado por los ribetes de su propia irrealidad. Ese
sentimiento revierte en reacciones sicológicas insospechadas por él
mismo. Su inventario, reconocible directa o indirectamente, es apasionante.

El atributo de un instante

El amor, como potencial realización, es siempre atributo de un
instante en la obra de Onetti. El único modo de conservarlo sería
hacer de ese instante una dimensión eterna del tiempo. Si ese movimiento fuera posible, se rozaría el estado beatífico, más allá del
éxtasis momentáneo que suele derretirse como la cera de una vela
alimentada por su propio fuego. El único modo de lograrlo litera-
riamente sería por la poesía. Rodear al amor, en el momento en
que se realiza, de tales atributos de belleza y poesía que pudiera
encontrar allí la medida de su propia liturgia: a repetirse, a conservarse como un raro talismán. Ese ritmo de la poesía podría pre-
parar su concreción, pero Onetti prefiere manejar las mismas claves
poéticas que lo desmienten: la imposibilidad de fijar ese instante, lo
irrecuperable que resulta ser el pasado aún reconstruido (*El pozo,
La vida breve*), la presencia de la muerte interrumpiendo toda esperanza (*La cara de la desgracia*). Esa imposibilidad no es menos
poética que haber hecho posible al amor, rodeando al instante de
las garantías que la vida no da nunca; pero es poesía de tormento
y no de plenitud, *dolorismo* y no serenidad.

Hay un juego pendular, de larga tradición mítica, entre la vida
y la muerte en esta concepción onettiana del amor. Como el Adonis
que debía vivir amando a Venus y descender al infierno de los
muertos para entregarse a Proserpina, el rito cíclico de un amor
que aproxima periódicamente a la vida y la muerte como expresión
de la repetición misteriosa de la fertilidad, reaparece frustrado en
Onetti: el amor de sus protagonistas será un amor sin descenden-
cia. La cadena misteriosa que alienta la vida: morir para resucitar,
amar para acercarse a la muerte, quedará frustrado en el propio
eslabón de su planteo.

El ideal del amor imposible o negado más allá del instante que
no puede conservarse, se encarna en un tipo de mujer perfectamente

definido en la obra de Onetti: las muchachas (dueñas aún de su pureza) que pueblan la mayoría de sus relatos. Más allá de la muchacha está la mujer —«madura y sinuosa»— y entre ambas, participando de una suerte de milagrosa condición intermedia, las prostitutas.

La muchacha es el motor para que Onetti despliegue la serie de círculos concéntricos que pautan el desasosiego y la insatisfacción permanente de sus personajes. De ese movimiento —el único que se le conocerá más allá de las acciones fatalizadas de antemano— se desprenderá siempre un hombre desajustado con su propio deseo, animado de sed de amar, de odiar o de derramar una inusual piedad sobre sus semejantes.

Vale la pena analizar cada uno de esos estadios femeninos, porque entre la insatisfacción del amor no logrado (el pre-amor de las muchachas) y el deterioro y al desgaste que lo sigue (el pos-amor de las mujeres) hay algo más que el leve espacio temporal y fisiológico que lo marca (la virginidad); hay un mito muy sutil en juego, la muchacha como proyecto no realizado, el hombre como ser totalizador que desea lo indeterminado y potencial que hay en ella, como una esperanza de modelarlo a su antojo.

La muchacha de Onetti es aquella «imagen de lo posible» de que hablaba Novalis. El mito que está en juego, un manejo de atracción estética por la mera *potencialidad* (el proyecto no realizado) tiene larga tradición literaria occidental que Onetti retoma actualizándolo para un nombre particularmente egoísta y omnisciente del Río de la Plata. No es lo indeterminado de la muchacha algo que importe en función de una aspiración de lograr una unión igualitaria de dos seres que se sienten como complementarios, sino la dominación de esa materia prima originariamente virgen como única garantía de una posibilidad de amor.

En este predominio masculino, al margen del sentimiento recíproco de posesión que puede caracterizar algunos de sus más logrados «instantes», no deja de estar en juego la «apetencia de aprobación» que subyace en esa masculinidad a la que no es ajena la propio «estima de sí mismo» con la que corona Herbart Spencer su *Psychologis*.

Sin embargo, este aspecto tiene una inesperada contrapartida. La entrega masculina en el héroe de Onetti parece mayor que la femenina. Es como si el hombre tuviera que «entregar» más al darse al amor, abriendo su «vedado» sicológico mucho más que la mujer receptora. Su entrega es más íntegra, necesita «sentir» en la mujer más que en sí mismo, mientras la joven es sólo receptora, guardando un cierto misterio no develado en la misma vía en que es penetrada internamente y el hombre se entrega «externamente». El amor del héroe de Onetti está «fuera de él» y es, por tanto, conflictivo, difícil. La mujer puede guardar un orden interno, vivir dentro de sí las manifestaciones del mundo que la rodea sin necesitar de quebrar su identidad, sin necesidad de traspasar los límites externos de su propio cuerpo receptor.

Este distingo aleja otra posibilidad teórica: que Onetti hubiera preferido a las muchachas por ser ellas la encarnación de una pureza no mancillada y rechazado a la mujer, por ser la imagen del *pecado*, entendido como «la distancia que hay entre la pureza reclamada y la pureza real del hombre» [1]. El pecado no pesa, pero sí su sombra indirecta: la que transcurre de una posesión proporcionando una mera satisfacción a los sentidos, a un objeto que se revierte en el manejo de ateridos sentimientos elevados que provoca. Si el pecado no importa en el primer caso, ya que Onetti no maneja una ortodoxia para su enjuiciamiento, en el segundo se agobia de la tradición judeo-cristiana que, como dice Jean Guitton, distingue desde el pecado original algo más que la tradicional *mater*. Ahora la mujer puede ser *uxor, sponsa* o *soror*. No es ya *meretrix* [2].

Pero en este ejemplo también está en juego un valor de *redención* otorgado a los amantes, como si el amor-delito de algunos pudiera alcanzar el perdón a través de su propio ejercicio y el vencimiento de las resistencias que su planteo inicial provoca.

El amor como demonio, amor como esencia divina, todo será posible en Onetti, tal como asegura Linacero: «el amor es maravilloso y absurdo, e, incomprensiblemente, visita a cualquier clase de almas». Pero no deja de anotar en forma complementaria: «la gente absurda y maravillosa no abunda; y las que lo son, es por poco tiempo, en la primera juventud. Después comienzan a aceptar y se pierden» [3]. «Clave apasionante para trasponer las esencias que conmueven al universo de Onetti es rastrear cada una de esas almas y esas etapas que van de la pureza a la corrupción, esa «cuestión de tiempo» de que se habla en *Tan triste como ella*.

1. *La muchacha «virgen y pura»*

En cierta oportunidad, Onetti define a la «muchacha» como objeto de seducción, diciendo «sin defensa, ni protección, ni máscara, con el pelo atado en la nuca, con el exacto ingrediente masculino que hace de una mujer, sin molestia, una persona. Eso inapre-

---

[1] *Ensayo sobre el amor humano*, por Jean Guitton (Buenos Aires, 1968).

[2] *Id.*, p. 8.

[3] *El pozo*, p. 34.

sable, ese cuarto o quinto sexo que llamamos una muchacha» [4].
El amor que provoca ese cuarto o quinto sexo, libera generalmente
de todo lastre anterior a los traumáticos personajes. En el caso del
protagonista de *La cara de la desgracia* —donde esos símbolos juegan
un papel directo y claro— se llega a considerar que «era indudable que la muchacha me había *liberado* de Julián y de muchas
otras ruinas y escorias que la muerte de Julián representaba y
había traído a la superficie; era indudable que yo, desde una media hora antes, la necesitaba y continuaría necesitándola» [5]. El
amor tiene en este caso un efecto de liberación de pesadillas ago-
biantes, de cargas y lastres. En otros casos, la mera «esperanza
de enamorarse» da confianza a la vida [6].

La muchacha de Onetti no sucumbe con la pérdida de la pureza,
sino que puede prolongar por un tiempo la dimensión de su pureza
absurda y maravillosa. El deterioro y la descomposición de sus mejores virtudes será fatal, aunque la duración del proceso sea di-
verso, dependa en cada caso de la *intensidad* de la virtud orginal.
Pese a todo, no habrá forma de superar el límite cronológico de los
veinte a los veinticinco años. Pasado ese plazo, la muerte de la
muchacha es inevitable: «el espíritu de las muchachas muere a esa
edad —sentencia Onetti— más o menos, pero muere siempre» [7].

Esa descomposición es fatal: terminan todas igual, con «un
sentido práctico hediondo; con sus necesidades maternales y un
deseo ciego y oscuro de parir un hijo». El tema de muchas obras
de Onetti no es otro que narrar el proceso por el cual alguien se
enamora de una muchacha y «un día se despierta al lado de una
mujer». Ese drama es, justamente, el de Linacero con Cecilia
(El pozo); esa es la comprobación de Brausen junto a Gertrudis
(La vida breve); este es el último acto de *Tan triste como ella*.
Todos se han enamorado de una muchacha y un día han descubierto junto a ellos a una mujer. La tesis inevitable tiene que admitir su contrapartida, su desahogo, y Linacero lo propone al entender, sin asco, el alma de los violadores de niñas y el cariño
baboso de los viejos que esperan con chocolatines en las esquinas
de los liceos.

De cualquier manera, en estas obras citadas la descomposición
de la muchacha en mujer se alarga. Lo normal es que el deterioro
sea más rápido. Así, Hanka «apenas a los treinta días de haber
sido desvirginizada» ya amenaza a Linacero con el aburrimiento
y le hace reflexionar «me aburre; cuando pienso en las mujeres...

---

[4] *La novia robada*, p. 13.
[5] *La cara de la desgracia*, p. 35.
[6] *El pozo*, p. 27.
[7] *Ibid.*, p. 34.

aparte de la carne, que nunca es posible hacer de uno por completo, ¿qué cosa en común tienen con nosotros? Sólo podría ser amigo de Electra» [8].

Pero lo prolongue por un tiempo o sucumba a «los treinta días», el proceso es siempre el mismo: buscar, descubrir el amor, pero saber que apenas se lo ha descubierto está ya depositado en él la semilla de su acelerada destrucción. En su afirmación está su negación; en la tesis, su antítesis.

En este sentido puede hablarse —parafraseando a Mircea Eliade— del cultivo por parte de Onetti del «mito de la perfección de los comienzos». En efecto, además de la depreciación metafísica de la vida humana como historia, del amor en su ejercicio, hay una natural «erosión» de la forma de la ilusión original, en la que se va agotando la sustancia ontológica propuesta como una negación o gradual del paraíso original. La «perfección del comienzo», una vez realizada, es decir, una vez que ha tomado forma y ha durado como tal, se destruye. Solamente en otro comienzo podrá encontrarse una nueva perfección: la repetición eterna del ritmo fundamental del cosmos (su destrucción y su re-creación periódica) encontrará, en esta búsqueda permanente de un amor, parte de su fatal condenación, aurora y crepúsculo para el cual no existe la invocada libertad del hombre.

Función de amor, función de conocimiento

Todo esto puede aparecerse como formando parte de un suplicio calculado, de un fracaso consentido en la medida en que es buscado. El amor sólo podrá ser, entonces, un *instante:* aquel en que se produce un espasmo y en que la exaltación logra su timbre más agudo. Luego, espasmo y exaltación no harán sino agotarse en sí mismos, ya que no podrán nunca trascender la condición frágil del instante en aras de la eternidad, aunque se intuya que lo eterno pasa en el tiempo a través de *un solo* instante privilegiado. Y este es el único modo de sacar al amor de lo ordinario y familiar, de lo biológico y convencional para trascenderlo hacia los planos en que está significado: en su negación, en su imposibilidad. De ahí tantos temas del amor en Onetti, de ahí la importancia de la memoria, la única que permite que un instante pueda parecer infinito.

Pero ese «instante» cumple, además de su función sensible, una función cognoscitiva de iluminación. Como el rayo que ilumina una realidad, la función del instante en que se plasma sirve para expresar el pago de una ignorancia a un conocimiento, de una

_____
' *Ibid.,* p. 27.

pasividad a una forma de plenitud vital. En la medida en que permite ese instante una forma de «salida del tiempo» (al preservarse éste en su transfiguración del fragmento temporal en «instante de iluminación») habrá de trascenderse del plano profano del normal transcurso del tiempo a lo paradójico de su excepción. Pero la abstracción inevitable que la ruptura de esos planos supone, no se gana sin un dramático esfuerzo de fijación, casi siempre inútil.

Los temas del amor en Onetti son justamente los que se desprenden de este esquema: la imposibilidad de fijar ese instante, la presencia de la muerte interrumpiendo cualquier atisbo de plenitud, lo irrevocable que resulta el pasado cuando es al mismo tiempo símbolo de una juventud perdida en aras del deterioro. Es en estos planos donde se demuestra indirectamente, por su propia negación en la realidad, la existencia de un estado ideal de amor. Como la existencia de Dios prueba la necesidad que tienen los hombres de ella por las blasfemias que increpan a su mutismo, la del amor se demuestra para Onetti en su desmentido diario, por su progresiva ausencia quemada en el transcurso del tiempo. Su existencia necesita de ese tormento, con cierta visión masoquista de temer alcanzar lo que se desea, porque de alcanzarlo se haría su inmediato desmentido.

En amar a una mujer se experimenta un cierto goce despiadado: la virgen como ser cerrado y preservado a toda infección, ha dejado de serlo en ese instante de exaltación. Su inmediata descomposición está unida a ese mismo momento en que se ha logrado como mujer; una paradoja que no sólo no resuelve Onetti, sino que preocupa a muchos siglos de tradición cristiana.

Pero aún en los momento de su apogeo, en el goce y proyección de ese «instante» se tiene la sensación —como en los famosos festines de Trimalción— que hay un esqueleto exhibiéndose a los participantes, para recordarles la muerte final y próxima y la necesidad de aprovechar el goce pasajero al máximo. La precariedad del instante está dada por la sombra de la muerte planeando inevitable o saltando sobre uno de los amantes. El amor que es propagación de vida y es posibilidad de inmortalidad, es también el único modo de preservar realmente una imagen del amor: haciendo —como hace Onetti— que las muchachas mueran antes de transformarse y quedando así congeladas en la fijación juvenil que han provocado en el hombre que las amó. Así sucede en *El pozo*, donde el recuerdo de Ana María puede quedar, gracias a su muerte, fijado en los dieciocho años de ella. Lo importante es que «sigue teniendo esa edad» cuando abre, en los sueños de Linacero, la puerta de su cabaña y corre a tirarse desnuda en la cama de hojas, a su lado. Pero más importante es para el protagonista de *La cara de la desgracia.* El descubrimiento del amor roza, para él, aquel estado de beatitud que un instante rodeado de belleza y plenitud puede lograr si permanece en el tiempo. En el origen de ese amor hay un convencimiento: que «no se lo había merecido nunca» y hay el apoderamiento del privilegio de la virginidad. «Tuve de pronto dos cosas que no había merecido nunca: su cara doblegada por el llanto y la felicidad bajo la luna, la certeza desconcertante de que no habían entrado antes en ella» [9], clama entusiasmado el hombre que, apenas rozada esa felicidad, la pierde con la muerte de la muchacha. Sin embargo, en esa muerte estará un particular congelamiento de ese supremo instante «no merecido».

Pero la muerte —ya se sabe— es siempre una solución fácil para los problemas: elude el nudo de todo conflicto, logra la perfecta evasión.

Cuando Risso opta por la muerte en *El infierno tan temido* cree con ello preservar una imagen ya contaminada de la pureza de una muchacha: su hija. Su esposa, Gracia César, ha acertado «en lo que tenía de veras vulnerable» al enviar a la muchacha unas fotos ignominiosamente obscenas y al romper el sortilegio de la inocencia que Risso, aún gastado y corrompido, quiere preservar de cualquier modo. Al sospechar que esa pureza se ha perdido, Risso se mata.

Pero matarse no es la norma. Lo usual tal vez sea aceptar la corrupción del amor con cierta resignada fatalidad, hasta en sus formas extremas: la prostitución. Entre uno y otro punto cerrando una perfecta visión circular de la mujer, donde la prostituta puede llegar a asumir renovadamente una nueva forma de la inocencia (las vírgenes morales de Onetti), se dan diferentes grados y situaciones, pautadas con singular eficacia en varias de sus obras. Por lo pronto, la locura, esa forma suprema de la evasión en la que es posible preservar, por sobre el paso de los años, las virtudes puras de las muchachas. Claro que la preservación de esas «niñas grandes» se opera a costa del ridículo, como sucede notoriamente con la Angélica Inés de *El astillero.* La hija de Jeremías Petrus, no desmiente una vocación incontaminada de pureza, sino que por el contrario es su propia caricatura. Su locura la presenta con un aire infantil, retardado, pero también hay algo de «disfraz» (como sostiene Kunz) en su vestimenta y en su aspecto de chiquilla. Cuando en cierta oportunidad aparece vestida de mujer, la ropa la lleva en forma incómoda, desarticulada, «taconeando insegura», como si con ello se ratificara lo que es natural en ella, pese a sus años: estar «disfrazada de chiquilla».

---

[9] *La cara de la desgracia,* p. 34.

Con ello Onetti da una definitiva y sardónica vuelta de tuerca al esquema: hay muchachas, hay mujeres y hay seres femeninos «locos» que pueden jugar arbitrariamente a una condición caricaturesca de muchachas. Esa alternativa de impostación patológica vuelve a repetirse en otra dimensión, mucho más dramática, en la Julia de *Juntacadáveres*. Netamente desvariado, pero también grotesco, es el caso de «Moncha» Insaurralde, en *La novia robada*, donde se intentan recuperar elementos de la pureza perdida a través de la locura.

Angélica Inés está preservada de toda contaminación. En su relación con Larsen no pierde ninguno de sus atributos de inocencia, porque su locura (o idiotez como se le llama indistintamente en *El astillero*) constituye un verdadero muro que Junta no podrá nunca traspasar. El que pierde es justamente él, ya que finalmente decidirá cambiar de objeto amoroso, al ser imposible acceder a Angélica Inés, y desciende aún más para penetrar en el reducto de Josefina, la experimentada sirvienta consustanciada con lo popular y con una soltura de barragana que lo humillará. Ese envilecimiento será la herramienta con la cual Larsen podrá comprobar la dimensión de su derrota. Curiosamente hay una especie de reivindicación clasista en esa derrota de Larsen, porque entrando al cuartucho de Josefina, en tanto siente que vuelve a una forma del pasado («allí estaban, *otra vez*, la cama de metal con los barrotes flojos...») puede sonreír en la penumbra y pensar con plácida hipocresía: «nosotros los pobres».

El hombre, sin embargo, no siempre se resigna a aceptar como Larsen el inevitable envilecimiento y degradación de su objeto amoroso. A veces intenta encontrar un subterfugio: una especie de búsqueda del tiempo perdido que el hombre maduro y gastado juega a conservar en un cuidadoso equilibrio. Es en *Para esta noche* que ese equilibrio en las relaciones entre un hombre maduro y la «muchacha» logra sus más sutiles anotaciones.

Aquí, paradojalmente, Ossorio (el héroe que huye) queda a cargo de la hija del hombre que mandó matar (Barcalá) y con ella debe cargar en las últimas horas de su absurda fuga por la ciudad, esa ciudad nocturna sacudida por el aparato policíaco represivo de una vaga dictadura. Ossorio mantiene el equilibrio a que la pureza y la edad de la niña lo obligan, pero los demás ven en ello el síntoma de una corrupción que todavía no existe. Es en esta tercera novela de Onetti donde se adelantan mejor esas constantes: los hombres desgastados y agotados frente a las adolescentes puras y empeñosas. Porque Ossorio observa en la muchacha «la inmóvil impensada expresión de orgullo, pureza y cálido desdén de la cara de la niña, la amortiguada luz del ensueño y la insobornable jus-

ticia que descendía por las mejillas desde la raya de sombra de las
pestañas», aunque automáticamente piense «algún día tendrá un
hombre, mentiras, hijos, cansancio. Esa boca». Mirar a una niña
puede ser un modo de reflejarse, de entenderse, porque Ossorio «la
miraba como si quisiera verse a sí mismo, su infancia, lo que
había sido, lo que estaba aplastado y cegado en él, la pérdida
pureza inicial, lo que había abandonado sin realizar. La miraba
como amándose a sí mismo, con admiración supersticiosa por la
corta pureza del rostro humano, con lástima por la inevitable
suciedad que debía atravesar e incorporarse» [10]. Este párrafo
resulta clave para entender esa especie de debilidad que no puede
llegar a equipararse —como se ha sugerido a veces por la crítica—
con la protagonista del personaje de la novela *Lolita,* de Nabokov. Aquí Lolita ya está corrompida, ya ha perdido su pureza
original cuando Humbert (sin saberlo) sucumbe a sus sutiles des-
pliegues, en tanto el personaje de Onetti tiende a preservar de
toda contaminación a la muchacha que el destino ha puesto en su
camino.

Otra variente del mismo esfuerzo es el de Brausen en *La vida
breve,* aunque aparezca con una curiosa modalidad. Cuando Brausen
ha perdido a Gertrudis, es decir, la imagen que le importaba de
ella —«la muchacha de cabeza y mandíbula orgullosa, de la despre-
ocupación y los largos paseos»— [11] acosa a Raquel, la cuñada
menor y, a través de ella, trata de «volver a estar nuevamente con
mi mujer, con lo más importante suyo, por mediación de la flaca
hermana menor, tan distinta pero en la edad que tenía Gertrudis
entonces...» [12]. Esta tentativa inmadura de negarse a aceptar el
paso del tiempo en el ser amado, obviamente fracasa. Brausen la
habrá de ver igualmente vieja, tal como veía a Gertrudis y sim-
bolizará, en «la barriga que le crece» a Raquel, el seno que le
cortaron a su esposa [13].

2. La mujer: sinuosa y chata

Perdida la pureza, la muchacha inicia su progresiva conver-
sión en mujer. Cuestión de tiempo, nada más. Y en ese tiempo
el objeto amado se convierte en objeto de odio «con la sensación
espantosa de que ya no es posible lograrse nuevamente como objeto de amor» [14], odio que se medirá en la misma proporción del

---

[10] *Para esta noche,* p. 133.
[11] *La vida breve,* p. 81.
[12] *Ibid.,* p. 187.
[13] *Ibid.,* p. 282.
[14] *Tan triste como ella,* p. 78.

amor que provocara. Esfuerzos como el de Brausen en *La vida breve* o el imaginativo de Linacero en *El pozo*, intentando atrapar a la muchacha que lo enamoró en la mujer que odian, fracasan por muchas razones. Una de ellas es la propia condición que la mujer tiene para Onetti: un ser naturalmente incapacitado para entender la fantasía, negación para entender la necesidad de esa «hora del milagro» que reivindica inútilmente Linacero frente a Cecilia.

La otra pueden ser los inútiles esfuerzos del hombre por recuperar una imagen que está perdida definitivamente en el tiempo. La imagen de Gertrudis y los sentimiento encontrados que provoca en Brausen dan la mejor complejidad de esa dimensión. El foco del deterioro actual (presente novelesco) está localizado en «la cicatriz vieja y blancuzca en el vientre» y por «el pecho izquierdo cortado cuidadosamente o de un solo tajo que no prescindía del cuidado». Esas cicatrices le provocan un rechazo («la nueva cicatriz que iba a tener Gertrudis en el pecho, redonda y complicada, con nervaduras de un rojo o un rosa que el tiempo transformaría acaso en una confusión pálida»), pero que el amor, sus rescoldos no apagados, pueden convertir en un ambiguo objeto de reverencia: «la cicatriz reconocida tantas veces con la punta de la lengua».

Es por ello que Brausen, aún sabiéndose derrotado, intenta rescatar su viejo amor en tres oportunidades. Primero con la propia Gertrudis, siendo ella misma la que da los pasos «hacia atrás» en el tiempo que cree suficiente para tener nuevamente a Brausen. Pero habrá de anotarse fríamente que «Gertrudis pareció haber extraído la superstición y la esperanza de que volvería a ser feliz con solo dar un paso o dos hacia atrás». Brausen la observa, sabiendo de lo inútil de ese esfuerzo para volver a ser «la Gertrudis de los días con dos senos» [15]. Cuando ella descubre que no le será posible ser nuevamente feliz, acude a una de las evasiones típicas de Onetti: el mecanismo defensivo de revivir días juveniles anteriores al propio conocimiento de Brausen. En definitiva, otra derrota del amor por el tiempo.

El segundo intento de rescate de la «muchacha» devorada por la «mujer» también fracasa. Brausen viaja hacia Temperley, donde Gertrudis se ha ido a vivir con su madre y no logra reencontrar tampoco la original imagen de su amor. Únicamente en la tercera oportunidad, cuando Brausen proyecta llevarse una forma de Gertrudis hacia la «ciudad maldita» de Santa María, se logra plasmar una forma del milagro: el que permite la fantasía, el que opera la imaginación desplegada en noches de insomnio. Al mundo imaginado de Santa María lleva Brausen la Gertrudis que él amó, personificada en una vieja fotografía «de perfil,

---

[15] *La vida breve,* p. 77.

un poco tonta a fuerza de inmovilidad, fija en el final de su adolescencia». De allí se propone Brausen sacarla, esperando que «en algún momento de la noche, Getrudis tendría que saltar del marco plateado del retrato para aguardar su turno en la antesala de Díaz Grey» [16]. Es la remota imagen de Gertrudis en Montevideo la que Brausen pretende introducir «sonriente» en el consultorio de Díaz Grey, ya que el mismo Brausen podrá «mantener el cuerpo débil del médico, administrar su pelo escaso, la línea fina y abatida de la boca, para poder esconderme en él, abrir la puerta del consultorio a la Gertrudis de la fotografía» [17]. Brausen busca desesperadamente que se produzca ese milagro de la imaginación: «un momento más, un diminuto suceso cualquiera y la misma Gertrudis bajaría del retrato para salvarme del desánimo, del clima del amor emporcado, de la Gertrudis gruesa y mutilada».

Esta es la prueba de que aún en algunas mujeres, sofocado el amor por la actualidad de «emporcamiento» y «mutilación», el hombre intenta buscar un atisbo de rescate, para que sea posible que ella vuelva a «escribir un nuevo principio, otro encuentro». Brausen clama por ese «instante más», esa «cosa cualquiera» para «también estar a salvo». Se levanta en la noche, vuelve a mirar el retrato de Gertrudis en Montevideo, para «buscar mi juventud, el origen, recién entrevisto y todavía incomprensible, de todo lo que me estaba sucediendo, de lo que yo había llegado a ser y me acorralaba» [18].

Pero el intento fracasa esa noche, una vez más: Díaz Grey-Brausen no podrá recibir en su consultorio a Gertrudis-Elena Sala. No habrá otra salvación posible para ese amor y, antes de empezar a odiarla, Brausen podrá verla por un instante como «mi mujer, corpulenta, maternal, con las anchas caderas que dan ganas de hundirse entre ellas, de cerrar los puños y los ojos, de juntar las rodillas con el mentón y dormirse sonriendo».

En todo este proceso hay, sin embargo, una reflexión que hacer. Si Linacero y Brausen saben *huir* a tiempo de la mujer que sorprende a su lado, cuando ven a la muchacha que amaron como irrecuperable, *olvidan* que a ellos también el tiempo los ha cambiado. Olvidan que para ellos también el tiempo ha transcurrido y son crueles cuando solo imputan a la mujer el cambio que critican. Al hombre de Onetti cabría la frase que Roberto le descerraja a Evelina en «La escuela de mujeres»: «Dices que no soy el que habías creído, pero tú tampoco eres ya lo que creía.» Es decir, si yo (la muchacha transformada en mujer) he cambiado, porque me ves diariamente

---

[16]   *Ibid.*, p. 41.
[17]   *Ibid.*, p. 43.
[18]   *Ibid.*, p. 43.

con tus ojos, si yo envejezco, también lo haces tú, aunque lo olvides y quieras negarlo.

En este sentido, el personaje de Onetti puede aparecer como un renovado Fausto, que intenta salvar su «yo» del naufragio, más que el fácil Don Juan o Casanova conquistador de jóvenes vírgenes. Hay en el amante maduro de Onetti una indistintiva aspiración a remontar el curso del tiempo, buscando afirmar la vida y con una secreta nostalgia del pasado juvenil. Verdadera tragedia «faústica» de quien intenta recuperar el amor a partir del desconsuelo que le da mirar hacia atrás y descubrir una vida estéril los términos de la encarnación de la inocente Gretchen en la adolescente de *La cara de la desgracia,* son casi una fiel trasposición de la no resignación goethiana a los riesgos de la edad.

Es esta una de las notas más curiosas del mundo onettiano del amor: la incapacidad del hombre para entender ese sentimiento como algo móvil, en continua transformación. Se ha dicho sin ironía que el amor «es la adaptación de un ser móvil a otro ser móvil, por lo que la adaptación debe ser móvil también». Sin embargo, el hombre de Onetti suele estar asido del instante en que logra una forma plena de sentimiento amoroso que cree absoluto. Al demostrarse esa imposibilidad se desajusta, se vuelca a una memoria inútil, a un odio injustificado. Es imposible imaginar en él aquella máxima de Víctor Hugo de «en el amor, envejecer es identificarse», como tampoco es posible percibir una flexibilidad adaptada a la necesaria inventiva diaria del amor prolongado en el tiempo, más allá de la exaltación y espasmo inicial. Clave de un desajuste que el personaje de Onetti revierte en una totalitaria acusación: la mujer es el instrumento de esa fatalidad de la que no se escapa nadie.

Es justamente ese tema —la mujer instalada sobre la muchacha, el odio sobre el amor y la descomposición agria sobre la pureza tierna— el que circula por *Tan triste como ella.* Aquí el protagonista no ha podido huir como en *El pozo* o *La vida breve:* soporta y acusa a la mujer, vive íntegramente su pavoroso desajuste. Ya en *Para esta noche* se había adelantado una feroz y monolítica definición de la mujer: «una mujer es esta cosa asquerosa. La nariz mojada, una mujer, los ojos colorados, el pelo colgando, una mujer, todo este aspecto de perro, las piernas flacas y todo el resto» [19]; y se habla del amor perdido como algo «invisible bajo sonrisas de mujeres, abortos, bidets, permanganato, preservativos, menstruaciones y dinero, camas alquiladas, portales vergonzosos, miseria del sudor en verano, la miseria de los pies y las rodillas frías en in-

---

[19] *Para esta noche,* p. 88.

vierno, sabiendo que hay otra cosa en alguna parte que a veces
la suerte da y a veces niega toda la vida» [20].

Después de esa implacable definición sin fisuras, el hecho de
que Onetti desarrolle el tema en *Tan triste como ella,* tiene que
provocar un trágico (y melodramático) final de destrucción. El
hombre de esta novela, que ha perdido en su esposa a la muchacha
que amó, sólo puele anotar «el pelo se va, los dientes se pudren» [21].
Entonces, busca un nuevo amor en una muchacha joven. La esposa,
despechada y conociendo el adulterio, elabora una compleja venganza de la que es su propia voluntaria víctima, decide engañarlo
en su lecho matrimonial y, finalmente, descubriendo la única salida
posible a las falsas alternativas que se ha ido creando, se matará.
Pero hasta su suicidio asumirá una desconcertante dimensión sexual:
se introduce un revólver en la boca, oficiando su caño como un
cálido órgano viril que estalla una bala en su boca como si fuera
«el sabor del hombre».

Con este juego de símbolo dignos del *Chant d'amour,* de
Jean Genet, Onetti lapida, una vez más, a la pareja como imposibilidad de conservar el amor, del que sólo se pueden tener las
sensaciones fugaces que se han de perder irremediablemente y a las
que sólo se puede volver por medio del recuerdo (Díaz Grey en
La casa en la arena hace un verdadero culto de las variantes posibles de la memoria).

No es extraño, pues, que ese fracaso tenga sus peligrosas consecuencias. Por lo pronto, una visión invariablemente negativa de
las mujeres, las que «practican un estilo sinuoso y paciente que les
es privativo» [22]. No es extraño tampoco que, desde *El pozo* hasta
su última novela, Onetti admita que sus personajes las golpeen,
las castiguen por el solo hecho de su «triste condición» de mujer,
ejercitando con ello «un acto piadoso» [23]. En este castigo no puede
prescindirse de una compleja relación sádico masoquista, notoria
entre Jorge y Julia en *Juntacadáveres.* Dirá Jorge: «la hago caer
de espaldas y le pego en la cara, una sola vez, sin violencia. La
sujeto y la beso, le hago doblar una rodilla y casi riéndome, agra-
decido, libre de ella, feliz ahora de haber atravesado paciente el
larguísimo prólogo, el juego y la espera que ella supo imponer,
entro en el temblor del cuerpo, amo la crueldad y la alegría» [24].
Esa misma relación se da más directa y vulgarmente entre Brausen
(presentado como Arce) y *La Queca,* a la que golpea en repetidas
oportunidades. La mezcla de sensaciones equívocas pautan esa re-

[20]   *Ibid.,* p. 114.
[21]   *Tan triste como ella,* p. 78.
[22]   *Juntacadáveres,* p. 228.
[23]   *Para esta noche,* p. 88.
[24]   *Juntacadáveres,* p. 212.

lación. Cuando *La Queca* es golpeada, ríe y llora a un mismo tiempo, mezclando sensaciones aparentemente contradictorias que también laten en Brausen, «empujado por un repentino amor creciente». El clímax de esa ambigüedad se da al hacerse Brausen un tajo oblicuo en el pecho con una hoja de afeitar, empujado por ese mismo extraño amor.

También Linacero castiga a Ana María en *El pozo*, tomándole los pechos «uno en cada mano, retorciéndolos» [25] y el inusual castigo no tiene siquiera el ulterior propósito de violarla. Esa humillación con visos sádicos tiene un complemento en sus sueños, donde obtiene Linacero lo que no puede tener en la realidad. En los sueños «no tiene necesidad de tenderle trampas estúpidas. Es ella la que viene por la noche, sin que yo la llame, sin que sepa de donde sale... Desnuda, se extiende sobre la arpillera de la cama de hojas» [26]. Esa facilidad del sueño en otorgar lo que la vida real reduce a un castigo corporal es algo a lo que recurre conscientemente en muchas otras oportunidades [27].

No sólo en los sueños, sino también en la imaginación, los demás pueden participar de las consecuencias del castigo a una mujer. Una tensa situación de *Para esta noche* permite la integración de los espectadores a una forma colectiva de castigo. Morasán está golpeando duramente a Irene delante de un grupo que miran «inmóviles y aburridos», aunque empiezan a sentirse partícipes subjetivos del castigo, hasta llegar a parecer que también la están golpeando. «Se detuvo para respirar con la boca entreabierta mientras espiaba los movimientos de la cara, sintiendo que no sólo era él quien había golpeado dos veces y volvería a golpear en seguida la pequeña cara descompuesta que fijaba su muñeca; que la mujer era golpeada por todos los hombres que la rodeaban, aunque continuaran inmóviles y aburridos, aunque más cerca, cercándola estrechamente hasta mezclar el calor de sus cuerpos» [28].

3. *La prostituta: entre el poeta y la basura*

Pero donde la contradicción esencial de los sentimientos que provocan las mujeres en los protagonistas de Onetti, se da perfectamente tipificada es en las prostitutas, un personaje-tipo recurrido por la seducción inevitable que provoca. La ambigüedad de los sentimientos —un amor revertido en odio, una piedad matizada

---

[25] *El pozo*, p. 15.
[26] *Ibid.*, p. 17.
[27] *El pozo* es pródigo en estas situaciones, especialmente con Ana María, la muchacha que ha muerto a los dieciocho años.
[28] *Para esta noche*, p. 90.

por el desprecio, un desajuste agudizado al punto de ser chirriante—
no impedirá que el personaje sea más definido que nunca, que sea
un abierto desafío al orden vigente, que la mujer en cierto modo
esté realmente *lograda* como tal a través del ejercicio de la prostitución. El juego de contradicciones parte de que la prostituta se re-
parte, en el universo amoroso de Onetti, por cuotas idénticas las
zonas del odio y del posible amor que separa a las mujeres de las
muchachas. Ellas serán las únicas capaces de suscitar la piedad, un
privilegio que sólo tienen los locos (Julia, Angélica Inés), al mismo
tiempo que el amor, un privilegio de las vírgenes.

La aparición de la prostituta como personaje es paralela al surgimiento de su mundo novelesco. Desde la primera página de
El pozo irrumpe con su visión diferente del mundo. «Una prostituta
me mostraba el hombro izquierdo, enrojecido, con la piel a punto
de rajarse, diciendo: date cuenta si serán hijos de perra. Vienen
veinte por día y ninguno se afeita» [29]. Desde ese esquema —un
peculiar sesgo específico desde el cual los demás son enjuiciados—
se proyectan las sucesivas visiones del mundo de la prostitución,
particularmente original no sólo en Onetti, sino en toda la literatura
latinoamericana. Basta recordar a otros uruguayos (Francisco Espínola, Enrique Amorím, novelando ese mundo en *Sombras sobre
la tierra* y *La carreta),* al Vargas Llosa de *La casa verde,* al sutil
José Donoso de *El lugar sin límites* y al poeta Homero Aridjis de
Perséfone.

Pero en Onetti, al margen de ciertas coincidencias sociológicas
—el prostíbulo como inevitable pasaje de la formación sexual del
hombre rioplatense— hay una proyección existencial en relación
con el contorno. Linacero, en esas mismas páginas de *El pozo,*
adelanta el esquema: «sin proponérmelo, acudí a las únicas dos
clases de gente que podrían comprender. Cordes es un poeta; la
mujer, Ester, una prostituta» [30].

Sin embargo, recién en *Juntacadáveres* se explicitan las razones
de ese atractivo por la prostituta como personaje y el amor que
es capaz de suscitar. Aquí es presentada como un *desafío* a la *normalidad* del medio. Y esa normalidad es repudiada por quienes la
enfrentan en nombre de una comprobación de Jorge Malabia (un
personaje que también lo desafía): los demás segregan «una baba»
en la medida de su normalidad, de la que hay que huir. La prostituta constituye una afrenta a la normalidad del medio, un abierto
desafío. Por eso, cuando Nelly e Irene se pasean (en dos excelentes
páginas de la novela) por las calles de Santa María todas las tardes
de los días lunes, su deambular provoca automáticamente la solida-

---

[29] *El pozo,* p. 7.
[30] *Ibid.,* p. 24.

ridad del lector. La hostilidad de la población, el rechazo de los demás, las convierte en el objeto de una pureza, que la malicia de la población en nombre de su moral, ahoga en la «baba» de la normalidad. Pero hay algo más que el propio Onetti descubre. «Hacían algunas compras, sin llevarse nunca lo que habían venido a buscar, sin discutir los precios, sin reparar en la grosería de los vendedores ni en sus caras; separadas, como ciegas, de la irritación que despertaban sus vestidos de verano largos hasta el tobillo, del odio que removían sus voces mesuradas, un poco inexpresivas, cantarinas» [31].

En ese desafío, pese a su inconsciencia, hay una intuición, «Avanzaban hacia la semanal humillación porque ésta contenía el gozo de sentirse vivas e importantes, el don, desconocido hasta entonces, de provocar, sin palabras, sin miradas, una condenación colectiva; se hundían en ella —lentas, apenas sonrientes, apenas amables y cobardes las sonrisas de labios pegados— porque no habrían podido sufrir el sentido de un lunes en la casa...» [32].

Pero mientras aquí hay una latente piedad por Nelly e Irene, en otros casos se les decerrajan sentimientos totalmente opuestos. Betty, la prostituta de *La cara de la desgracia,* es una «basura», una «maltratada inmundicia» [33], es una «mujerzuela barata». En otra oportunidad la definición llega por vía indirecta: «...el pañuelo de colorinches que les rodea el *pescuezo.* Porque *cuello* tienen los niños y las doncellas» [34].

Es algo así como la Venus múltiple de que habla Platón en su *Diálogo del Amor:* una celeste o Urania y otra popular o Pandemia, inspirando amor de diferentes matices. Hay, pues, como para Pausanias, un amor bello y laudable, pero también hay otro popular, que «reina entre el común de las gentes que aman sin elección». No dependerá de *quién* ama (virgen o prostituta), sino de *cómo* se ama y aquí aparece, tal vez, una de las posibles claves de ese doble tratamiento extremo que merece la prostituta de Onetti.

Uno de los modos de «amar sin elección» está dado por el hecho de que la prostituta cobra un precio por su amor. En efecto, uno de los modos más crueles y drásticos que tiene Onetti para diferenciar a las prostitutas por las que siente piedad o amor y aquellas otras que odia o desprecia, es el *precio* que ésta cobra por su ejercicio. Es el precio lo que la humilla, lo que envilece su condición. Paradojalmente no es el ejercicio de la prostitución misma. Así, cuando Linacero se siente atraído por la prostituta Ester,

---

[31] *Juntacadáveres,* p. 82.
[32] *Ibid.,* p. 83.
[33] *La cara de la desgracia,* pp. 22 y 39.
[34] *El pozo,* p. 29.

quiere dejar de pagarle («era demasiado linda para eso», anota)
y al recibir una grosería por respuesta, su única meta es «tenerla
gratis», insistiendo que «pagando nunca comprende que con vos
no puede ser así» [35].

Esa prostituta que tiene un precio está *muerta* como muchacha
o mujer: es un *cadáver*. De ahí provendrá el sobrenombre de Larsen: Junta cadáveres, dada su profesión de macró y proxeneta en
la novela que lleva su apodo, *Juntacadáveres*. La descripción es
fríamente atroz; «aquel mediodía, mientras el cadáver de turno,
inmundo, gordo, corto, con manchas de sueño en la cara colgante
y aporreada, manejando con gestos rápidos el cigarrillo y el vaso
de vermut, lo perseguía para contarle el sueño pavoroso y simple
que acababa de soñar» [36]. La sensación de Larsen ante este tipo de
mujer oscila entre la piedad y el asco. «Siempre sucede con los
muertos. Dio un paso y fue mirando curioso la mano que adelantó
para sacar el cabello rojizo, quemado, seco y aún perfumado del
cadáver sentado sin gracia en la cama» [37]. Más tajantemente, Junta
«aspiraba la putrefacción de los escasos cartílagos, examinaba sus
coincidencias con el hedor de los otros cuerpos que tal vez acabaran
de despertar y que, muy pronto, empezarían a llamarlo por el teléfono».

Función del amor en función del hombre

Pero esta necesidad imperiosa de la mujer, la muchacha o la
prostituta que jalona y motiva toda la obra de Onetti se agota en
su propia función: es un amor pre-determinado por la voluntad
masculina, dirigido a él, inexorablemente marcado por las «inteli-
gencias centrales» de sus novelas, siempre masculinas. Si el hombre necesita de la mujer, ésta necesidad no lo lleva a abandonar
un centro que le es inmanente, que no se cuestiona en ningún
momento. Fuertes gravitaciones culturales sobre el mundo rioplatense de Onetti le impiden concebir una realidad de otro modo,
pero al mismo tiempo, en esa concepción, está la dramática imposibilidad de revertir el esquema de un modo tal que el hombre,
perdiendo poder, ganara en mayores posibilidades de lograr el
amor buscado tantas veces en forma infructuosa. Esa revolución
no podrá ser la suya: el hombre sólo será centro de un universo
donde la mujer girará escamoteándole un amor que, tal vez, con
otro esquema de relaciones sería más fácil encontrar.

---

[35]   *Ibid.*, p. 32.
[36]   *Juntacadáveres*, p. 76.
[37]   *Ibid.*, p. 77.

Pero ese viaje frustrado, ese objeto inalcanzable constituye además otra prueba de la tesis general con que Onetti orquesta todas las funciones de su obra: prueba del sin sentido de cualquier acción, de la imposibilidad de cuajar *un estado,* importando siempre más la actitud de búsqueda que el resultado logrado. Aquí también, inmaduro y egoísta, el protagonista de Onetti es fiel a sí mismo y al autor.

Un tema de Juan Carlos Onetti

Jaime Concha

Ya en el primer fragmento de *El pozo* (1939) surge la imagen de una prostituta que da entrada en su cuarto a Eladio Linacero, el protagonista de ese relato inicial de Onetti. La situación aquella, apenas bosquejada en unas pocas líneas, presenta dos rasgos germinales y duraderos: el hombro enrojecido de la mujer y el espacio en profundidad que se abre ante el visitante. Es decir, una especie de huella sádica, en que coagula el paso múltiple de los clientes, y el umbral —dudosamente experimentado— de las zonas clandestinas de la subjetividad.

La mujer sin rostro allí evocada, personaje indeterminado susceptible de recibir actualizaciones de índole diversa, anuncia ya el ensanchamiento que el tema va a sufrir en un episodio de *Tierra de nadie* (1941). Luego de dar una conferencia en un centro cultural de Rosario, Llarvi recorre los burdeles de la ciudad en busca

de su antigua amante, Labuk. Haremos resaltar varios aspectos de
ste segmento narrativo (XXXVI). El viaje durante la noche extiende e intensifica la visión de los íntimos recintos vedados del
personaje. Las etapas del recorrido: desde Buenos Aires a Rosario,
desde el centro de esta ciudad a sus bajos fondos, lo prolongan
aún más, por un efecto de ilusión óptica. La lejanía de la casa buscada se dilata en la perspectiva tenebrosa: «Un ruido de pasos se
internaba en la casa, como atravesando un enorme patio de baldosas, inacabables»[1]. La reverberación de la luz en la lluvia crea un
brillo de filo ambiguo, detector de una sensibilidad resbaladiza,
y hace surgir ante nosotros un paisaje henchido de cierta cualidad
perversa: «La luz del baile manchaba la vereda húmeda»[2]. El deterioro es perfecto: la substancia luminosa se degrada hasta ser
mancha, reflejando un clima que parece condensar las secreciones
de culpa y transgresión de los seres humanos. Junto con esto, adquiere relieve la presencia amenazante de los ruidos: el pito del
tren, los pasos ya escuchados, la vibración de la lluvia. Lo cual hace
palpable una suerte de receptividad colonial de los sentidos, para
la que cualquier estímulo sensible posee un valor aislado y sobrecogedor. Este tránsito, casi imperceptible, a formas pretéritas de
conciencia está ayudado por la naturaleza misma del vehículo que
transporta a Llarvi, un coche antiguo, que contrasta fuertemente
con el panorama de taxis y de automóviles que pulula en el Buenos
Aires de donde el visitante procede:

> El cochero se enderezó de un golpe.
> (...) —¡Pastora! ¡Iup! El cochecito se desprendió a tirones y em-
> pezó a rodar sobre las piedras[3]

Por otro lado, ofrecen clara convergencia los datos perceptivos
y mentales que asaltan al personaje durante su travesía: carteles
que anuncian un homenaje a Haya de la Torre, recuerdos de su
reciente disertación sobre el espíritu de América y, ya en el interior
del prostíbulo, la frase obsesiva que vuelve a su cabeza: «Cons-
cience de l'Amérique.»

Finalmente, es digna de destacarse la configuración con que
Onetti resuelve el ambiente del lenocinio. Hay, desde la primera
impresión, un aire de teatralidad. El gesto de la regenta es como
el de un director que llama a los actores a escena; la actitud de
las mujeres al tomar posesión del salón es decorativa, ornamental,
con algo de lenta ceremonia; los trajes, todos de colores distintos

---

[1] *Tierra de nadie* (Montevideo, Ediciones de la Banda Oriental, 2.ª ed., corregida por el autor, 1965), p. 112.
[2] *Ibid.*, p. 110.
[3] *Ibid.*

y todos completamente monocromos, tienen aspecto irreal, son vestuarios que ofrecen una inmóvil coreografía; la pintura del rostro no es sólo cosmético, sino también maquillaje, máscara que oculta y disfraza la identidad personal.

Ahora bien, todos estos elementos del episodio de Llarvi no juegan por puro contraste, sino en un sentido más complejo que enriquece la totalidad. Así, no existe únicamente una esquemática oposición entre la vida en su inmediatez y la conciencia reflexiva. Esta, que piensa sobre América, es extranjera hasta en el idioma en que formula su preocupación. Pero este grado de exterioridad, este distanciamiento penetran en los mismos hábitos del burdel, en que las mujeres hablan también en francés y toman apodos franceses, de acuerdo con el uso de ese tiempo en las regiones del Plata. El desgarramiento llega entonces a los niveles más primarios de la existencia: domina sobre las relaciones de la carne y sobre las necesidades del intelecto. La conferencia de Llarvi y el prostíbulo de Rosario son foráneos. Lo doctoral y lo furtivo, lo institucionalmente público y lo institucionalmente reprimido participan de idéntica extranjería. Pero, a pesar de esta constatación, conviene retener un simple desarrollo de los valores escénicos visibles en el episodio novelística de Onetti, entre América y la casa nocturna.

En cuanto a la conformación sensible, ya descrita, prefigura rasgos permanentes de la particular visión de Onetti. En efecto, las cuatro pupilas del establecimiento tienden a expresar, por la rotundidad y diferencia en el color de sus vestidos, un sentido de totalización concreta. Los trajes en ellas, casi único medio de individualización empleado aquí por el novelista, poseen un alcance exhaustivo, que integra los contrarios máximos: «Eran cuatro, de rojo, de verde, de blanco y de negro»[4]. Otro indicio también propende a esa extrema globalización: Una «morocha», otra «rubia» y, por encima de ellas, anunciando ya la presión de lo jerárquico, la regenta «con el pelo blanco, grave y dulce...»[5]. Nada más se dice de las mujeres visitadas por Llarvi.

Para comprender la significación general del pasaje dentro de *Tierra de nadie,* hay que tener en cuenta el plano en que en ella se sitúa la meditación sobre América. Esta no da nunca cabida al fácil ensayismo, sino que casi siempre aparece como pensamientos sueltos, como jirones o retazos de un diálogo banal que se destruye por sí mismo. Consiste, las más de las veces, en consideraciones anotadas por Llarvi en su diario de vida[6]. Lo cual es coherente con el carácter de *Tierra de nadie* que el autor adjudica a Buenos Aires,

---

[4] *Ibid.,* p. 11.
[5] *Ibid.*
[6] *Ibid.,* p. 66.

ámbito donde todavía nada se funda. En este sentido, la búsqueda la Llarvi constata y lleva idéntico desasimiento a las regiones interiores del territorio y a insinuados tiempos distantes del actual.

La crítica y el mismo autor han señalado el puesto central que ocupa *La vida breve* (1950) en su producción. Esta novela condensa efectivamente los temas decisivos de su primera fase narrativa y abre, especialmente con la fundación imaginaria de Santa María, el gran despliegue de las creaciones posteriores. En relación con nuestro tema, coexisten en ella dos modalidades distintas: la prostituta como personaje individual y el prostíbulo como entidad organizada. La primera es Enriqueta, o *La Queca,* mujer que habita el departamento vecino al de Juan María Brausen, el protagonista de la novela. Según la descripción que nos ofrece Emir Rodríguez Monegal, la aventura de Brausen con la mujer cubre uno de los tres sectores principales de la fábula[7]. Su importancia, de este modo, es hasta cuantitativamente indiscutible. Pero Brausen, subordinado de Julio Stein en la agencia de publicidad donde trabaja, conoce por intermedio de éste la *tertulia* que dirige todos los sábados Mami, la amante envejecida de Stein. Veamos cómo la describe Onetti[8].

La visión objetiva es, en este caso, muy semejante a la de *Tierra de nadie,* aunque más pormenorizada, menos fugaz. El primer espacio frecuentado por Brausen es el *pequeño vestíbulo,* donde lo recibe Stein:

> —Bebimos sobre el ramo de rosas en la mesita; me pareció verlas ajarse en el calor. —¿Estás pronto? Pero es necesario quitar el polvo de las sandalias, renunciar a tu sensibilidad de publicitario. Se exige la paciencia y una atención desenperada a los matices[9].

El humor resulta siempre abrupto en un autor fundamentalmente desprovisto de él, como es Onetti. Obsesivamente patético, su universo tuerce y distorsiona cualquier gesto humorístico, convirtiéndolo en una mueca deforme y brutal. El contenido paródico tiene aquí una doble función; alude al juego litúrgico que comenzará a desarrollarse y advierte indirectamente al lector, por boca de ese verdadero empresario que es Stein, que se fije cuidadosamente en lo que va a transcurrir.

El sesgo litúrgico —aparente y verídico al mismo tiempo— es un simple desarrollo de los valores escénicos visibles en el episodio de Llarvi. De hecho, en la fabulación del tema por Onetti, habrá

[7] «Juan Carlos Onetti y la novela rioplatense», *Número,* 1951. Recogido en *Narradores de esta América* (Montevideo, Editorial Alfa, s. f.) y reproducido en *Literatura uruguaya del medio siglo* (Editorial Alfa, 1966), pp. 227-243.
[8] Primera parte, cap. XIX: «La tertulia».
[9] *Ibid.,* p. 163 de la Editorial Indoamericana, Buenos Aires, 1950.

siempre un intercambio entre estos dos tipos de esferas, algunas veces cercano a la franca fusión. Detrás de esta tendencia a la identificación entre lo teatral y lo sacro (de peculiar índole), opera con carácter determinante la herencia de *Un sueño realizado,* un notable cuento fechado en 1941. El tono sacramental que adquiere la representación con la muerte de la protagonista levanta la ficción a un plano que supera la burla y lo inverosímil de la empresa en que se empeñan Langmann, Blanes y la mujer. Por otra parte, la existencia y la relevancia que cobra el dinero como mediador para lo que en el relato se llama el *reparto de la locura* contienen un factor que también es tematizado en *La vida breve.*

La impregnación litúrgica no sólo provoca cortes irónicos en la escena (: «—Cumplida esta parte de la ceremonia —dijo Stein— ¿puedo presentarle a las chicas?... —Missa est —dijo Julio—. Vamos a tomar una copa de ti a mí»), sino que contribuye a una singular y sugestiva distribución de los espacios. Así, el vestíbulo en donde Stein recibe a Brausen —especie de sacristía— es el lugar de la iniciación: en él se desenvuelve el juego de los brindis y de las libaciones, que constantemente cumple el papel, en la obra de Onetti, de introducir a los personajes en experiencias decisivas. Ya en la habitación donde están Mami y las muchachas, esos *matices* acerca de los que Stein ponía en guardia se van sucediendo lentamente:

> La ventana, a espaldas de Miriam, en el fondo del salón tenía los estores corridos. Junto al asiento de Miriam estaba encendida una lámpara, un globo sonrosado. Precedí a Julio en el aire pesado, traté de sonreír a las tres mujeres alineadas en la penumbra, a mi izquierda. Julio se adelantó para llegar antes que yo a la zona de suave luz que contenía a Mami; apartó la canastilla con lanas y agujas, se apartó para ofrecerme el espectáculo de Mami que enderezaba el cuerpo, se acariciaba el peinado y el camafeo sobre el pecho, alzaba una mano para ser saludada [10].

Fuera del sutil desplazamiento del nombre al apodo, siempre manejado por Onetti con un sentido preciso, pero que en este momento no importa, puede observarse la organización del espacio, de la iluminación y de las actitudes que el narrador nos visualiza. Hay, en la atmósfera, algo que convierte el salón en una nave de templo, en la que domina una «impuesta claridad de crepúsculo», según se nos dirá más adelante [11]. El salón, por efecto de la luz, queda dividido en dos partes: una extensión en *penumbra,* donde se encuentran las mujeres, y una *zona de suave luz,* que aureola

---

[10] *Ibid.,* pp. 163-164.
[11] *Ibid.,* p. 165.

a quien preside la tertulia. Espacio y luz convergen hacia Miriam. Pero, sobre todo, su posición contra la ventana la dota de una inmovilidad de icono, que la mantiene como empotrada en un vitral. Esto da más relieve todavía al instante en que Miriam se incorpora, gesto a la vez realzado por esas típicas formas de irrealización que constituyen, para el novelista uruguayo, los atavíos de la persona. Detengámonos brevemente en estos aspectos de técnica descriptiva.

Los valores de inmovilidad son insistentemente perseguidos por el arte de Onetti. Las vías más familiares de que se vale son lo iconográfico, las fotografías y la utilización de los estímulos de la propaganda (carteles, *afiches,* etc.). En general, reproducciones materiales que impregnan su creación con estructuras de contornos rígidos, incisivamente deformadas. Y esto nos conecta con el origen y con el ideal más empecinado de la narrativa del montevideano.

Su origen substancial no es otro que un *realismo de lo imaginario.* Onetti coge los objetos y las situaciones no en su manifestación inmediata, sino proyectándolos contra el telón de los párpados, en el escenario quieto y tenso de los ojos cerrados. Parte, entonces, de imágenes en sentido propio, cuya corporeidad bizarra y extremosa nos va traduciendo con fidelidad en su escritura. La meta a que con ello aspira no difiere de la estaticidad plena, es decir, la plenitud intensa que atribuye a lo estático. La fijeza, la inmobilidad son puntos supremos a que tiende su arte. A ellos dedicará más tarde dos considerables esfuerzos creadores que se hacen más inteligibles desde este respecto: *Los adioses* (1954) y *Tan triste como ella* (1963). En ciertas líneas de integración del primer relato y en la substancia total del segundo advertimos lo fuerte y lo avasallante de ese impulso, cuyos resultados nos recuerdan algunos intentos dramáticos de Claudel. Si tenemos en cuenta que el trágico francés debe mucho de su inspiración a los autos sacramentales españoles del Siglo de Oro, tal vez el parangón no parezca demasiado arbitrario.

Un segundo detalle en la técnica de prestación de Onetti: El camafeo de Miriam duplica, en escala reducida, el hieratismo de la mujer. Joyas y adornos, lo mismo que el peinado, poseen para Onetti un dinamismo de irrealidad, que conduce las situaciones a un plano diferente, menos natural. Además de otras funciones, sirven más que nada como puentes materiales entre esferas distintas: de lo natural a lo simbólico, de lo inmediato a lo imaginario, de lo presente a lo evocado...

Por otra parte, ha quedado claro, a partir del fragmento transcrito, el relieve que adquieren en Onetti las relacones jerárquicas, en ese juego entre solemne y grotesco de las precedencias, presentaciones y saludos. La simultaneidad de las opresiones y dependencias, en el microespacio social fabulado, se desdobla, diseñando un esquema de anfitrión, regenta, pupilas e invitados. Las subordinaciones se van desplegando ambiguamente, y ya es Stein un mero acólito de Mami, ya ésta implora silenciosamente la piedad del macró, mientras las mujeres cumplen con Brausen y con el mismo Stein el rito imperativo de las copas.

Luego de la presentación de las tres mujeres, descritas en términos semejantes a los de *Tierra de nadie,* se suscita una conversación al parecer sin mucho sentido sobre fantasmas, acerca de la superstición de los aparecidos. (De aquí nace, dicho sea de paso, la visión que llevará al autor a las líneas fundamentales de *Juntacadáveres,* 1964.) Ese juego va descubriendo zonas inéditas en las mujeres enterradas en ellas, y que yuxtaponen al opresivo ambiente citadino aires de otra parte y con sabor de otra época:

> Vi relampaguear una honrada, casi austera expresión campesina bajo la pintura de su cara, bajo años de cabaret y prostíbulo. Dije:
> —Además, sería muy niña para inventar una cosa así.
> —Me parece verlo a padrino con un pañuelo negro en el pescuezo; se golpeaba la bota con el rebenque [12].

Es decir, en la misma forma que en el episodio de Llarvi la casa nocturna traía aparejado un retroceso en el tiempo, acá, en la tertulia de *La vida breve,* se cuelan fragmentos provincianos, la presencia súbita del campo. Más tarde, en una novela que tendrá por tema profundo la comunidad americana, el corte hacia lo histórico será aún más nítido y concreto:

> Prolongaba un poco las erres, había teñido de rubio el pelo negro de india y la cara pesada, cruel, buscaba disimularse con un inmóvil aspecto de paciencia y fatiga [13].

Un poco más adelante, Stein y Brausen vuelven al vestíbulo, donde conversan ahora bajo un abanico numeroso de fotografías:

> Volví a beber con Stein, solos en el pequeño vestíbulo sombrío, junto al cuarto de baño, con las paredes ocres cubiertas de fotografías, retratos de casi seguros difuntos, un osario de amantes y amigas, capítulos de años de promiscuidad, frenesíes y sollozos, reducidos ahora a desteñidas cabezas con el pelo partido en crenchas, a perfiles que habían mantenido un gesto de ardor y languidez durante el largo minuto de la pose, el ojo invisible amenazando mostrarse para depositar en beneficio de la posteridad una mirada rotunda, toda la posibilidad de amor y comunicación [14].

Las historias de fantasmas y el pasaje de las fotografías son dos aspectos del mismo contenido: uno mágico e irracional, otro

---

[12] *Ibid.,* pp. 167-168.
[13] *Juntacadáveres.* Montevideo, Edit. Alfa, 1964, pp. 71-72.
[14] *La vida breve, cit.,* p. 168.

técnico y positivo, pero en el que también existe ese fundamento
mágico del retrato al que ya Sartre se ha referido en *Lo imaginario* [15].
Gracias a estas dos formas de poetización, en Onetti los muertos,
los antepasados comienzan a tomar vida, a presidir el mundo de-
gradado de los mortales. En la irónica invocación a los fantasmas
y en la congregación de los difuntos y gentes olvidadas de otro
tiempo que miran desde las paredes del vestíbulo, se va construyendo un altar con su laico santoral, se forja el nacimiento augusto
de los lares. La comunidad primitiva, como unidad de los vivos y
de los muertos, nace en pleno siglo xx y en medio de Buenos Aires,
en un grotesco, sofisticado y elegante prostíbulo, en donde clientes
seniles remedan sus audacias eróticas de antaño.

Es interesante constatar hasta qué punto persiste este núcleo
mental en el universo de Onetti. En *Los adioses,* por ejemplo, el
protagonista, ya cercano a su muerte, irá a vivir al chalet de las
portuguesas, así llamado porque en él habitaron las Ferreyra, tres
mujeres y una amiga muertas tempranamente. Pero su presencia,
aún desde lo remoto, crea la única sociabilidad que puede encontrar
el hombre desplazado del mundo por su enfermedad. Cuando el
que narra la anécdota va a la casa para ver al hombre que ha muerto,
observa:

> En el cuarto del fondo descubrí un montón de diarios que no habían
> sido desplegados nunca, los que se hacía llevar con el peón del hotel;
> y en la cocina, una fila de botellas de vino, nueve, sin abrir [16].

Así, lo que había despertado la maledicencia pueblerina se
deshace ante la mirada simple del que cuenta. No hubo fiestas
ni excesos en la casa de las Ferreyra, sino la necesidad del hombre
de mimar, de remedar pálidamente una convivencia que no halló
en la realidad. Los diarios eran así vinculaciones irreales con el
mundo: no se abrían ni se leían. De este modo, esa comunión con
la humanidad que, para el Hegel joven, supone la lectura del pe-
riódico, se anulaba en el personaje en el acto mecánico y rutinario
de su adquisición. No era el suyo, sino un anhelo esterilizado.

Así, aunque ficticiamente como en *Los adioses,* aunque real y
degradadamente como en *La vida breve,* los antepasados forjan el
arraigo, crean el ámbito social, la comunidad.

Pero este arraigo, esta radicación que el mundo de *la tertulia*
parece poseer entra en contradicción con un rasgo ya anticipado
en *Tierra de nadie:* su esencial extrañamiento. De la misma manera
que aquí se hablaba francés, también Brausen, otra vez que asiste
a la velada sabatina, escuchará las canciones francesas cantadas por

---

[15]   *L'Imaginaire,* París, Gallimard, 1966, pp. 51 ss.
[16]   *Los adioses* (Buenos Aires, Editorial Sur, 1954), p. 85.

Mami, recuerdos de su existencia vivida en París. Una de ellas es nada menos que la que da título al libro: *La vie est brève* (Capítulo XXII).

No se agota en esto, sin embargo, la proyección del centro temático que analizamos. Alcanza, además, a dos momentos de la segunda parte que son de capital importancia.

La impresión más somera de *La vida breve* permite sospechar que esta obra es un tejido de sutilísimas correspondencias. Su estudio detenido no sólo confirma esta conclusión, sino que la extrema, pues lleva a observar que cada elemento, el más insignificante objeto o materialidad, está trabajado con una técnica de desdoblamientos, reproducciones y analogías cuidadosamente elaborada. La lógica trasmutadora del sueño, que ya se advertía en *El pozo,* alcanza aquí su máximo virtuosismo. En general, la bipartición de la novela determina desde el comienzo que la segunda parte sea un gigantesco espejo de la primera, aunque no absolutamente fiel, no sólo porque contiene un doble curso temporal, sino también en cuanto los mismos materiales y situaciones forjan ahora una nueva arquitectura. Son muchas las reglas que establece esta lógica, pero dos son tal vez las principales: las fuerzas de bifurcación y de síntesis que en ella operan. Con sendos ejemplos las haremos intuitivas.

El primer capítulo de la novela está cruzado por dos motivos conductores: el de la locura, constante y monótona reiteración de Enriqueta, y el de las bebidas, que la misma mujer ofrece a un cliente ocasional. Ahora bien, esto, que estaba relativamente unido en la primera parte, se separará en la segunda, y tendremos que el primer motivo dominará en el primer capítulo —«El patrón»—, mientras el de las bebidas presidirá el segundo, llamado justamente «El nuevo principio». Pero, aun aquí, este motivo vuelve a bifucarse, pues la visita de Brausen a Gertrudis contenida en el capítulo se describe en dos fases: una presidida por las tazas de café y otra por los vasos de alcohol. Todo en Onetti tiende a escindirse, a reproducir la dualidad incontenible entre lo real y lo imaginario.

El otro mecanismo es el inverso, en cuanto suelda, sintetiza lo que estaba primitivamente separado. Es éste el que nos interesa por ahora. Junto a él debemos tener en cuenta, como ya hemos adelantado, que para el paso de lo real a lo imaginario en el plano de la acción se vale el escritor de vínculos materiales, de pequeños detalles en que coagula ese tránsito. Veamos esto.

En el capítulo de «La tertulia» hemos visto ya el gesto imponente con que Mami saluda a Brausen. Más adelante, en medio de los cuentos de fantasmas, una de las mujeres hablará de un anillo.

Por otra parte, hay el hecho muy curioso, pero significativo, de que Stein presente a la primera mujer en esta forma: «Esta es la bella Elena, tan inmortal como la otra.» Frase harto ambigua, porque uno puede pensar en Elena de Troya —cosa poco convincente— o, más bien, en Elena Sala, personaje creado por la imaginación de Brausen y que, por lo mismo, Stein no puede conocer. Por eso, como antes el narrador se ha valido de Stein para hacer un guiño de advertencia al lector, ahora nuevamente lo emplea para remitirnos a otro episodio, donde estará presente Elena Sala, en una situación semejante a la actual. Se trata del capítulo VII de la segunda parte, «Los desesperados», en que los personajes inventados por Brausen (Díaz Grey y Elena Sala), llegan al palacio del obispo de la Sierra. «Llegaban hasta el comedor donde almorzaba el obispo, y éste se levantaba veloz y con alegría, entregaba el anillo a los cortos besos y los invitaba a comer» [17].

Podemos decir que las virtualidades litúrgicas que contenía «La tertulia» se han concretado acá, se han exteriorizado, dando origen a una irreal escena eclesiástica. Detalles significativos de aquélla han pasado a ésta: el juego largo y continuado de precedencias y jerarquías, la travesía solemne hasta que los recibe el dignatario, los *ventanales encortinados,* la dosificación crepuscular de la luz. La correlación es importante y definitiva, ya que enlaza el ambiente del prostíbulo de Mami con el primer personaje, irreal y fantasmagórico, de contenido y de simbolismo históricos que surge en la novela. Este obispo es el personaje inicial en un viaje imaginario, que rematará en las figuras arquetípicas del rey, del alabardero y del torero, como concreciones ejemplares de un inconsciente colonial español.

A esta verticalidad histórica que posee la novela, debe sumarse la amplitud colectiva que alcanza con la fundación del ámbito multitudinario de Santa María. El nombre de este lugar, tomado sin duda del nombre antiguo de Buenos Aires, se asocia, quizá igualmente, a la carabela de Colón, a los varios descubrimientos de Vicente Yáñez Pinzón en la costa atlántica de América (Santa María de la Consolación, Santa María la Dulce) y al nombre del cabo más oriental en el estuario del Plata.

La fundación de este lugar imaginario también resulta vinculada con el episodio de Miriam-Mami. En efecto, Brausen ha ido creando lentamente las figuras y personajes que han de habitar en la ciudad de su invención. Larga, fatigosamente, ha ido poblando con presencias, calles, edificios y lugares circunvecinos su obsesionante Santa María. Pero le falta todavía, ya hacia el final de su itinerario

---

[17] *La vida breve, cit.,* p. 255.

y cuando se aproxima a ella, asediarla y expugnarla, conquistarla definitivamente. Luego de titubear, de pensar incluso en destruir todo lo alcanzado, organiza el acceso a su ciudad:

> ... establecí el tiempo y el rodeo necesario para llegar a Santa María, a través de lugares aislados, poblachos y caminos de tierra, donde sería imposibe que nos cayera en las manos un diario de Buenos Aires.
> Tracé una cruz sobre el círculo que señalaba a Santa María, en el mapa; estuve cavilando acerca de la forma más conveniente de llegar a la ciudad, examiné las variantes posibles, las ventajas de avanzar desde el oeste y las de hacer un rodeo y entrar a Santa María por el norte, atravesar la colonia suiza y aparecer de pronto en la plaza, en la aglomeración inquieta y musical de una tarde de domingo, provocativo y lento, arrastrando mi desafío entre hombres y mujeres [18].

Pero esta ubicación y estrategia de Brausen ante el mapa ha sido posible gracias a que evocó e imaginó primeramente a Miriam ante el plano de París. La mujer, según Stein le había contado a Brausen, se complacía recordando su juventud parisiense inclinada sobre las líneas y nombres de la guía Michelin. Sólo un fragmento, de un pasaje cartográfico muy extenso:

> Desde el cielo malva o gris, flotando a una altura de 700 ó 1.220 metros, según la escala, Mami contemplaba los edificios y las calles reconocibles, los recuerdos que se le adherían como vendas. Vio el Petit-Palais y el Jardin des Tuilleries, el Quai Malaquais y la Rue de Tournon, el Musée de Cluny, el Boulevard Saint-Marcel... [19].

Así, el impulso final, la llegada y el establecimiento del fundador, lo realiza Brausen por intermedio del plano de París, manejado una vez más por la regenta de la tertulia. ¡La coherencia constructiva es evidente! Y a esa ciudad, autóctona y europea a la vez, con conflictos de razas entre los sanmarianos y los colonos, suizos, traslada José María Braucen la dualidad atávica de su mismo nombre de fundador:

> Yo veía definitivamente, las dos grandes ventanas sobre la plaza: ... árboles, niños *oscuros y descalzos,* hombres *rubios apresurados...* [20].

Hasta aquí hemos tratado de ser escuetamente descriptivos, de presentar analíticamente el movimiento seguido por el tema hasta *La vida breve.* El alcance del tema, en todo caso, cubre toda la narrativa de Onetti hasta *Juntacadáveres* y desborda también la crea-

---

[18] *Ibid.,* pp. 347-348.
[19] *Ibid.,* p. 305.
[20] *Ibid.,* p. 21.

ción del autor uruguayo. En otro ensayo hemos puesto de relieve
la significación quo posee en las *Residencias* nerudianas la experiencia de la casa nocturna. También en Martínez Estrada, ensayista
perteneciente a la generación de Onetti y Neruda, el burdel aparece integrado en la visión de Argentina que nos da en su *Radiografía de la pampa* (1933). Según una perspectiva que sicologiza el
concepto clásico de alienación, Martínez Estrada ve allí los deseos
y pensamientos reprimidos del pueblo, de la pequeña ciudad del
interior. Es, para él, sólo un aparente anti-orden y contrasociedad.
Es, por el contrario, la sociedad profunda, el rostro verdadero y deforme que la sociedad muestra durante la noche. Para ambos, sin
embargo: para Neruda y Martínez Estrada, el prostíbulo representa el extremo de degradación, percibido contra el fondo de plenitud de la Noche, que encarna las fuerzas fecundas de la Naturaleza.

¿Qué ocurre en Juan Carlos Onetti? Una pauta sugestiva, aunque no completamente satisfactoria, podría suministrarla esta aguda
observación de Keyserling:

> En los prostíbulos suramericanos no reina el desenfreno escanda-
> loso, sino el silencio de la procreación concentrada, y en los intervalos,
> la serenidad del descanso después del trabajo [21].

Según ello, este lugar social sería el límite donde los mayores
extremos se tocan: la esterilidad de las fuerzas vitales con el *reposo creador*. Lo que es detención, inmovilidad casi letal, es sólo
el letargo de una lenta maduración, un modo ovíparo de creación.
La ausencia de vida, que habrá de exagerarse en la visión funeraria
de *Juntacadáveres,* equivale en verdad a un modo ciego, monstruosamente prolongado de gestación.

Nuestras sociedades no están absolutamente huérfanas de tem-
poralidad creadora en las novelas de Onetti. Por esto, no nos parece justo lo que piensa Murena de ellas:

> De las sombrías narraciones del uruguayo Juan Carlos Onetti, en
> lugar de decir que constituyen una crítica de la sociedad, más apropia-
> do parece afirmar que buscan empujar esa sociedad su fin; tal es el ve-
> redicto que implican.

Yo diría, más bien, que para un autor como recusa orgánicamente, espontáneamente, las formas de vida presentes, pero una
sociedad otra que está le es conceptualmente irrepresentable. Se

---

[21] *Meditaciones suramericanas.* Trad. de Luis López-Ballesteros. Espasa-
Calpe. Madrid, 1933, pp. 37-38.
[22] H. A. Murena: *Ensayos sobre subversión* (Buenos Aires, Sur, 1962),
página 70.

ve condenado, entonces, a moverse dentro del círculo infernal de una existencia social a la que odia, pero de la cual no puede escapar. Elegirá, por tanto, como únicos valores los antivalores de esa sociedad. Por eso, se puede decir que hay en la narrativa de Onetti una ética de la inmoralidad, lo que se llama a menudo el *ascetismo* de Brausen. Lo abyecto, lo sórdido, lo clandestino tienen para el notable escritor americano, un prestigio purificador en cuanto formas degradadas por una sociedad que es ella misma el origen de toda degradación.

Juan Carlos Onetti
y una escenografía de obsesiones

Félix Grande

«Aquella tristeza repentinamente perfecta.» La editorial Sud-
amaricana publicó una vez la segunda edición de un libro en cuya
página 36 apareció esa frase, como un iceberg: flotando la parte
visible, inmensa la parte profunda. He escuchado el rumor oceá-
nico de esas palabras hace unas horas, tumbado en uno de esos
utensilios que a casi todo el mundo les sirven para dormir una
larga vez cada día, con una puntualidad que ya hace muchos años
no puedo comprender. Después he consumido el libro entero al
mismo tiempo con avaricia y placidez, como a un último cigarrillo. Y luego un reloj de pared remotamente humano ha dejado
rodar por mi oído cuatro sonidos bárbaros entre pausas de una grandilocuente suavidad. Quienes dicen que uno acaba por amar
todo aquello que lo acompaña hasta serle inherente, mienten o
ignoran el insomnio. Me he levantado con el deseo de leer unas
páginas sobre ti y sobre tu trabajo: en algún libro tengo algo de
esto. He pasado ante el reloj de pared: estaba oscuro, como si co-

nociese el miedo. Para qué lo voy a destrozar. No es mi verdugo. Ni siquiera mi espía: no es más que un mecanismo convencional que me sirve para medir, de día, las horas que debo trabajar, olvidar; de noche, la resurrección del olvido y esta locura mansa como un gong extenuándose, que me arropa mientras el sueño me es negado. Es nada más que un aparatito que suele acompañar con su ruido modesto la ronda, siempre nocturna, que danzan junto a mí «los cadáveres pavorosos de las antiguas ambiciones». He comprobado, en ese libro en que Luis Harss informa sobre ti, algo que no sabía, pero que ni siquiera necesitaba constatar: conoces el insomnio. «Durante sus períodos de insomnio no come ni duerme por una semana. Fuma, bebe, se tortura, y después queda tendido días enteros.» He interrogado al libro un poco más. Me informa: eres «alto, enjuto, con mechones blancos en el pelo gris, ojos desvelados, alta frente profesoral, las huellas de la renuncia y del desgano en su andar de oficinista envejecido. En la lenta llovizna, metido en un voluminoso abrigo (los insomnes siempre tenemos frío: es como una manera delicada, casi una excusa, de pedir cuentas a la realidad), doblado bajo el peso de la ciudad, avanza, opaco, un sonámbulo en la noche insomne. Como la ciudad, lleva con fatiga la carga de los años». Al recordar su infancia, su juventud, la escuela secundaria, «habla de todo eso con una voz sorda, malhumorado, como si estuviese tratando de recordar una versión perdida de un cuento desagradable». ¿Desagradable? Para mencionar esa voz sorda quizá sea éste un adjetivo demasiado austero, nada meticuloso. Creo que informan mejor tus propias palabras: «Lo malo no está en que la vida promete cosas que nunca nos dará; lo malo es que siempre las da y deja de darlas.» «No se trata de decadencia. Es otra cosa, es que la gente cree que está condenada a una vida, hasta la muerte. Y sólo está condenada a una manera de ser. Se puede vivir muchas vidas, muchas vidas más o menos largas. Tú debes estarlo sabiendo. Tomaría un trago de ese algo. Pero si te molesto, me voy.» Ya no sé a quién se dicen esas palabras, ni quién las dice, si Juan Carlos Onetti, Brausen, Díaz Grey, Stein acaso («el hombre era de muchas maneras y éstas coincidían, inquietas y variables, con el propósito de mantenerlo vivo»): entre todos ellos no hay diferencias satisfactorias. Se puede ser muchos, o varios, pero demasiado parecidos. En una sola «manera de ser», en un solo individuo, *míster* Hyde y doctor Jekill juntos no son concebibles: uno u otro, hacía muchos años que mentía; Hyde era fundamentalmente Hyde o era fundamentalmente Jekill, o a la inversa, y sus transfiguraciones no eran más que ensueños hacia un alivio sórdido e imposible. En nosotros, los que alimentamos a oscuras «la siempre fallida esperanza de una catástrofe definitiva»

(¿eso es verdad, Juan Carlos, o es sólo una manera de señalar que nuestra abominable lucidez aguarda algo terrible que resuma la coherencia dispersa de un mundo irrefutablemente prendido del fracaso?), en nosotros existen constantes, y ellas nos dejan dividirnos pero no nos consienten un cambio: algo nuevo sin la memoria del gusano, ni siquiera sin la memoria de la larva. Dostoievski sabía más que Stevenson sobre el desdoblamiento: su oficinista se desdobla, *pero conserva el mismo rostro*. No hay escape. Ni la locura es un refugio.

Pensé que podíamos charlar sobre esto. Sé que la escenografía no iba a desagradarte: madrugada y silencio, alcohol, tabaco, yo con una manta sobre los hombros; una ventana que se asoma a la calle oscura desde muy alto y que cada vez que la miro me reafirma una convicción: por ahí no voy a tirarme jamás. No voy a matarme. A un personaje que creí inventar hace ocho años, cuando ya tenía veinticuatro, alguien le ofrece barbitúricos, hojas de afeitar y agua caliente, una pistola: en fin, le da facilidades. Pero aquel crío siguió bebiendo ginebra, cínico como un resucitado, y, como un resucitado, persuadido de que tampoco vale la pena, y respondió: «No, gracias: me voy andando.» Vámonos andando. De acuerdo: a veces es deslumbradoramente implacable la evidencia de que todo el alcance de nuestra libertad consiste en la facultad de usar o no el acelerador de la propia aniquilación. A veces se piensa que no es demasiado impropio empujar un poco con el pie, lamer unos cuantos vahídos del vértigo, ver de más cerca el rostro horrible que no tiene ojos ni boca ni nariz y sin embargo es un rostro, que mira desde la eternidad. Incluso a veces se piensa empujar hasta el fondo, silbar con las manos en los bolsillos, puesto que no hay volante, y empujar hasta el fondo. Pero son veleidades: en seguida uno imagina enlutados, los aullidos de los que te aman, las tarjetas de defunción, quizá hasta la desesperación de alguien que se negará por siempre a dejar de amar a la prehistoria del cadáver: y todo eso convierte el acto en una patraña: no se puede destruir la vida cuando ya hemos estado vivos. Si uno pisa el mundo ya no lo puede aniquilar. Además, el suicidio es siempre tardío: es como echar pomada a una cicatriz, lo que queda de una herida que se cerró hace tiempo, posiblemente sin convicción, con una parsimonia vegetal. Para qué. Tal vez a los quince años tenga cierta congruencia. La síntesis perfecta es otra: morir por propia voluntad antes de haber nacido. Y no es posible. ¿Por qué no irse andando, entonces? Así pensaba yo hace un rato. Luego pensé que quizá me estaba acorazando con coartadas. Muy bien: entonces mi vida tiene un sentido; algo que pulula bajo las coartadas, aunque yo pueda no saber qué es. Y si no se sabe qué es, cuál es ese sentido, parece ligeramente estúpido echar las campanas al vuelo únicamente porque aún se está vivo, porque aún somos la prehistoria de un cadáver: se parece más a la presunción que a la alegría. Oye, Juan Carlos: ponerse a dar saltos de alegría y tomar la vida como una celebración, cuando no se sabe qué es lo que se celebra, si es que se celebra algo, no resulta muy convincente: creo que nos vamos a entender, a pesar de esta frase tuya: «con una amistad por la vida más vieja que él». ¿Qué se celebra? ¿El amor? Por lo general, se amortigua hasta no ser más que una estafa de sí mismo. ¿La fraternidad? ¿Cuál? ¿La que la historia tiene clavada en la frente como una tortura que jamás se transforma en reposo, esa grandilocuente ilusión? Hay tanta gente que no sabe leer la prensa. ¿Qué está haciendo la bestia humana con su destino? Va a haber una guerra atómica algún día. Nadie hay en el mundo que pueda ya convencer a nadie de que no va a haber una guerra atómica algún día. Te contaré una anécdota. Es notablemente íntima y tal vez eso la disculpe: una noche, una de esas noches particularmente lúcidas en que el Génesis y el Apocalipsis no son otra cosa que dos palabras bastante modestas, mi mujer y yo charlábamos plácidamente, despacio, destrozados. Indiqué que tal vez algún día esa cosa indestructible que nos une, esa cosa débil e irremplazable como un cordón umbilical a la que burda y económicamente denomianmos convivencia, podría deshacerse: ¿por qué no? Mi mujer se consintió unas lágrimas sin convulsión, unas lágrimas, cómo te diría, morenas. Siguió fumando y mientras expulsaba humo de su cigarrillo dijo que tal vez antes de eso hubiese guerra atómica, y todo resuelto. Jamás nadie me había mostrado el amor de una manera tan voraz: aquella noche no podría haber escrito estas cuartillas. Aquella noche no podría haber comprendido estas palabras tuyas: «recibió, junto con la visión y la dádiva del cuerpo desnudo de Gertrudis, el mandato absurdo de hacerse cargo de su dicha». Es que aquella noche mi mujer no era Gertrudis. Tampoco esta noche lo es. Sólo que no se puede vivir eternamente de un inconcebible minuto, aunque uno sienta el deber de hacerlo. No se puede. Entonces, como único ilusorio reposo, optamos por sentirnos culpables de la desdicha que de alguna manera misteriosa pero intachable acabamos por provocar. Y aunque estemos persuadidos de que «cuando la desgracia se entera de que es inútil, empieza a secarse, se desprende y cae», continuamos extraviados en la topografía de la culpabilidad, misteriosa y absurda.

Me dije: tres buenos temas: la imposibilidad de ser otro, la gratuidad del suicidio, el laberinto de la culpa. Charlar sobre esto con Onetti. No creo que importe demasiado que casi me doble la edad («no sé si usted tiene treinta o cuarenta años, no importa.

Pero usted es un hombre hecho, es decir, deshecho, como todos los hombres a su edad cuando no son extraordinarios»). Total, ninguno de los dos podemos dormir, esta madrugada es hermosa, hay tabaco y vino, y puedo prestarle una manta. Vi otra frase: «la seguridad inolvidable de que no hay en ninguna parte una mujer, un amigo, una casa, un libro, ni siquiera un vicio, que puedan hacerme feliz». Me gustaría que comentásemos eso. Dos o tres horas para encontrar el verdadero sentido, dentro del contexto, de ese adjetivo —«inolvidable»—, o para renunciar a encontrarlo, lo cual sería más lento aún, más costoso, pues al menos es obvio que el lenguaje nos interesa (desde luego, te interesa a ti: escribes con la precisión de un médico forense). Y dos o tres días para descifrar qué esperanza oculta o qué descuido del oficio ha motivado la invasión de una palabra que me deja perplejo: «feliz». ¿Por qué «feliz»? Debe de ser un error del linotipista, o una debilidad o una incongruencia de Onetti: no veo otra alternativa. No existe en el mundo un acorde que pueda reunir esa palabra feroz y esta frase: «es como un día de lluvia en que me traen un abrigo empapado, para ponérmelo». Pero también podríamos hablar de la incongruencia, de hasta qué punto ella puede ser en ocasiones más congruente que un perfecto hexágono: «pero si yo luchaba contra aquella tristeza repentinamente perfecta; si lograba abandonarme a ella y mantener sin fatiga la conciencia de estar triste; si podía, cada mañana, reconocerla, y hacer que saltara hacia mí desde un rincón del cuarto, desde una ropa caída en el suelo, desde la voz quejosa de Gertrudis; si amaba y merecía diariamente mi tristeza, con deseo, con hambre, rellenándome con ella los ojos y cada vocal que pronunciara, entonces, estaba seguro, quedaría a salvo de la rebeldía y la desesperanza». ¿El combate desde el renunciamiento como medicina contra la desesperanza? ¿No es incongruente? Al menos es una interrogación, una bestia que avanza para aplastarnos la armonía del total desconsuelo. Pero Onetti parece poder detener a esa bestia y más adelante dice pacientemente que es «como una locura mansa, como una furia melancólica, como si lo estuvieran llamando para nada y, sin embargo, él tuviera que ir». No creo que te importe gran cosa que hablemos de tu dominio de la metáfora, de tu sagacidad para encontrar correspondencias entre un tetraedro y un esquimal («furia melancólica»), pero diré que poetas como tú no abundan y luego olvídalo y continuamos hablando de otras cosas. Sin embargo, todavía deseo insistir sobre algún detalle de tu manera de narrar: se han llegado a hacer interpretaciones que desvirtúan tu trabajo y que, en consecuencia, emborronan tu rostro. Por ejemplo, se ha dicho que tus personajes no son reales, no son otra cosa que proyecciones laboriosas de tus obsesiones. Vaya novedad. En primer

lugar, la obsesión no es un rechazo de la realidad, no es una mas-
turbación solitaria, no es desde luego una claudicación ni una renuncia. Es una fricción de larga duración («El rayo que no cesa»)
entre un individuo y el mundo, la aceptación de un desafío y su
consiguiente combate; y por ello, a la vez un reconocimiento de la
realidad y de la necesidad de su modificación. Entonces, una obsesión no sería otra cosa que la turbulenta imagen de un comportamiento en y hacia los otros. Por esto, ese método de investigación
sobre este dinosaurio rabioso que llamamos la realidad me parece
profundamente lícito. Pero aún no estoy de acuerdo con dejar las
cosas así, no me satisfacen estas parábolas provisionales. Acabamos
de hablar de Gertrudis, otra vez. Casi es obsesiva Gertrudis. Constantemente viene, vuelve, nos mira. ¿Es por que la operación
quirúrgica que sufre en las primera páginas la ha dejado «monstruosa»: con un solo pecho? «Y ella y yo hemos descubierto, des-
animados, con un horror ya disminuido por la repetición, que todos
los temas pueden conducirnos al costado izquierdo de su pecho.
Tenemos miedo de hablar; el mundo entero es una alusión a su desgracia.» Y entonces queda a tu merced, Brausen, a merced de tu
cochina piedad hastiada, de tu ternura que oculta un bubón de
extrañeza y fastidio. Puede ser que tú, Onetti, nunca hayas vivido
con una mujer a la que falta un pecho y (aunque el cáncer de mama
existe) ese cáncer extirpado no sea sino un ademán para situar la
conversación de una pareja a lo largo de los años en una situación
desde la cual ya sea inevitable confesarlo todo, donde nada se pueda
ya ocultar. ¿Es esto una obsesión de Onetti? ¿Y esa obsesión
no sería una buena metáfora sobre la acumulación de los años en
una pareja, que además contiene un deseo al que habría que llamar
ético, el deseo de atestiguar el aborrecimiento por las mentiras?
Así, los personajes de Onetti *viven* más. ¿No es eso lo que echa-
bais en falta? Pero aguardad: Gertrudis abandona a Brausen.
Qué sorpresa, ¿verdad? Y con ello se venga de la podredumbre de
aquella piedad displicente, de aquella castrada ternura. Pero, además, no lo abandona para retirarse al infortunio, sino para buscar
—y encontrar— nuevos hombres, nuevos amantes que le renueven
la ferocidad de vivir, que le faciliten el regreso de su propio cuerpo,
mutilado pero aún abarrotado de respuestas. ¿No es esa una mujer
viva? ¿Cómo llamar a todo eso «una obsesión de Onetti»? En todo
caso, las obsesiones de Onetti parecen ajustarse bastante al comportamiento de la realidad, y sus personajes resultan bastante reales.
Pienso a veces, Juan Carlos, que gran parte de la crítica debe su
frialdad y su superficialidad intemperante a la prevención más o
menos inconsciente del crítico ante la realidad, la que está ahí, en
el libro que lee de reojo, la que está ahí, aguardándolo entre las

calles y los años, y la que está ahí, agazapada en su corazón. O dicho con menos retórica: que tienen miedo. Tal vez por eso te he contado una anécdota que de alguna manera no me honra: porque no quiero parecerte esa clase de cobarde que disimula su temblor. Supongo que lo que sucede es que tras leer tu libro y una frase de Benedetti sobre tus personajes (seres que mencionan «el fracaso esencial de todo vínculo, el malentendido global de la existencia, el desencuentro del ser con su destino»), he comprendido que somos amigos.

Los amigos se ofrecen su casa. Los amigos se hacen visitas. Yo estaba solo en mi despacho, fumando. Tabaco no me falta nunca: a los vicios hay que cuidarlos, tú lo sabes. Si no, desaparecen, y nos dejan algo curioso y en apariencia incongruente: un hueco que duele. Incongruente en apariciencia, pues a los mutilados les duele en ocasiones el cartílago de una pierna que ya no existe. He encendido otro cigarrillo cuando he creído escuchar el sonido del timbre. Al cruzar de nuevo el pasillo hacia la puerta vuelvo a ver el reloj: dice que son las cuatro y media: ¿de qué mes, viejo, de qué año, de qué era? ¿Para quién, viejo, para qué? Reprimo un vago deseo de escupirle. Llego hasta la puerta, dejando tras de mí la tiniebla del pasillo y las habitaciones apagadas. El hombre encanecido me mira. Recuerdo: «tengo muchos períodos de depresión absoluta, de sentido de muerte, del no sentido de la vida. Tal vez un buen régimen, un buen médico...». En ese rostro creo advertir que esa lamparilla de esperanza encendida a la ciencia, con un temblor entre supersticioso y exigente, también se está apagando ya. No sé qué decirle a Juan Carlos Onetti. A otro podría decirle cualquier estupidez cortés. Ante él y de madrugada, las palabras reclaman su verdadero precio o se vuelven contra nosotros. Al fin me aparto para que pase y le pregunto a qué distancia queda Montevideo. Sonreímos: le estamos gastando una buena broma al espacio. Le digo que me siga. Por favor, trata de no hacer ruido en el pasillo mientras llegamos al despacho, y perdona que no encienda la luz: podría despertar a mi mujer, o a mi hija. Qué curioso: jamás he sentido rencor por su implacable capacidad para dormir. Al contrario: me emociona verlas dormidas, andar de puntillas para que no despierten. No, no es eso. Lo que me emociona es saber que ellas siguen allá arriba, en ese mundo que tal vez tenga algunas compensaciones sólidas, ahí donde se duerme con puntualidad y la conducta es hermosa como la simetría; es eso lo que me emociona mientras me deslizo para no despertarlas: saber que no bajan hasta aquí, a este barranco, que aquí me dejan solo, y es lo mejor, porque aquí no podría darles ni aceptarles nada, y todos nos sentiríamos extranjeros unos de otros, viudos

unos de otros, viudos vivos. Mejor que sigan allí. Mira: tiene cuatro años. Es bonita, ¿no? ¿Qué sórdido que vaya a haber guerra
atómica, quizá antes de que sea adulta. Lo pienso a menudo, la
imagino muriendo abrasada entre millones de abrasados. Es linda,
¿verdad? No sé lo que le espera: la amo. Mira al lado: es su
madre. Es mi mujer. Te hablaría de ella durante unos cuantos
siglos, calcula el tamaño de mi sentimiento de culpa. O tal vez ese
desaforado deseo indique algo más, no lo sé. Por ejemplo, que la
amo. De acuerdo, de acuerdo, eso hay que demostrarlo. Como
puedes comprender, aún no he aprendido a demostrar esas desme-
suras, y creo que ya es tarde para aprender. Incluso para de-
mostrárselo a ella. Incluso para creerlo yo mismo: en ocasiones yo
también «me alejaba —loco, despavorido, guiado— del refugio y
de la conservación, de la maniática tarea de construir eternidades
con elementos hechos de fugacidad, tránsito y olvido». Y nunca he
sabido si regresaba por cobardía o por convicción; y aunque fuese
por convicción, se trataría de una convicción agrietada, algo demoníaca y vieja: como el cristal de un coche después de un bala-
zo. Aparte de que, en efecto, a veces «me alejaba, loco despavorido», y eso, queramos o no, es irreversible. Por supuesto: si
un día, en contra de todos los pronósticos, me abandonase, yo mos-
traría quizá todos, absolutamente todos los gestos del desconcierto,
y tal vez de la desolación, pero creo que allá al fondo una parte
de mí encontraría que es lógico. Que la venganza es lógica. Bueno,
vámonos, no vayamos a despertarlas. Ven, voy a mostrarte algo.
Te he dicho que la venganza es lógica. Bien lo sabes tú: «El infierno tan temido» no es otra cosa que la demostración de la increíble lógica de la venganza; bueno, también es otra cosa: una moraleja: o no comprendemos o nos destruimos, pero totalmente; o
bien: vamos a tratar de entendernos a fondo, o la venganza que
sobreviene al hecho de no conseguirlo nos destruirá, del todo. Bueno,
mira: éste es mi despacho. Con la luz encendida, como ahora, se ve
todo esto, la hermosa impertinencia de unos miles de libros, algunas
fotografías, discos, objetos. Pero espera que apague la luz. Antes,
siéntate. Me alegra que hayas venido. De verdad. Voy a mostrarte
algunas de mis obsesiones. Mira fijamente hacia ese rincón y no de-
jes de mirar cuando apague. Ahora. ¿Ves algo? Te ayudo. Un
hombre con una frente inmensa y unos ojos casi inhumanos obliga
a beber alcohol puro a otro hombre, éste vestido de delegado de
una Convención. ¿Recuerdas bien los hechos? A Edgar Poe (me
niego a usar el Allan de aquel bienintencionado imbécil) lo em-
borrachó un miembro de un partido político para arrancarle el voto
cuando Poe llegara a la semiinconsciencia; ese voto era necesario: ya entonces los Estados Unidos eran una democracia. Recuerdas

bien que Poe murió a consecuencia de aquella borrachera, motivada por aquel voto. Sin duda; hubiera muerto sin esa ayuda, y pronto; ya estaba condenado. Lo había condenado todo Baltimore. En realidad, ese funcionario al que Poe obliga a ingerir alcohol durante toda la eternidad, o al menos mientras yo conserve mi ética, no es más que un símbolo. Pero la imagen no carece de hermosura. ¿Carece de hermosura, Onetti? Fíjate con que pericia Poe vierte alcohol en esa boca sin derramarlo, apenas unas gotas en la pechera de la camisa. Y qué fuerza la de ese pobre dipsómano para sujetar al funcionario y resistir su cara de terror. Mira a ese otro lado, Juan Carlos: ése que está colgado es Smerdiakov; a sus pies, Iván Karamazov, pero ya no abofetea a su hermano por haber sido capaz de *hacer* algo que él sólo pudo *imaginar* que podría hacer; ahora ha reflexionado y se dedica a otra cosa; para esa dedicación era necesario Nietzsche: ahí lo tienes, frente a Iván. Iván lo mira, no le dice nada, ya le pidió que le explicara coherentemente su convicción de que el hombre debe ser superhombre, y Nietzsche no pudo responder. Ahora está frente a Iván, sufriendo los horrores de la locura y sufriendo también la desgracia de los Karamazov, una desgracia que araña desde la mirada de Iván, el cual no le permitirá jamás volver el rostro. Sí, Juan Carlos: ¿por qué no vengarse en un loco? ¿Qué privilegio tiene un loco que no deba tener cualquier ser humano? Ahí los tienes. Mientras tanto, Smerdiakov sigue balanceándose para siempre. Mira un poco más hacia tu izquierda. Lo que ves no te será extraño: son la Maga, Horacio Oliveira y todo el grupo. Están hablando de metafísica. Rocamadour acaba de morir, y sólo Oliveira lo sabe. No quiere decirlo, desea ahorrar unas horas de sufrimiento a la Maga, y habla de Metafixika, como si aún no supiese que el niño ha muerto. Es una de las situaciones más grandes de toda la literatura universal. Pero no la tengo ahí por eso. Si haces oído —en seguida voy a callarme— oirás la voz de Rocamadour diciendo: «De todos modos estoy muerto, Horacio»; y sólo Horacio puede oír esa voz, una vez y otra, hasta el fin del tiempo, mientras él trata de no enloquecer mediante el desprestigiado procedimiento de tratar de averiguar qué le pasa al mundo. Ahora me callo: escúchalo tú a Rocadamour. Al lado puedes ver a dos personajes muy familiares para ti: son Gracia, César y Risso; pero aquí Risso no se ha concedido el beneficio de un suicidio: ella continúa enviándole las feroces fotografías en donde Risso la ve desnuda con los otros, y él ha tomado la resolución de no ver en esas fotos más que amor, de manera que Gracia puede estar injuriándolo eternamente y no conseguirá de él otra cosa que un amor que ya es meticulosamente inhabitable. Sé, Juan Carlos, que va a llegar un día en que

Risso comience a besar las fotografías conforme las vaya recibiendo.
Pero aún falta mucho para eso: unos cuantos años, cuando ella haya
envejecido y su cuerpo sea nauseabundo y sólo quede juventud en
la furia de la venganza y en la bestialidad de ese amor asombroso
y abominable. Déjalos, aún les aguardan unos años malos. Inclina
un poco la mirada hacia abajo. Ese de ahí es Mateo. La rubia que
hay frente a él es Ivich. A primera vista, Mateo está fastidiado por
la falta de coraje de Ivich para aceptar la angustia, y como una
bofetada contra esa impotencia de Ivich, ha resuelto clavarse un
cuchillo en la mano. Se diría que Mateo quiere demostrar a Ivich
(este Sartre, siempre demostrando) que la desesperación sin destino
carece de sentido. Mentira: lo que hace Mateo es tratar de ena-
morar a Ivich, sabe muy bien que si logra acostarse con esa muchacha será a costa de alguna trampa de ese género; lo que desea
de verdad es algo más que acostarse con ella: alienarla en Mateo.
Por eso esa situación estaba también empapada en venganza: si
observas durante un tiempo advertirás que cada tres minutos Mateo arranca el cuchillo de su mano y vuelve a clavarlo. Así. Así,
hasta que se lo lleven a la guerra. Y le duele. Le duele cada vez
más: mucho. Pero no sabe aullar. Mateo no sabe aullar. Sartre
no sabe aullar. Mira bien: Ivich ya se ha aburrido, y de vez en
cuando se fija en el modelo de alguna francesa elegante que acaba
de pasar o que se dispone a salir. Ivich se aburre y Mateo no logra aullar, ni puede detener su mano, su cuchillo, su cochina demostración. Ivich y el cuchillo de vez en cuando bostezan.

La venganza, Juan Carlos. Todo el mundo se venga de algo, y
muchos son tan desafortunados que ni siquiera saben de qué. Pero
es la venganza, esa esposa legítima del miedo, la que mueve la
tierra. El universo tiene un movimiento de traslación alrededor del
miedo y un movimiento de rotación alrededor de la venganza.
Cuando advertí que yo formaba parte del mundo, y que esto era
ya irreversible, comencé a pensar que faltaba algo en mi despacho
de trabajo. Poco a poco, durante años, fui dándome cuenta de
qué era lo que faltaba: mi granito personal de agresión. Es lo que
estás viendo, con la luz apagada. César Vallejo, constantemente resucitando, eternamente resucitando en París, bajo la lluvia, con una
soga en la mano, resucitando sin remisión y gritando, pero ahora
con violencia: «¡amadas sean las orejas sánchez!» Don Quijote
degollando displicentemente todas las ovejas de los propietarios de
Wall Street. Y allí el Bosco, dialogando con Lovecraft: están re-
uniendo sus imaginaciones para confeccionar una criatura definitivamente abominable. Y Charle Parker, incendiando no un cartucho
barato de un hotel de tercera, como lo imagina Cortázar, sino un
fardo de acciones de una compañía petrolífera, masticando coca y

seguro de que inmediatamente va a lograr inventar una melodía muy dulce y muy nerviosa e interpretarla con un saxofón viejo como jamás logró hacer música: por eso sonríe. Y Verlaine, con una desesperación altanera, cerrando la puerta: Rimbaud, fuera, suplica, gimotea. Esa puerta es magnífica, Juan Carlos: los golpes no se oyen desde dentro: Verlaine, no escucha los golpes de Arthur, sólo el sonido de su propia venganza. Y aquella pareja que sonríe, no te alarmes, no es un descuido; ellos son Byron y su hermana; son meticulosamente felices por entre el escándalo meticuloso de toda Inglaterra. Dejémoslo aquí. Enciendo la luz. En otra ocasión continuamos, si lo deseas. Ahora mira la habitación. A la luz pálida de esas tres pequeñas bombillas, los libros tienen algo de inconcreto, de humano. Si quieres alguno, quédatelo. Voy a traerte vino. Ahí tienes tabaco. Sí, en esa foto Kafka tiene unos treinta años; yo, un poco más: «A esa edad es cuando la vida empieza a ser una sonrisa torcida.» Eso está en la página 53 de *La vida breve,* un libro que tú has escrito y que, como todos los tuyos, jamás dejará de vengarse de ti. No hay salida. Estoy muy contento de que hayas venido. Voy por algo de beber, vuelvo en seguida y charlamos, si quieres. Y si lo deseas, te traigo una manta; hace frío, comienza a amanecer.

En torno a Los adioses
de Juan Carlos Onetti

Hugo J. Verani

¡Qué odioso es pensar que todo ha
de marchitarse, arrugarse y perecer!

María Bashkirtseff.

Dentro de la extensa y compleja obra de Juan C. Onetti, su novela *Los adioses*, publicada en 1954 [1], se caracteriza por su unidad temática. Una constante de las novelas de Onetti es la estructuración del mundo narrativo de sus ficciones en torno a héroes problemáticos, que se enfrentan a un mundo desolado y determinista, ante el cual nada pueden hacer. En medio del abatimiento físico-moral, estos héroes, en su mayoría hombres maduros, intentan mitigar su angustia existencial, pero todos sus esfuerzos quedan irremediablemente frustrados: la fatalidad parece dirigir todas las acciones de los protagonistas de sus novelas. De estas novelas surgen una visión del mundo y de la vida en la que los valores del presente se conciben como falsos y despreciables, una obstinada destrucción de toda ilusión, y una falta de fe en la relación del hombre con el universo que lo rodea, que el mismo novelista uru-

---

[1] Juan, C. Onetti, *Los adioses,* Buenos Aires, Sur, 1954, 88 pp. Todas las citas son de la 2.ª ed., Montevideo, Arca, 1966, 83 pp. En 1967 Arca publicó una 3.ª ed.

guayo ha definido en una entrevista: «Todos los personajes y todas las personas nacieron para la derrota»[2].

En *Los adioses*, como en *La montaña mágica* de Thomas Mann, el personaje principal es un tuberculoso que va a las montañas a curarse; pero no estamos ante una novela humanística como *La montaña mágica*, donde al mismo tiempo que se analiza el alma de Hans Castorp se incluye gran variedad de elementos extra-narrativos: discusiones filosóficas, políticas, de astronomía, religiosas o de la naturaleza de la realidad. En *Los adioses* nos hallamos ante un pequeño mundo, sintético, sin erudición, reducido casi a la breve historia de un hombre que conocemos indirectamente a través del narrador principal. El protagonista, hombre enigmático, que no quiere reconocer su agonismo actual, aparece como un sobreviviente del ayer, preocupado por el paso irreversible del tiempo, por la cercanía de una muerte absoluta: la nada. Su enfermedad cumple en esta novela una función primordial —la de profundizar en la vida—; de este ahondamiento en su alma surge una peculiar concepción del mundo fundamentada¡ en una obsesiva enajenación, rasgo anímico alrededor del cual se estructura la novela y cuyo estudio constituirá la parte central de este trabajo.

Con anterioridad la crítica había considerado *Los adioses* como una historia de amor. Emir Rodríguez Monegal, en su artículo «Una o dos historias de amor», el más extenso dedicado a la novela hasta la fecha, dice: «Entre los tres [personajes], con los datos aportados por los tres, se va armando este relato que la solapa y una faja significativa puesta al volumen califican de Historia de Amor»[3]. Y más adelante repite: «En realidad, ésta es una Historia de Amor y no de Sexo... Lo que los une [a los personajes], en verdad esencial, es el Amor»[4]. Corrobora esta opinión el crítico norteamericano James East Irby en *La influencia de Faulkner en cuatro narradores hispanoamericanos,* donde se refiere a *Los adioses* como «esta doble historia de amor»[5]. Puesto que en nuestro trabajo discrepamos fundamentalmente con las opiniones expresadas arriba, nuestro propósito principal será, pues, determinar los contenidos del mundo narrativo onettiano y la naturaleza de los personajes que en él habitan, intentando señalar, hasta donde sea

---

[2] María Esther Gilio, *Onetti y sus demonios interiores,* Marcha, 1.º de julio de 1966, p. 25.

[3] Emir Rodríguez Monegal, *Narradores de esta América,* Montevideo, Alfa, s. f., p. 174.

[4] *Ibid.,* p. 176.

[5] James East Irby, *La influencia de Faulkner en cuatro narradores hispanoamericanos,* México, edición mimeográfica, 1956, p. 106.

posible, la razón de ser de ambos: la implacablie destrucción de todo lo existente en un mundo novelístico sin amor, si entendemos por amor una forma de comunicación, ausente ésta totalmente en *Los adioses.*

El título

El título de esta novela podría ser significante; todo plural indetermina, agrega elementos abstractos; por esta razón, estos «adioses» crean un aire romántico de velada nostalgia. Son los adioses de un hombre que espera sin esperanza su destino final, de un ente humano, antes joven y fuerte, víctima ahora de la tuberculosis, que viene a curarse a un pueblo en las sierras, y que con el suicidio se despide de la vida y de lo que lo une a ella. Es un «adiós» hasta la muerte, sin intención de forjarse esperanzas o de perdurar. No se plantea ningún problema del más allá. No hay constantes religiosas en la vida del protagonista, y aun la catedral, frente a la cual tomaba cerveza, carece de todo significado ulterior: «Yo lo imaginaba, solitario y perezoso, mirando a la iglesia como miraba la sierra desde el almacén, sin aceptarles un significado, casi para eliminarlos...» [6]

Por eso estos «adioses» son definitivos; documentan que la juventud ya pasó, y con ella, la vida. Este hombre no se desespera ante lo abstracto, la muerte, sino ante algo concreto, el pasado, el ayer irrecuperable y la juventud irreversible. La pérdida del vigor físico, y el paso inevitable del tiempo, que tanta alienación y angustia producían a los personajes de una de las novelas mayores de Onetti, *La vida breve*, agobian también el temple de ánimo del personaje principal de *Los adioses,* a tal punto, que de la lectura de la novela podemos arribar a una conclusión desoladora —la inutilidad de la existencia. La preocupación por el paso del tiempo, el «rumor de la arenilla» [7], se nota hasta en los más pequeños detalles de la narración, los cuales agregan unidad temática y coherencia a la novela. Así vemos que cuando el protagonista viene a tomar cerveza al almacén del narrador se sienta bajo el almanaque [8], como sintiendo allí el peso del tiempo y, cuando no lo hace, el narrador hace resaltar el acontecimiento: «no se acercó al almanaque» [9]. El tiempo se cierne por igual sobre otros personajes: la belleza de la muchacha joven es descrita como «tran-

---

[6] Juan C. Onetti, *Los adioses,* p. 12.
[7] *Ibid.,* p. 14.
[8] *Ibid.,* pp. 14, 15.
[9] *Ibid.,* p. 21.

sitoria belleza»[10]. También se refleja el tiempo cuando el narrador encuentra en casa del protagonista, después de su muerte, «un montón de diarios que no habían sido desplegados nunca»[11], recurso que en forma paralela ya había sido usado, entre otros, por Azorín en su cuento «Sarrió» para simbolizar el desinterés por el presente, la desesperanza y el abandono[12].

Podríamos agregar que, al igual que en *La vida breve*, donde Onetti hace uso de una canción, «La vie est brève», en *Los adioses* también se incluye una canción como elemento significante y en cierta manera relacionado directamente con el contenido temático de la novela: «La vida color de rosa». Esta canción representaría el pasado, ya muerto; oída en el presente es una ironía, pues ahora es el tiempo de «los adioses» definitivos entre los huéspedes de ese hotel serrano, alojamiento de tuberculosos:

> Alguien tenía la ventana abierta en el primer piso del hotel; estaban bailando, se reían y las voces bajaban bruscamente hasta un tono de adioses, de confidencias concluyentes; pasaban bailando frente a la ventana, y el disco era «La vida color de rosa», en acordeón[13].

El contenido del mundo

En *Los adioses* no se nomina nunca el protagonista[14]; desde la primera página se le llama a éste «el hombre», «el nuevo», «el tipo»; carece de esa primitiva individualidad que dan un nombre y un apellido, y está rodeado de gente que tampoco tiene nombre: su mujer, su hijo, su hija; tampoco lo tiene el narrador. Sólo los personajes más alejados de su mundo poseen nombre, entre los que resalta el Dr. Gunz, el médico que observa con frialdad el lento proceso de su condena. El héroe de la novela realista de la época moderna, que alcanzó su culminación como individuo en el siglo XIX, que exigía nombre y apellido, individualidad extrema, el desarrollo de su sicología particular, y que era caracteri-

---

[10] *Ibid.*, p. 58. La transitoria belleza es uno de los rasgos distintivos de la novelística de J. C. O., la belleza nunca es permanente y su pérdida, sea por vejez, enfermedad, embarazo o prostitución, produce un sentido de rechazo y repulsa en los héroes onettianos.

[11] *Ibid.*, p. 81.

[12] Martínez Ruiz, José (Azorín), «Sarrió». *Obras selectas, Madrid,* Biblioteca Nueva, p. 330: «Un rimero de periódicos de la provincia con las fajas intactas».

[13] J. C. Onetti, *op. cit.,* p. 41.

[14] Solamente sabemos que el hombre tendría un apellido con dos zetas y una de las mayúsculas equivaldría a la letra J, clave de «fa»: «Eran dos los tipos de sobres que le importaban. Uno venía escrito con letras de mujer, azul, ancha, redonda, con la mayúscula semejante a un signo musical, las zetas gemelas como números tres» (p. 15).

zado como un ser real y burgués, ha desaparecido porque el hombre ha dejado de ser héroe. Ahora es apenas un ente vivo en un mundo que no comprende. Sin embargo, Onetti no se aparta del realismo característico de la novela contemporánea; todo está particularizado y tiene su nombre distintivo (el genérico) —el almacén, el hotel, el sanatorio, el camino, el puente, la casa de las portuguesas—. Pero el realismo de Onetti en *Los adioses* no es detallista, no se preocupa por realidades exteriores, por «trajes y muebles», según el acertado comentario de Ernesto Sábato al estudiar el realismo de la novela del siglo XIX; Onetti se interesa primordialmente en el estudio de determinantes sicológicos, y de allí arranca su realismo; y si no nomina a su héroe es por su función casi simbólica, de representante de «la condición humana en su totalidad» [15], y porque, en realidad, no necesita nombre para ser totalmente individualizado.

Este «hombre» atrae nuestra atención por encontrarse en una «situación límite», romántica, en una zona extrema entre la vida y la muerte. En la misma primera página el narrador nos lo describe como un hombre agonizante:

> ... me hubieran bastado aquellos movimientos sobre la madera llena de tajos rellenados con grasa y mugre para saber que no iba a curarse, que no conocía nada de donde sacar voluntad para curarse [16].

Toda la novela es el desarrollo de esta agonía que se detiene en el instante final, por un acto volitivo: el suicidio. Se sobreentiende desde el principio que hay un único e ineludible fin a la desgarrante situación del protagonista: la muerte. Este trágico destino avanza firmemente desde la primera página, y este aspecto del tema divide el tiempo de la novela, la estructura narrativa de ésta y el mundo sicológico del protagonista en dos planos de realidad: un «ayer» y un «mañana». El «hoy» es trivial, anecdótico; en él se pretende solucionar un problema irreversible, la muerte; por eso todos los movimientos del protagonista adquieren un aire de sobreviviente. Este «hombre» es el sobreviviente de un «ayer», que se acerca fatalmente a un «mañana», la muerte, en su versión más desoladora: la nada.

El pasado contiene todas las características positivas de lo que fue este hombre; el futuro es lo desesperante. En el ayer hay una mujer y un hijo de cinco años, una hija mayor que la mentalidad pueblerina del narrador y demás testigos confunde con una amante. Esta hija sobreentiende otro pasado, apenas insinuado antes del

---

[15] Jean-Paul Sartre, *¿Qué es la literatura?*, Buenos Aires. Losada, 1962. página 191.
[16] *Ibid.*, p. 9.

desenlace final: «estuvo evocando nombres antiguos, de desteñida obscenidad, nombres que había inventado, mucho tiempo atrás para una mujer que ya no existía» [17]. Esta mujer que ya no existía sería la madre de esa muchacha que acompaña al protagonista, su padre, y que gasta el dinero que había heredado en la curación de éste: «Heredó un dinero de su madre y tuvo el capricho de gastarlo en esto, en curarme» [18]. La madre de la hija del protagonista es vista en perspectiva en el tiempo y no crea asociaciones en el pasado de éste, ni se insinúan referencias personales; la vida es un pasar sin dejar huellas. Así como no se sentía atraído por esa mujer desaparecida o por su hija, tampoco demuestra afecto por su hijo o por su mujer actual. Es cierto que cuando su mujer viene a las sierras a verlo por primera vez el narrador dice: «Es como una luna de miel... Ahora es otro hombre; ...no pueden estar sin tocarse las manos, se besan aunque haya gente» [19]. Así mismo cuando bajaba la sierra con la hija, parecía «joven, sano» [20]. Pero estos breves instantes de aparente reencuentro con la felicidad, que coinciden con las fugaces visitas de su esposa e hija, son una especie de retorno inútil del pasado, ya superado, de lo que pudo haber sido su vida si no hubiera perdido el vigor físico.

La enajenación del héroe

Sin embargo, y a pesar de estos breves momentos de alegría durante el reencuentro con su familia, parecía que el «hombre» se amaba demasiado a sí mismo para poder amar a los demás. Su vida se apoyaba en algo efímero, la juventud y la salud física, y la pérdida de éstas es la esencia de su tragedia. La rutina de las dos cartas que recibía de su mujer y de su hija lo unen con su ayer y con el mundo, pero debemos fijar nuestra atención en los momentos de su vida anteriores al tiempo narrativo de la novela, que el protagonista rememora y destaca. Así podremos caracterizar mejor su temperamento y su relación con las dos mujeres.

Por presentársenos al «hombre» desde la periferia, o sea, desde el punto de vista del narrador-testigo, el «héroe» no posee existencia autónoma, y, por tanto, la esencia de la novela debe buscarse en las acciones del protagonista y en lo que dice, en los detalles que el narrador saca de la oscuridad, sin necesidad de que éste nos los defina. El narrador impone su presencia y nos da una pers-

---

[17] *Ibid.*, p. 60.
[18] *Ibid.*, p. 73.
[19] *Ibid.*, p. 24.
[20] *Ibid.*, p. 60.

pectiva, su «verdad», que no tiene por qué coincidir necesariamente con la «verdad» del protagonista. Si nos atenemos a las
palabras y a la imaginación siempre erótica del narrador estamos
frente a una novela de amor (o de sexo), pero si juzgamos al
«héroe» por sus propias acciones y palabras, el resultado es opuesto.
Analicemos detenidamente el texto. Nos enfrentamos con un hombre hermético que se aísla de sus compañeros, que evita insistentemente todo tipo de relación con los enfermos de ese pueblo en
las sierras [21], que intenta pasar inadvertido sentándose «en un rincón en penumbras» [22], que busca eludir el presente y hacerse la
ilusión de no estar enfermo con el simple hecho de no despachar
las cartas en el pueblo, y emprender, a tal efecto, el viaje de una
hora a la ciudad. Es el único hombre que va siempre vestido de
sombrero y corbata, «sin concesiones al lugar y al tiempo» [23], como
recordando su vida ciudadana. Estas predilecciones revelan su deseo de mantener contacto con algo ya pasado, con un imposible, y,
a la vez, una empecinada voluntad de no querer aceptar la realidad actual. Pero cuando este hombre se reúne en el comedor del
hotel con su mujer e hija, «como si fuera la noche más feliz de su
vida, como si estuviera festejando» [24] comprendemos qué es lo que
considera más íntimo, más digno de rescatar de su pasado; durante
ese reencuentro feliz se refiere por primera y única vez a *su* pasado; cerca ya de su muerte no habla de su amor por su familia,
de la felicidad compartida, pero sí habla con entusiasmo, «gol por
gol», de su último partido de *básquetbol* con los norteamericanos.
El narrador reflexiona sobre el significado de esta acción:

> ¿Por qué había elegido él, entre todas las cosas que no le impor-
> taban, la historia del partido de básquet? Lo veía enderezado en el
> taburete del bar, dispersando a un lado y otro el insignificante relato
> de culpa, derrota y juventud. Lo veía eligiendo, como lo mejor para
> llevarse, como el símbolo más comprensible y completo, la memoria
> de aquella noche en el Luna Park... [25].

La elección de ese partido de *básquetbol* como elemento digno
de destacar de su pasado ejemplifica la tesis principal de ese trabajo: la obsesiva enajenación, el egocentrismo de un hombre que
«había vivido apoyado en su cuerpo, había sido, en cierta manera,

---

[21] «Los clientes de Gunz y Castro volvieron a individualizar en seguida,
con más exasperación que antes, cada una de las cosas que los separaban del
hombre; y sobre todo, volvieron a sentir la insoportable insistencia del hombre en no aceptar la enfermedad que había de hermanarlos con ellos», p. 70.
[22] *Ibid.*, p. 15.
[23] *Ibid.*, p. 27.
[24] *Ibid.*, p. 63.
[25] *Ibid.*, pp. 65-66.

su cuerpo» [26]. Ya se nos había insinuado que la tragedia del protagonista no provenía de la cercanía de la muerte, sino de algo más íntimo:

> La muerte no era bastante, la clase de susto que él mostraba con los ojos y los movimientos de las manos no podía ser aumentado por la idea de la muerte ni adormecido con proyectos de curación [27].

Y más adelante, en una escena significativa, este personaje hermético e introvertido, demostrará de manera indirecta su egotismo al considerar su pasado como lo único vigente. Una vieja de la sierra se acerca a la ventana del chalet de las portuguesas y lo ve desnudo mirándose al espejo, pero no para admirar su cuerpo actual, sino para documentarse sobre el progreso de su enfermedad, lo irreparable del ayer que ya murió, y la trágica realidad de su destino. Esta escena estructurada sobre la base del mito antiguo de Narciso frente al río (aquí un hombre desnudo frente a un espejo), aparece como síntesis y culminación de todos los elementos anteriores que indicaban cierto egotismo:

> El hombre, solo, de pie, desnudo, se miraba en el espejo de un armario; movía los brazos, adelantaba una sonrisa curiosa, de leve asombro... Se había desnudado lentamente frente al armario para reconocerse, esquelético, con manchas de pelo que eran agregados convencionales y no intencionadamente sarcásticas, con la memoria insistente de lo que había sido su cuerpo, desconfiado de que los fémures pudieran sostenerlo y del sexo que colgaba entre los huesos [28].

Paralela a esta escena por su riqueza sugerente es aquella otra en que «el hombre» lleva a su hijo al depósito de basuras y se echan en medio de los desperdicios. El desastre del mundo espiritual trae consigo el derrumbe de las cosas físicas. El «hombre» se ve a sí mismo en ese basural y niega con su acción las ilusiones románticas de la «inmortalidad», de la perduración en la carne; al «hombre» no le preocupa la posible perduración en la tierra a través de su hijo, que también parecía estar enfermo [29], y a quien nunca le dirige una sonrisa, ni se siente atraído por él. Solamente una vez a lo largo de la novela, lo vemos, en cierta manera, asumir su función de padre; pero al llevar a su hijo a pasear al depósito de basuras del hotel en que vivía demostró con su acción que no se siente instintivamente vinculado a él; parecería que

---

[26] *Ibid.,* p. 23.
[27] *Ibid.,* p. 26.
[28] *Ibid.,* p. 74.
[29] *Ibid.,* p. 59.

su futuro se redujese a formar parte de los desperdicios que lo rodean:

> Se tiró en camisa al sol, con el sombrero en la cara, arrancando sin mirar yuyos secos que masticaba mientras el chico se trepaba por las piedras. Podía resbalar y romperse el pescuezo. Y el tipo, véalo, tirado al sol con el saco por almohada, el sombrero en los ojos, casi al lado del montón de papeles, frascos rotos, algodones sucios, como un cerdo en su chiquero, sin importarle nada de nada, del chico [30].

La presencia del protagonista en el depósito de basuras del hotel adquiere categoría de constante novelística, de idea fija dentro de la estructura de la novela y sirve para ilustrar la problemática del personaje principal. Seis veces el narrador menciona que el protagonista repite la acción de «inspeccionar» la basura [31]. Este acto es tan repetitivo que el narrador se sorprende cuando no lo realiza: «Pero una siesta en vez de ir a inspeccionar la basura...» [32]. Más adelante el narrador nos cuenta que «el hombre» había alquilado «el chalet de las portuguesas» y se asombra de que haya preferido uno desde cuya «galería estuviera obligado a contemplar casi el mismo paisaje que recorría por las tardes: el puente sobre las piedras del río seco, el depósito de basuras del hotel» [33].

Este hombre alto, de anchos hombros, de casi cuarenta años, ha perdido su vigor físico y su juventud; la época de triunfo personal, cuando era el mejor jugador de *básquetbol,* ha pasado. Su vida le ha demostrado que nada es real ni perdurable, que nada se repite y que «es inútil dar vueltas para escapar al destino» [34]. Al hombre sólo le queda contemplar su ruina, su ex cuerpo perfecto de *basquetbolista,* y arrojarse a la muerte, como quien se tira a un basural. Sin nadie a su lado, muere como ha vivido, con la compañía de sí mismo. Ni siquiera a su hija, convertida en enfermera, le permite compartir el momento de su agonía, y se suicida solo. Se escapa del hospital, y vuelve al chalet de las portuguesas: «Al hombre no le quedaba otra cosa que la muerte y no había querido compartirla» [35].

---

[30] *Ibid.,* pp. 67-8.
[31] En las pp. 18, **19**, 21, 24, 59, 67-68.
[32] *Ibid.,* p. 19.
[33] *Ibid.,* p. 80.
[34] *Ibid.,* p. 46.
[35] *Ibid.,* p. 80.

Expectiva por el desenlace

El tema de la novela tiene también su dosis de expectativa, que se soluciona en forma tradicional: la infidencia del narrador que lee una carta y se entera del principal enigma. Al ser narrada la novela a través de ese testigo, quizá esta artimaña, algo simplista, sea el único recurso que le quedaba a Onetti para resolver el misterio. Sin embargo, no es del todo inesperada la acción del narrador porque ya desde el comienzo de la novela nos hace partícipes de su curiosidad y prepara al lector:

> Tal vez el hombre me creyera lo bastante interesado en personas y situaciones como para despegar los sobres y curiosear en las maneras diversas que tiene la gente para no acertar al decir las mismas cosas. Tal vez también por esto iba a despachar sus cartas en la ciudad, y tal vez no fuera sólo impaciencia que a las pocas semanas empezó a venir al almacén, alrededor del mediodía, poco después del momento en que el chófer del ómnibus me tiraba la bolsa, flaca y arrugada, de la correspondencia [36].

Ese enigma de las relaciones del hombre con esas dos mujeres le da a casi todo el desarrollo de la novela un cierto aire del tradicional *menage à trois* francés. Para los ojos del narrador y de los demás habitantes del pueblo, la presencia de estos tres personajes mantiene, durante todo el desarrollo anecdótico, el carácter de un problema entre esposos y amante; esta relación se oscurece aún más cuando a través del diálogo entre la esposa del protagonista y la sirvienta se insinúan las relaciones de amante que la muchacha parecía mantener con el «hombre»:

> Si usted me viera, así, como ahora, sin saber nada de mí... ¿Le parece que soy una mala mujer? 'Por favor, señora', le dije. 'En todo caso, la mala mujer no es usted' [37].

El narrador no aclara, nadie aclara; se desea mantener la expectativa hasta el final, y sólo cuatro páginas antes de cerrarse la novela el narrador lee la carta de la esposa del protagonista, que se había «olvidado» de entregarle a éste, y se resuelve el misterio:

> Y qué puedo hacer yo, menos ahora que nunca, considerando que al fin y al cabo ella es tu sangre y quiere gastarse generosamente su dinero para devolverte la salud... Y no puedo creer que vos digas de corazón que tu hija es la intrusa siendo que yo poco te he dado y he sido más bien un estorbo [38].

---

[36] *Ibid.,* p. 14.
[37] *Ibid.,* p. 65.
[38] *Ibid.,* pp. 78-9.

Al convertirse la muchacha en hija, el «hombre» casi ya no tiene pasado ni futuro, porque la muchacha que es hija y no amante cierra toda posibilidad de amar casualmente a otra mujer; solamente tiene la gloria de haber sido famoso deportista a la que se aferra, y allí trasplanta todo su ayer. El héroe es un hombre desnudo de anécdotas de pasión (varias veces se sueña con la lujuria del hombre y la muchacha, pero es imaginación del narrador). Este hombre se aferra obsesivamente a su gloria juvenil y deportiva, parece no haber logrado amar nunca totalmente a otro ser y se suicida ante su ruina física, a pesar de ser factible su curación.

Función de la enfermedad

Dentro del tema hasta aquí presentado podemos señalar otro rasgo: la enfermedad, síntoma de descomposición del mundo. Es oportuno mencionar brevemente su función en *Los adioses* y en otras novelas del mismo autor. Onetti parece sentir predilección por las enfermedades que carcomen, que destruyen el organismo o el alma, como el cáncer, la tuberculosis o la locura. En *La vida breve*, Gertrudis sufre el cáncer en un pecho; en *Una tumba sin nombre*, Rita tenía «los pulmones rotos», y se insinúa cáncer. En *El astillero*, Jeremías Petrus es enfermo síquico y también lo es su hija Angélica Inés; y en *Juntacadáveres*, la viuda Julita enloquece. Todas estas enfermedades agregan elementos de gran patetismo a unos héroes que se caracterizan por su constante declinación y desintegración físico-moral en un mundo que también se desmorona.

El protagonista de *Los adioses* es un tuberculoso que va a curarse a unas montañas indeterminadas; aunque nunca se nos precisa su enfermedad, es indudable que está enfermo de los pulmones. Se nos dan varias características de esta enfermedad y del tratamiento seguido en época previa al descubrimiento de la penicilina: la acción reconfortante del aire de las montañas, la quietud necesaria para recuperarse, el enflaquecimiento, la tos, las inyecciones diarias y, la más importante, la fe en curarse cumpliendo estrictamente con el régimen ordenado. Por eso el narrador, que posee la cualidad de predecir si la enfermedad será mortal, nos dice que no se va a curar, porque no tenía «voluntad para curarse» [39], «porque no le importa curarse» [40], no porque le fuera imposible sino porque no creía en «el valor, en la trascendencia de

---

[39] *Ibid.*, p. 9.
[40] *Ibid.*, p. 12.

curarse» [41]. Como el «hombre» ha sido derrotado en lo que él considera esencial de su vida, no da valor a nada más.

Pero en *Los adioses* el proceso de la enfermedad cumple una función: la de profundizar, de hacer más intensa la vida interior. Aparece como derivado menor de las tesis planteadas por Fedor Dostoievski en *Crimen y castigo,* donde lo patológico es una forma superior de profundizar en la vida, de descubrir secretos, de abrir el mundo y de comunicarse con potencias superiores, extrañas al hombre:

> Las visiones son, por así decir, jirones o trozos del otro mundo en el que yace su principio. No hay ninguna razón, entendámonos, para que un hombre sano pueda advertirlas, puesto que un hombre sano es ante todo de aquí, de la tierra, y en consecuencia llamado a vivir la única existencia de aquí abajo, por el orden y la armonía. Pero apenas se enferma, en cuanto el orden normal sufre una perturbación en su organismo, he aquí que de pronto se deja entrever la posibilidad de otro mundo, y cuanto más enfermo está, mayor es el contacto con el otro mundo [42].

Una idea de gran longevidad que alcanza nuestros tiempos, y aparece expresada en la novela *Coronación*, del chileno José Donoso:

> ¿Su abuela, entonces, a pesar de su locura, vio algo que él no se había atrevido a ver? ¿Podía ser que la locura fuera la única manera de llegar a ver hondo en la verdad de las cosas? [43].

En la novela de Juan C. Onetti la enfermedad no pone al «hombre» en contacto con realidades extrahumanas, pero cumple idéntica función iluminadora porque da al «hombre» una serena tranquilidad, una sensación de calma que le permite meditar sobre su pasado; es el contacto necesario para cambiar del «ayer» al «hoy» y hacer al «hombre» más hombre, si aceptamos las tesis existencialistas de que la dosis de angustia aumenta en relación directa con la autenticidad del vivir.

El ayer representa la única forma posible de vivir: el hombre era serio, deportista, alegre. Pero ahora que está enfermo se vuelve más retraído, agobiado, casi no habla, medita sobre su pesarosa existencia actual. La enfermedad le pone en contacto con una nueva manera de ser hombre, aunque en este caso es para sumirlo en una

[41]   *Ibid.,* p. 11.
[42]   Citado por Dimitri Merejkowsky, *Dostoiewsky: el profeta de la revolución rusa,* Buenos Aires, Ed. Argonauta, p. 85.
[43]   José Donoso, *Coronación,* Santiago, Nascimento, 1957, p. 151.

muda desesperación, porque su ideal de vida todavía sigue siendo el ayer: la juventud, el deporte.

Este hombre enfermo tiene una «fijación» en el ayer y total indiferencia por el mañana, pero no posee ni pasado ni futuro; es un ser en «disponibilidad». Por eso nada lo conmueve, nada lo saca de su determinismo, de su fatalidad, ninguna anécdota puede cambiar su vida. Es casi un símbolo del hombre perdido entre fuerzas exteriores. Poseía un cuerpo hermoso y la enfermedad se lo destrozó; la vida le dio mujer e hijos, pero ellos no son más que meros eslabones de una cadena para poder seguir viviendo. En cierta manera, este «hombre» es un personaje típico de la literatura existencialista contemporánea, condenado al fracaso o a la frustración.

Estructura narrativa

El narrador básico de *Los adioses* relata un episodio de breve duración que comienza con la llegada de un hombre enfermo a un indeterminado pueblo de las sierras. Abandona la narración inmediatamente después del suicidio del protagonista. La llegada de este «hombre», cuya juventud ya viene declinando, coincide con un «declinante día de primavera» [44] y su agonía termina en pleno invierno, sintiéndose el héroe «friolento» [45], como si ya no le quedase casi vida, y el narrador, «temblando de frío» [46], «balanceándome para entrar en calor» [47]. Estas circunstancias parecen sugerir cierto paralelismo sicocósmico entre la vida del héroe y la naturaleza, entre esa aparición en los declinantes días de su juventud (ya tenía casi cuarenta años) y su muerte desolada en una época en que «el frío se estaba haciendo palpable» [48], en que él y su hija «siguieron encerrados en la casita hasta principios del invierno» [49].

Este narrador, propietario de un almacén y bar, de vida monótona y oscura, cuyo único entretenimiento parece ser la discusión de las «variantes ortográficas de los apellidos patricios» [50], elige entre parroquianos a un hombre enfermo, y lo distingue entre todos los hombres que pudieron haber pasado por su almacén. Es un hombre marcado ya por la tisis, al que se siente atraído melancólicamente, quizá por haber estado él mismo enfermo y vivir desde

---

[44]   *Ibid.*, p. 11.
[45]   *Ibid.*, p. 77.
[46]   *Ibid.*, p. 80.
[47]   *Ibid.*, p. 82.
[48]   *Ibid.*, p. 76.
[49]   *Ibid.*, p. 69.
[50]   *Ibid.*, pp. 14-5.

hace doce años con tres cuartos de pulmón [51]; no se conmueve exteriormente ante el destino de «su creación», relata con sobriedad, pero sí se conmueve interiormente ante la segura derrota física de este hombre, por quien demuestra simpatía, desde los dos primeros párrafos de la novela, que comienzan con una sucesión anafórica:

> Quisiera no haber visto del hombre, la primera vez que entró en el almacén, nada más que las manos; lentas, intimidades y torpes, moviéndose sin fe, largas y todavía sin tostar, disculpándose por su actuación desinteresada... [52].

> Quisiera no haberle visto más que las manos, me hubiera bastado verlas cuando le di el cambio de los cien pesos y los dedos apretaron los billetes, trataron de acomodarlos y, en seguida, resolviéndose, hicieron una pelota achatada y la escondieron con pudor en un bolsillo del saco... [52].

La figura de este narrador básico ejerce total dominio sobre el material narrativo que configura la novela. El lector no se enfrenta directamente al contenido del mundo novelístico sino a través del relato en primera persona de este testigo presencial, intermediario entre la ficción y el lector, que no se limita solamente a comunicar la historia que él mismo ha presenciado. Continuamente colorea lo narrado con su imaginación y crea cierta ambigüedad respecto al contenido del mundo que nos presenta. No es de extrañar que así lo haga, puesto que en general la narrativa contemporánea tiende a favorecer la limitación de la capacidad interpretativa del narrador, y a incluir su figura en la ambigüedad e incertidumbre del mundo que nos rodea [53].

Uno de los recursos que emplea el narrador para ampliar el conocimiento de ese mundo desconocido es su relativa omnisciencia. Sabe más de lo que un hombre puede saber, posee una memoria e imaginación que transforma acciones triviales en significantes. También describe escenas que sólo su imaginación pudo haber visto, como por ejemplo, la juventud del hombre en su época de *basketbolista* [54]; intuye, además, los movimientos del hombre dentro de su habitación cuando regresa de la ciudad con las cartas [55], y dentro de su pieza en el sanatorio, en los instantes culmi-

---

[51]   *Ibid.*, p. 10.
[52]   *Ibid.*, p. 9.
[53]   Para un excelente análisis de la figura del narrador en la novela moderna y contemporánea, véase Cedomil y Goic, *La novela chilena. Los mitos degradados,* Santiago de Chile, Editorial Universitaria, 1968.
[54]   Onetti, *op. cit.,* pp. 23-4.
[55]   *Ibid.*, p. 15.

nantes de la novela [56]. Asimismo, transcribe el diálogo entre marido y mujer dentro de su habitación en el hotel [57], e inventa una relación entre el protagonista y la muchacha que su visión imaginaria colorea eróticamente [58]. Es profético con respecto a la segura muerte del «hombre», esa «hora de la derrota que yo había profetizado» [59] y aún es capaz de captar e interpretar los pensamientos más íntimos de los personajes, como los de la mujer cuando se enfrenta con la hija de su marido [60]. Si bien este narrador posee un poder reflexivo desarrollado, una casi omnivisión, no deja de ser un hombre común, un simple almacenero sin importancia social en el ambiente en que se desenvuelve; evita colocarse en un plano superior y dramático, nos habla en primera persona para darle verosimilitud a una acción de la que fue testigo presencial. La elección de este narrador sin prestigio social consigue el efecto de desidealizar la vida cotidiana del hombre. Esta convención, por tanto, enmarca más la narrativa en los cánones de la novelística contemporánea: una acción vulgar, un héroe vulgar, una narración hecha por un hombre vulgar.

La capacidad conocedora del narrador es limitada por la movilidad del protagonista que se traslada del hotel al chalet de las portuguesas, del pueblo a la ciudad, perdiéndosele de vista. Todos aquellos acontecimientos que son parte de su observación o de su fantasía los presenta en forma directa, pero para contar aquello de que no ha tenido inmediato conocimiento o no ha intuido, se basa en discursos «miméticos» (en el sentido de representación de lo apofántico) [62] en los que repite confidencias de otros testigos —el enfermero, la mucama del hotel, la vieja de la sierra— personajes que el narrador básico introduce en la narración y que, por lo general, se expresan a través de su narración lineal. Pero no siempre es así; la relación de los acontecimientos vistos por estos narradores dependientes no es continuamente indirecta (a base de «contó el enfermero», «decía la mucama», «confirmaba», «insistía», etcétera, sino que incluye diálogos directos del narrador básico con los demás personajes, un breve diálogo entre la mucama y la mujer del protagonista [62], y dos diálogos entre los cónyuges [63]. Pero a pesar

---

[56] *Ibid.*, p. 78.
[57] *Ibid.*, p. 16.
[58] *Ibid.*, pp. 42 y ss., 60, 70, 76, 78.
[59] *Ibid.*, p. 53.
[60] *Ibid.*, pp. 57-58.
[61] Véase Félix Martínez Bonati, *La estructura de la obra literaria,* Universidad de Chile, 1960, pp. 45-55.
[62] Onetti, *op. cit.*, p. 65.
[63] *Ibid.*, pp. 58 y 61.

de estos diálogos los demás testigos no alcanzan la categoría de narradores independientes y su presencia en la novela está siempre gobernada por la figura del narrador básico. La motivación estructural de estos diálogos entre el narrador y los demás personajes quizá se haya debido al interés del «yo» estructurador en ampliar el conocimiento del lector y, principalmente, para añadir nuevos elementos al realismo de la acción trayendo al primer plano lo que está sucediendo frente a nosotros; abandona la monotonía de la narración lineal y espacial y nos traslada al presente de la ficción, porque, si bien todo forma parte del «ayer absoluto», actualiza la anécdota con estas escenas vitales.

Estructura temporal

Por estar la narración de *Los adioses* en primera persona, la presencia del narrador básico gobierna el desarrollo del tiempo y, por esto, se pueden distinguir cuatro tiempos narrativos: un «ayer absoluto» un «presente absoluto», y otros dos tiempos narrativos, más remotos, que podrían separarse en dos: el tiempo engendrado por la imaginación del narrador y el pasado histórico.

El ayer es el «tiempo absoluto» de la novela. Este «ayer» posee límites precisos, que son los acontecimientos desarrollados desde que aparece el «hombre» por primera vez hasta su muerte final. Desde la frase inicial, «Quisiera no haber visto del hombre...»[64], hasta las últimas palabras de la novela, los tiempos verbales aparecen abrumadoramente en el pasado:

> *Estuvo* inmóvil, sin lágrimas, cejijunta, tardando en comprender lo que yo *había* descubierto meses atrás, la primera vez que el hombre *entró* en el almacén —no *tenía* más que eso y no *quiso* compartirlo—, decorosa, eterna, invencible, disponiéndose ya, sin presentirlo, para cualquier noche futura y violenta[65].

Esta «noche futura y violenta» que cierra el libro ya no pertenece a la novela y se refiere a la propia vida futura de la hija del hombre muerto, a la condena que le espera, ya sabida de antemano. Un futuro de ultratumba es inexistente para el protagonista y parece que se nos dijera que ahora es ella quien tendrá que hacer frente a la vida pasajera, al tiempo que sigue su camino inexorable y todo lo destruye. En Onetti «cada vida es una condena retroactiva, predeterminada»[66], una serie de repeticiones, de «vidas breves» y de «adioses» que culminan siempre en la insatisfacción.

---

[64] *Ibid.,* p. 9.
[65] *Ibid.,* p. 83.
[66] Luis Harss, *Los nuestros,* Buenos Aires, Sudamericana, 1966, p. 237.

Al referirnos a la estructura narrativa habíamos dicho que el narrador básico ejerce total dominio de la narración; lo confirma el uso casi exclusivo de tiempos verbales en pasado que le dan al narrador cierta perspectiva temporal con lo narrado, y que no le limitan su conocimiento del material ficticio, como en las novelas en que el narrador va creando su mundo en el presente y restringe, con el uso de ese tiempo verbal, con su contemporaneidad con el lector, su capacidad de conocimiento y de interpretación; por ejemplo, en extensos fragmentos de *La casa verde,* de Mario Vargas Llosa.

El «presente absoluto» es el del diálogo y deriva de transposiciones y dependencias directas del «tiempo absoluto», el ayer. Dentro de este «presente absoluto» hay secuencias temporales pasadas que pertenecen al tiempo real del narrador básico, que a veces vuelve, al presentarnos el presente, a escenas que se refieren al ayer remoto, por ejemplo, ese partido de *basketbol,* que tanto le interesa al protagonista; otras veces vuelve a sucesos del ayer cercano:

> —Estaba desahuciado aunque, claro, nunca se lo dijeron. Usted sabe cómo es. Hacía veinte días que estaba en el sanatorio y lo teníamos a quietud, con inyecciones [67].

El «muerto» está en el presente del narrador, él lo está mirando cuando dialoga con el enfermo, pero este «hoy» del diálogo y del muerto se refiere a un ayer próximo, «hacía veinte días», que entra dentro del tiempo absoluto de la novela, el ayer: los tiempos verbales en boca del narrador —«estaba», «hacía», «teníamos»—, lo confirma.

Como ya hemos adelantado, existen dos tiempos narrativos remotos; uno es el tiempo engendrado por la imaginación del narrador básico, de los hombres del pueblo y parroquianos del almacén, que por momentos se imaginan aventuras amorosas del protagonista y creen ver historias pasadas:

> Me era fácil *imaginar* la noche que tenían a las espaldas, me tentaba, en la excitación matinal, ir componiendo los detalles de las horas de desvelo y de abrazos definitivos, rebuscados [68].
> *Imaginaba* la lujuria furtiva, los reclamos del hombre, las negativas, los compromisos y las furias despiadadas de la muchacha, sus posturas empeñosas, masculinas [69].

El otro tiempo narrativo remoto es el pasado histórico, en que se insertan detalles de la vida pretérita del protagonista, los cua-

---

[67] *Ibid.,* p. 82.
[68] *Ibid.,* p. 76.
[69] *Ibid.,* p. 78.

les integran, como bolsones de tiempo de un ayer remoto e indeterminado, los recuerdos que el protagonista trae del ayer. Este pasado histórico, el ayer anterior al «tiempo absoluto» de la novela, se presenta lleno de misterio, es casi un enigma, que se soluciona, en parte, cuando el narrador básico descubre, con su infidencia de leerle la correspondencia al protagonista, la identidad de la muchacha que viene a acompañar al «hombre».

El «ayer» del protagonista es borroso, enigmático, y está cargado de misterios indescifrables, pero en ese pasado tenemos la clave del «hoy». Las motivaciones vivenciales del «hombre», su comportamiento en las sierras, y esas escenas que anteriormente destacamos, especialmente su exhibición desnudo frente al espejo y sus repetidas visitas al depósito de basuras, se iluminan gracias a los pocos datos de ese «ayer» que poseemos: su interés en rememorar y destacar su último partido de *basketbol* y el silencio que mantiene ante el resto de su pasado.

En conclusión se puede afirmar que en el ayer remoto y perdido se centraliza la felicidad del protagonista, y del «hoy» enfermo emana su melancolía. Su alineación proviene del paso del tiempo y de la seguridad de que su angustia se continuará hasta el infinito, que nunca se producirá el anhelado retorno al pasado, a la juventud.

La intencionalidad artística de *Los adioses* parecería ser la representación de la vida al nivel real de lo cotidiano. Este enfoque sugiere que en cualquier lugar puede el hombre enfrentarse a los problemas esenciales de su existencia: amor, enfermdad, dolor, muerte.

El novelar de Juan Carlos Onetti es una constante inmersión en lo cotidiano, en lo antiheroico, un descubrir un mundo extraño y propicio a la reflexión sobre la existencia humana, un mundo sórdido que nos rodea insistentemente con su vulgaridad, pero que oculta elementos profundamente dramáticos. Deslumbrado por la creación en sí, consigue hacernos partícipes de ese mundo teñido de vulgaridad, ayudándonos con ciertas claves que él desliza en el transcurso de *Los adioses*. De esta suerte, nos hace testigos del terrible aniquilamiento de un hombre joven y deportista que muere marcado por un destino que concibe como implacable y es derrotado en lo que más amaba, su vigor físico, sostén y orgullo de su existencia. Estamos frente a un hombre cuya vida presente carece de motivaciones, que vive como un extraño en un mundo que no entiende, y de quien también se podría decir, como Nathalie Sarraute ha dicho de los héroes de Kafka, que se enfrenta a su destino implacable con pasividad desesperante [70].

---

[70] Nathalie Sarraute, *L'ère de sopçon*, París, Gallimard, 1966, p. 63.

El absurdo y la angustia en
«Juntacadáveres» *de Onetti*

José Luis Martín

La influencia de Sartre en la narrativa de Juan Carlos Onetti, ya ha sido señalada con éxito. El personaje dominado por su circunstancia, y como consecuencia de ello, una existencia de angustia interior: tal la motivación absurdista del existencialismo literario. Pero en Onetti, esa proyección de angustia se da a causa de que el personaje es víctima de circunstancias ontológicas, que arrancan de la raíz misma del ser.

Nacido en 1909, este narrador uruguayo alcanzó su madurez literaria hacia la década del 40, en que, dando un poco la espalda a la narrativa de realismo social, se encierra en una órbita literaria de realismo sicológico. Desde 1941, con *Tierra de nadie,* Onetti lanza su visión literaria a las interioridades de sus personajes. Sin embargo, poco a poco, Onetti va develando la realidad social caótica, sin abandonar su vértebra sicológica. Llega, pues, a una obra como *Juntacadáveres,* en 1964, en que es difícil determinar su verdadero objetivo como escritor: es a la vez una denuncia expresionista

de una sociedad enferma y la revelación de un alma en crisis. Como
ha deseado Vargas Llosa para los escritores hispanoamericanos, en
Onetti se han conjugado Balzac y Dostoievski, con su dosis de
Beckett.

Manejamos, para la novela *Juntacadáveres*, la edición de 1964,
de la Editorial Alfa, de Montevideo, y las citas de páginas se refieren a esa edición. La novela abre con la descripción de un viaje
aburrido que Junta (también llamado Larsen, y de sobrenombre
Juntacadáveres) hace en tren, en compañía de tres prostitutas: María
Bonita, Irene y Nelly. Las primeras frases son un exabrupto de
frustración que da el tono general de la novela:

> ... las caras infladas por el aburrimiento, encendidas de calor, de
> bostezos y comentarios.
> ... las cejas amarillas de Nelly, muy altas, rectas, dibujadas cada ma-
> ñana para coincidir con el desinterés, la imbecilidad, la nada que
> podrán dar sus ojos.
> ... estas tres mujeres desanimadas, feas y envejecidas por el viaje,
> vestidas con las grotescas cosas que habían comprado ávidas con el di-
> nero del adelanto.

Onetti es magistral en la selección exacta de vocablos expresionistas que dan ese rasgo caricaturesco a sus personajes y a sus
situaciones. Caricatura trágica y dolorosa, tanto, que nos mueve a
veces a un asomo de risa, como una mueca inevitable en donde se
funden ambas polaridades.

A la ausencia de esperanza que hay en la población donde
han llegado Junta y las mujeres, Onetti la llama «la puerca espera». Hasta el sol aparece frustrado a los ojos del novelista: «un
rayo de sol, uno solo, delgado y duro, bajaba tardío para iluminar
el arribo de las mujeres...». Las actividades de Junta (o Larsen)
están determinadas ya desde el principio de la novela por la idiosincrasia de su carácter. Dice el novelista que la obra de Juntacadáveres era tan pronta para la lucha como para la traición. La tarea
de Larsen (o Junta) es reunir las prostitutas en un burdel que él
ha contratado en ese pueblo, para establecer un negocio del cual
él pueda vivir parásitamente. No hay más acción que ésa en la
novela. El desarrollo estructural es interior, dentro del alma de
Larsen que se va pudriendo cada día más, a medida se pudre el
pueblo y las gentes que lo habitan. Una oleada de fatalismo acompaña los movimientos de estas sombras que son sus personajes.
Y todo está determinado por la acción revelada u oculta de Junta,
hombre de cincuenta años bien gastados.

Todos los gestos de sus personajes reflejan una mueca de amar-
gura o desolación: Menciona una *sonrisa desganada*, un parpadeo

abúlico, sensaciones de *decrepitud, frío, aburrimiento,* impulsos de *asquerosidad,* sentimientos de *inseguridad,* voces *grotescas, falsas, lastimosas, desconfiadas,* ojos «secos y sin sangre», palabras que suenan *sucias, hediondas, marchitas, miserables,* y en fin, toda la inmundicia de la agonía existencial de este hombre cínico que es Junta.

Las alusiones a las expresiones absurdas de los rostros, de las acciones, de las frases, de las miradas, abundan por todas partes, y se entrecruzan con las referencias a la frustración:

> ... la brillante expresión absurda.
> Y tengo que reconocerme... débil, variable, contradictorio.
> ... la voz era antipática y triste.
> ... una burla melancólica.
> Hasta los médicos se enferman...
> Detrás de mí estaban el vacío y las tinieblas.
> ... sólo habían visto manos y pedazos de piernas, una humanidad sin ojos que podía ser olvidada en seguida.
> ...lo desconcertaba no encontrar mediodía tras mediodía, un objetivo concreto de odio.
> ... Cuarenta años, vida perdida...
> ... estoy solo, por primera vez en mi vida, y también por primera vez la idea de la soledad no me angustia.
> —Absurdo —dice, y espera que yo pregunte...
> —Es absurdo, todo es absurdo.
> Todos somos inmundos, y la inmundicia que traemos desde el nacimiento, hombres y mujeres, se multiplica por la inmundicia del otro, y el asco es insoportable...
> Dejé caer el brazo con la pistola mientras el cura derramaba sobre mí el absurdo, lento y sin lágrimas.
> Me disgustaba su vejez repentina y creciente, el impudor de su cara ofrecida que, luego de rebotar en la infancia, progresaba acelerada hacia la inmundicia de la senectud, la destrucción.

Las conversaciones de Larsen (alias Juntacadáveres) con Díaz Grey —capítulo VII, por ejemplo—, y con el farmacéutico Barthé —digamos, la del capítulo VIII—, revelan ya un filón grueso de la tesis central de la novela, que se enfila hacia ese objetivo muy onettiano de desenmascarar la hediondez espiritual del ser humano, tanto individual como colectivamente. El cinismo del doctor Díaz Grey y de Barthé son superados por el de Larsen, quien siempre era capaz de cuajar «una sonrisa juvenil y cínica» para lograr sus propósitos.

Díaz Grey, personaje que Onetti repite en sus obras narrativas, aparece en *Juntacadáveres* con los rasgos típicos de un Scrooge dickensiano:

... un hombrecito redondeado y erguido que cruzaba enérgico la plaza en los mediodías de sábado, una cabeza sin canas que colgaba y dejaba colgar sus ojos protuberantes encima de los libros de contabilidad de *El Liberal,* una cabeza aguileña e inexpresiva que se apoyaba durante horas en una mano junto a una ventana del *Berna.*

En cambio, la figura del boticario Barthé es una caricatura sanchopancesca, como una especie de aguafuerte a dos tintas oscuras:

> Barthé juntó las redondas manos sobre el pecho. ... Miró a Junta con indiferencia, sin mostrar más tristeza que la del tiempo perdido. ... La voz de Barthé le sonaba aguda, invariablemente terca. ... Con el gordo cuerpo encogido, frotándose los blandos bíceps, mostró que era tarde y hacía frío. La cara estaba ahora en la sombra como una simple blancura, como un volumen pálido ofrecido a los dedos que quisieran darle forma.

Onetti hace a la naturaleza cómplice de la angustia existencial del hombre. En toda esta novela, de principio a fin, los brochazos expresionistas que aluden a la naturaleza remachan la penumbrosa oquedad de las almas. Ha demostrado Juan Carlos Onetti ser un artista maestro en la personificación estética de la naturaleza, para que sirva de trasfondo a la acción y la emoción de sus personajes. Y en ello reside mucha de la fuerza expresiva de su obra, pues dentro de toda la amarga angustia y todo el oscuro fatalismo que encierra su narrativa, se destaca ese vigor constante de un escritor completamente consciente de su arte. Veamos algunos ejemplos tomados al azar:

> 1. La lluvia regresaba tímida, emparejaba su rumor, quedó fija como un objeto agregado a la noche.
> 2. La lluvia continuaba sin violencia, estática, como una extensa superficie de sonido.
> 3. ... la luz amarilla que trepaba por la madera polvorienta de los escalones...
> 4. Atravesando la tarde húmeda y neblinosa, cruzando paisajes solitarios, confusos...
> 5. ... un cielo gris y bajo, árboles despojados, chorreantes, negruzcos, la oscura tierra resbaladiza con su aroma poderoso entristecido, la luz como un obstáculo.
> 6. ... la noche fría, oscura, sin viento, vino a reunirse con ellos en la gran habitación mal iluminada.
> 7. El mal tiempo proclamaba afuera su victoria sin regocijo, ganaba la calle, excitaba al río.
> 8. Oía el viento estirarse en la calle, lo adivinaba correr desde la costa hacia la ciudad, alzarse para recibir y conquistar a la noche que llegaba ...

9. Dejó ver, al salir, un poco de la noche de humedad, ahora sin viento, goteante y silenciosa.

Todos los procedimientos sicológicos que luego han de destacarse en la narrativa de realismo sicológico a partir de la década del 40, están ya presentes en *Juntacadáveres*. Entre ellos, dominan en esta novela el flujo de conciencia, el monólogo interior, la intrafusión de planos mentales (sobre todo de tiempo), y la identificación naturaleza-personaje. Desde el principio de la obra, el monólogo interior deja sentir su poderosa fuerza sicológica en los proyectos subconscientes de Larsen. Véase un caso magnífico en la página 15, en donde Junta planea una de sus cínicas visitas: «A las once de la noche tengo que salir al jardín, rodear la casa y subir hasta el dormitorio de Julita...» Luego, en el curso de este monólogo interior se entrecruza un plano de tiempo pasado —líneas cuarta a sexta en ese mismo párrafo citado— y de momento vuelve al presente para hacer en seguida una proyección al futuro:

> Y nunca pasará nada; tal vez me haga besar el retrato de mi hermano y me obligue a explicarle cuánto la quería...

La caricatura externa, tanto en personajes como en el trasfondo de naturaleza, en las circunstancias y en los objetos, se complementan con un grisáceo naturalismo en la revelación de la podredumbre interior de las almas, dándole a cada párrafo —trabajado a cincelazos— un toque expresionista insuperable. En ello, Onetti es maestro y modelo de los narradores de hoy en Hispanoamérica. Examinemos, al efecto, la escena cuando Junta está en su cuarto con una de las prostitutas, a la que el autor tilda de «cadáver» —de donde viene el apelativo de Juntacadáveres, utilizado para Larsen— y veamos las expresiones de vigorosas tintas expresionistas:

> —Me da por comer huevos fritos, querido —dijo el esqueleto, sentado ahora en la cama, haciendo sonar los codos y rodillas con las falanges y el vaso entre los fémures abiertos, segregando los años, la insensatez y el acabamiento.
> —Pedimos —respondió Junta, magnánimo, tocando la bocina verde del fonógrafo que había resuelto no vender. Sospechaba que ya nada tenía que ver el cadáver gordísimo, apenas verdoso, maloliente, con esta presencia...
> —Pero hay sueños que significan —murmuró la cosa; bebió y dejó caer el cigarrillo dentro del vaso... ...Junta oscilaba entre la piedad y el asco. Siempre sucede con los muertos. Dio un paso y fue mirando curioso la mano que adelantó para tocar el cabello rojizo, quemado, seco y aún perfumado del cadáver sentado sin gracia en la cama ...El cadáver alzó la cabeza y trató de sonreír. ...Miraba el cadáver que se

iba enderezando, más amplia la sonrisa sin carne, bruñida la pequeña calavera, hundida en el hueco del vientre la copa vacía. Perdonador y generoso, aspiraba la putrefacción de los escasos cartílagos, examinaba sus coincidencias con el hedor de los otros cuerpos que tal vez acabaran de despertar...

Larsen ha «juntado» a las prostitutas («cadáveres») en el prostíbulo, y se ha pasado la vida en esa ingrata tarea que le ha traído algún dinero, pero mucha angustia. Sin embargo, también su vida ha sido frustración al no poder lograr el amor de Julita, quien sólo ve en él un reflejo de su hermano, que había sido su marido. Toda la angustia de Larsen —sexo frustrado, amor frustrado, amistad frustrada, vida total frustrada— se concentra en su fracaso con Julita, quien se muere misteriosamente al final de la novela:

> El peso de la mano era idéntico a la voz, tan triste como ella. Dejé caer el brazo con la pistola mientras el cura derramaba sobre mí el absurdo, lento y sin lágrimas:
> —Julita murió esta noche. Nadie puede saber si te espera, nadie puede saber si fue perdonada.
> Le regalé la pistola y salimos juntos de la estación.

Aparentemente un suicidio, pero se sugiere que Junta intervino en esa muerte. El autor la clasifica de *absurdo,* como también clasifica a la vida. Todo es absurdo, y Juntacadáveres queda indiferente ante una y otra realidad, sin más sentido de los valores que la pistola que deja caer sobre la mesa, cuando el cura le habla sobre la desaparición de su amante.

Ya en uno de sus soliloquios interiores, Larsen había pensado que la palabra muerte sólo significaba para él «suciedad y miseria», que la existencia «no quiso detenerse, que su anécdota de fracaso y luto sólo sirvió para alimentar a la vida e impulsarla». Ahora, con la muerte de su Julita, la noticia, aparentemente nueva para él, es un chorro de agua fría que le cae encima como «el absurdo, lento y sin lágrimas».

Después quiere verla antes de que la entierren, le canta una canción angustiosa y absurda a la vez (p. 274) y expresa una vez más su desprecio a todo —a la vida y a la muerte, al amor y al odio— con una sola palabra cínica que es como un salivazo final:

> Antes de irme guardé la navaja, me puse la boina y volví a saludar a los dolientes.
> —Mierda —dije con una dulzura, una piedad, una alegría que sólo ella, pudriéndose colgada de una viga, hubiera podido entender.

Y con esa expresión de sarcástica y enrevesada «dulzura, piedad y alegría», envuelta en la hedionda palabra de despercio a todo valor, Junta se aleja por los caminos en que reanudará otro ciclo de su cínica vida. Absurdo y angustia transmutados en un arte narrativo de viril expresionismo, dan la medida continental de esta novela de Onetti que se titula *Juntacadáveres*.

El lector como protagonista de la novela
Onetti: Los adioses

Wolfgang A. Luchting

«But the necessity for a new reader is an
organic part of new writing.) *TLS,* Decem-
ber 5, 1968, in a Front Page article review-
ing Ph. Soller's novel *Nombres* (p. 1355).

«... la síntenis crítica de la sociedad y la imaginación...»
C. Fuentes, *La nueva novela hispanoamericana,* p. 26

Onetti es uno de los más grandes escritores de América Latina, casi tan importante para las letras de ese continente y medio
como lo fuera Jean-Paul Sartre en la Francia de la época posguerra.
En efecto, *La nausée* y *El pozo* se publicaron ambos en 1938.

Onetti ha escrito mucho; pero éste no es el lugar donde re-
señar su obra o destacar su importancia. Quisiera más bien, en lo
que sigue, ocuparme de sólo una de sus obras, la novela corta
Los adioses (1954)[1]. Es, entre todas sus obras éditas, la novela[2]

---

[1]   En *Novelas cortas,* Monte Ávila, Caracas, 1968, Colección Prisma. El libro
contiene, además de *Los adioses,* los siguientes textos: *El pozo, La cara de
la desgracia, Tan triste como ella* y *Para una tumba sin nombre.* Una valoración interesante de la obra de Onetti y del hecho de que es tan poco conocida, se encuentra en *temas,* 15, enero-febrero-marzo 1968, pp. 18-22, «Ana-
cronismo de Onetti», escrito por Rodríguez Monegal, uno de sus defensores
más apasionados.

[2]   Rodríguez, M., en su *Literatura uruguaya del medio siglo,* Editorial Alfa,
Montevideo, 1966, Colección Carabela, pregunta si no sería mejor llamar
Los adioses una *nouvelle* (p. 244). Todas las menciones de Emir Rodríguez M.
en mi texto, así como todas las citas que iré dando, se refieren a esta edición.

que, de un modo casi asombroso, anticipa muy temprano, todas aquellas tendencias recientes que exigen al lector, con los términos de Julio Cortázar, que sea en vez de un «lector-hembra» (que se deja entretener), un «lector-macho» (uno que crea, junto con el autor, el mundo ficticio de éste), que sea un «lector-cómplice».

Esta exigencia, en el fondo, no es sino la que conocemos, acá en los Estados Unidos, bajo la etiqueta estética de *audience-partic-ipatión.* Dentro de los confines de la literatura, de la lectura, sería una *reader-participation.* Viendo esta exigencia históricamente, se puede decir que no es otra cosa que una extensión, o una inten-sificación, si se quiere, del naturalismo, sobre todo del naturalismo alemán: intenta captar, minuciosamente *(Sekundestil* se llamaba en Alemania), la realidad *entera* o por lo menos una parte de ella —pero ésta sí que «totalmente»— la sabrosa y consabida *slice of life.* El intento es de la estirpe de lo que pretendió hacer el Maxwell Anderson —o su director— de las primeras piezas, o de lo que trató de conseguir Eugene O'Neill. Con la diferencia —y esto es importante— de que, hoy, los actores, digamos en *Winterset* (1935), tendrían que saltar del escenario, para aterrizar en las fal-das del público asistente, al que, por supuesto, pedirían que los acompañaran al escenario y ayudaran en la «puesta del sol». Es la diferencia que, hoy, produce piezas como «Dionysos '69» o que con-duce a los *group-gropes* recomendados y practicados por el Living Theatre y otros grupos. Y así por el estilo. ¿Brecht y su *Verfrem-dung?* ¡Que *requiescant in pace!*

Los intentos de «meter», incluir al público —al lector— en el proceso de la creación de una ficción, son, hoy, bastante ex-tensos. Aparte del ya mentado Julio Cortázar, los practica Mario Vargas Llosa (cuando quiere que los lectores de sus novelas suplan la verdad de lo que, en *La casa verde,* por ejemplo, pueda haber pasado con la Casa verde y con los personajes vinculados con ella); los practica William Burroughs (cuando pide que sus *fold-in* se-cuencias sean ensambladas por sus lectores) y aquel escritor inglés, B. S. Johnson, de cuya novela *The Unfortunates* dijo Stanley Rey-nolds en el *New Statesman* (21-II-1969): «[his] new novel, done up in a box, chapters loose, you can shuffle them about, get the story then, I suppose» (p. 264); los practica el mismo Onetti en

---

Una advertencia importante: una de las frases más importantes de *Los adio-ses,* frase que, tanto en la edición de Monte Ávila (véase nota número 1) como en la de Sur (Buenos Aires, 1954), reza así: «Era una mujer, en todo caso; otra» (pp. 96 y 83, respectivamente). En el libro de Rodríguez Monegal se lee así: «Era una mujer; en todo caso, otra» (p. 247). La segunda versión, obviamente, da una tónica totalmente diferente de la que tiene la primera. No sé cual es la que quiso escribir Onetti, aunque es de suponer que la ver-sión en las ediciones de Monte Ávila y de Sur es la correcta.

El astillero (cuando ofrece al lector dos desenlaces de la novela) y en *La vida breve* (libro en que llegamos a una secuencia durante cuya lectura por lo menos yo tuve la fuerte impresión de que los personajes estaban inventando al autor); y los practican también aquellos autores que usan la segunda persona singular o plural al describir alguna acción —como si el lector fuese el que actúa [3]—. Lleva *ad absurdum,* estos intentos, el escritor alemán Peter Chotjewitz cuando pide que el lector escriba algunos capítulos de su novela *Auf dem Bärenauge* [4]. Y etcétera.

Son intentos sobre los que ha especulado incluso la muy venerada tía de todas las revistas literarias, el *Times Literary Supplement* cuando en su editorial del 18 de enero de 1968 escribe, refiriéndose a *Rayuela* de Cortázar, que

> A more elaborate attempt to achieve the same sort of audience involvement has been made by the French writer Michel Butor, in an opera written with the serialist composer Henri Pousseur: *Votre Faust.* The «votre» here means what it says; at the end of an act the audience must choose a continuation out of a small number of alternatives, necessarily outlined to them in a simplified form. Such avantgarde pranks will not have Agatha Christie perhaps, who, not long ago, threatened that if the spoilsport drama —critics insisted on telling their readers who —done —it when they reviewed her plays after the first night then she would provide the theatre with alternative endings in which someone else would turn out to have done it.
>
> It is another French writer, however, Raymond Queneau, who now seems to have made the most logical and enthralling advance yet in this direction, by programming a story exactly as if it were fodder for a computer or teaching machine. If this technique catches on we may one day be able to have the best fiction served, like the best spinach, on the branch, because the principle involved is that of constant bi-

---

[3] Compárese con lo que Michel Rutor dice sobre esto en su *Repertoire 2* (capítulo sobre el uso de los pronombres personales).

[4] «¡Juegue Ud. también con el libro! Tarje los trozos y capítulos enteros que no le gustan, o arranque las páginas. Si no le agrada el orden de algunas secciones, cámbielo. El próximo lector se lo agradecerá» (p. 108). O: «... un nuevo tipo de literatura: se procede a registrar los nombres y direcciones de quienes compran los libros. Cuando, al leer un libro, los lectores encuentran que falta una o más páginas, le solicitan a la editorial las señas de la persona que compró ese mismo libro y tiene en su poder las páginas que faltan, y le escriben a esta persona pidiéndole las páginas, o, al menos, que les envíe una descripción exacta de su contenido, estilo, etc., etc. El lector a quien esto se solicita, le pedirá por su lado a quien le escribe la descripción de las páginas que a su vez faltan en su ejemplar y que, según informes de la editorial, se encuentran en poder del remitente» (pp. 112/113). Y: «... presentarle al lector [la realidad], solicitándole que se la describa a sí mismo. Solicitándole que se confeccione su propia literatura. ¿Por qué aferrarse todavía al principio de la división de trabajo entre artistas y otras personas?» (p. 7).

furcation, the reader being faced with many alternative continuations
as he advances through the narrative [5].

El *TLS* continúa reflexionando sobre la responsabilidad moral
que tendría el lector de una novela de esa índole, pues no sería
extraño el que un lector, por su *make-up* sicológico, escogiera
una continuación, sin saber qué continuaciones adicionales su
selección conlleva, que revelaría a los protagonistas como seres altamente inmorales, lo cual, a su vez, ciertamente revelaría también
que es el lector el que es un «son of a bitch», y no lo son los
personajes de la novela, por lo menos los de las otras continuaciones. Esto sí que sería, definitivamente, una *reader-participation;*
incluso podría resultar en un «insulto al público», expresión que,
dicho sea de paso, es el título de una pieza teatral alemana de un
tal Peter Handke. En ella, lógicamente, se insulta a los asistentes
por haber asistido.

En verdad, por más nuevo que parezca todo esto, no es nuevo
de manera alguna. Pues siempre, desde que existen «ficciones»,
ya sea verbales o teatrales o pictóricas o cinematográficas o, incluso,
esculpidas, el «consumidor» de estas expresiones artísticas, debido
al mero hecho de optar por «consumirlas», ha participado en la
creación de esas ficciones. En efecto, sin el «consumidor» de obras
de arte, no habría obras de arte. Lo que sucede es, simplemente,
que hoy en día, en todas las artes, se pone más énfasis en el elemento «participatorio» del consumidor, más en todo caso de lo que
se ponía antes.

Ahora bien, Onetti, pesimista total (y creyente, parece, en tan
sólo una cosa, a saber: el paraíso y el amor juveniles), ha anticipado toda esta tendencia nueva, esta boga de «participación», en
una serie de sus novelas. Pero en ninguna tan explícitamente e intencionadamente —para quien esté atento a este fenómeno— que
en *Los adioses.*

A Onetti, todo el mundo le tiene miedo. Al menos es ésta
la impresión que me causa la lectura del magro número de estu-

---

[5] Este *leader* causó, en el próximo número del *TLS,* la siguiente respuesta: «Sir, —May I apply a cool hand to your fevered brow? The man has
already preceded the machine...» *Item:* «One beginning and one ending for
a book was a thing I did not agree with. A good book may have three openings
entirely dissimilar and inter-related only in tre prescience of the author, or
for that matter one hundred times as many endings.» Flann O'Brien, *At Swim
Two-Birds* (1939), p. 9. *Item:* «In reply to an inquiry, it was explained that
a satisfactory novel should be a self-evident sham to which the reader could
regulate at will the degree of his credulity. It was undemocratic to compel
characters to be uniformly good or bad or poor or rich... That is all my bum,
said Brinsley.» *Ibidem,* p. 33, «So much for Cortázar and Queneau. TIMOTHY
O'KEEFE...».

dios, reseñas e intentos de análisis de sus obras. Yo, lo admito, también tengo cierto miedo a «meterme con Onetti»: es tan complicado, tan hermético. Pero en *Los adioses*, me parece, este miedo puede descartarse, pues el intento de su autor de implicarnos, de descubrirnos como «sons of bitches» es pantente. Y la técnica que emplea para enredarnos en su complot, es inocentísima, la del venerado Henry James: la técnica del punto de vista.

Los adioses cuenta una historia muy sencilla:

> Un hombre llega a una ciudad de las sierras, donde hacen su cura los tuberculosos. Pasiva, pero firmemente, se niega a asimilarse a esa vida de sanatorio, de alentada esperanza, que contamina toda la ciudad. Es taciturno, no acepta. Vive sólo para las dos cartas (el sobre manuscrito, el dactilografiado en la máquina de tipos gantados) que llegan regularmente y que son la vía por la que continúa comunicado con el mundo exterior. Un día llega la mujer, autora de una serie de cartas... Otro día, distinto, llega la de las cartas a máquina: es una muchacha fuerte, indestructible, viva: para ella, el hombre ha alquilado un chalet. (E. Rodríguez Monegal, p. 243.)

Con la primera mujer, el hombre vive en el hotel de la «ciudad de las **sierras**».

Toda la historia nos es contada «desde fuera, está comunicada al lector por medio de un *testigo*. Ese testigo es el dueño de un almacén, un ex tuberculoso que sigue viviendo en las sierras con su medio pulmón y que registra desde su observatorio ciudadano [i. e. el almacén] los avatares de todos los enfermos» (*ibidem,* página 244) y «se jacta de saber (desde el primer momento) que el hombre no es de los que se curan» (*ibidem*). Las cartas —dos tipos distintos, como vimos, por originar de corresponsales distintas— no le llegan directamente al hombre: tiene que recogerlas siempre en el almacén, tienda que funciona también como una especie de oficina de correos.

El testigo nos cuenta los «avatares» mencionados en un tono que recuerda, ya sea un diario o una memoria o incluso una carta: cuenta sólo lo que a él le interesa y lo que él opina sobre esto. Por ejemplo: «Quisiera no haber visto del hombre, la primera vez que entró en el almacén, nada más que sus manos» (p. 37), o «Después empecé a verlo desde el hotel en ómnibus y esperar frente al almacén...», o, también, «No es que [el hombre] crea imposible curarse, sino que no cree en el valor, en la trascendencia de curarse» (p. 39). Con este procedimiento narrativo, Onetti ya nos ha «enganchado». Pues, sin darnos cuenta, nos identificamos con el punto de vista del almacenero, sobre todo cuando nos ofrece, aparte de los sucesos que quisiera llamar «relativamente objetivos» —vio sólo las manos; después vio al hombre esperar el autobús— sobre todo, digo cuando nos ofrece, además de esos sucesos, también sus reflexiones sobre el estado síquico del hombre «no *cree* en el *valor,* en la *trascendencia* de curarse» (los subrayados me pertenecen).

Ambas clases de observaciones, que son a la vez *informaciones* para nosotros acerca del hombre-protagonista —y no recibimos ni una sola información que no hubiese pasado por los recuerdos (o lo que sean) del almacenero— esas observaciones «relativamente objetivas» y las sicológicas, contribuyen a que les concedamos al narrador-testigo más y más autoridad, pues lo que nos refiere de él se caracteriza, dentro de las coordenadas de nuestras vivencias, por ser altamente verosímiles. Por ello vamos confiando más y más en el almacenero y en lo verídico, o al menos lo suficientemente probable, de lo que nos cuenta.

Permítaseme aquí una pequeñísima disgresión en torno a un hecho de, en verdad, mínima importancia, pero uno que es ejemplar para demostrar cuánto los lectores hemos ido perdiendo, desde el primer momento, nuestra facultad crítica: tanto en el resumen hecho por Emir Rodríguez Monegal como en mi propio texto hasta aquí, se ha venido hablando del testigo como de un hombre. Sorprenderá, me imagino, el que, si el lector realmente llega a leer la novela misma —por lo menos hasta cierto punto— también haya la posibilidad de que ese testigo —¡sea una mujer! No existe ninguna ley natural o de verosimilitud, que prescriba que quien posee un almancén no pueda ser una mujer. *And yet, and yet,* como dice Borges, otro jugador con la realidad y la ilusión: recién leídas cinco páginas de la novela es que ciertas formas flexionales nos confirman que nuestra suposición original está acertada. Yo puse la pregunta sobre el sexo del testigo a mis estudiantes y a otras personas que conocían el libro y pude observar en cada caso que estaban perplejos e incrédulos de que el testigo pudiera no ser un hombre; pero en ningún caso supieron documentar lo justificado de su suposición inicial.

Detalles como el que acabo de mencionar, pueden clasificarse como «trucos», hasta como trampas. Y, efectivamente, Onetti ha sido acusado más de una vez, de ser un «tramposo». Rodríguez Monegal dice que los lectores de las novelas de Onetti «hablaban de los trucos de Onetti» (p. 246). Mas no hay duda, creo, que él emplea detalles así —sobre todo que empleó el «truco» acabado de mencionar— intencionadamente: tales «trucos» le sirven, especialmente en nuestro caso, para «adormercer» nuestra facultad de distinguir entre lo comprobable, lo probable y lo improbable. Otro medio de conseguir esto es, para decirlo con toda franqueza, el estilo a menudo muy oscuro —para no decir: impenetrable— de Onetti.

En efecto, Onetti parece estar tan seguro de que va a lograr su propósito, el de «adormecernos», que incluso descuida —¿o sólo *parece* descuidar?— el manejo verosímil de los mismísimos ingredientes constitutivos de su decepción. Ejemplos de tales «descuidos» veremos al final de este texto.

Identificados, a un alto grado, con el punto de vista del testigo, participamos ahora con él en sus conjeturas sobre aquel triángulo mujer-hombre-muchacha. Al almacenero le ayudan en estas conjeturas dos personajes más, un enfermero —o como Onetti insiste en escribir, «el» enfermero, lo que hace de éste un sujeto «definido» y, por ello, de confianza, por decirlo así— y «la» mucama del hotel en que vive el hombre, solo o, dos veces, con la mujer. Lo que estos tres observan, representa la amplitud de nuestra información indirecta acerca del triángulo mencionado.

De nuevo —ahora con el empleo de estos dos personajes adicionales— Onetti nos seduce y adormece. Pues, cada escena con el enfermero y la mucama, que se llama Reina, ya sea que aquél aparezca solo o que ésta venga sola, o que los dos visiten el almacén juntos, nos trae a) nuevas informaciones factuales y b) nuevas conjeturas acerca del hombre y las dos mujeres. La manera en la que nos llegan a ser presentadas tanto las informaciones como las conjeturas, nos conduce a aceptarlas como lógicas. Por ejemplo, a) «Se quedó mirando en el comedor vacío a la mujer y al hijito que parecía enfermo», nos informa la mucama; b) «Ganaba tiempo, hasta ella misma se avergonzaba viendo la criatura», dice, imaginándoselo de esta manera, otra vez la mucama.

Lo que, naturalmente, desde hace mucho ya no advertimos es que aun estas informaciones factuales (que muy bien pueden ser ciertas) y las conjeturas, las recibimos a través del almacenero, del testigo dijérase Jamesiano, quien, por supuesto, las puede haber ajustado a sus propios fines, las puede recordar mal, las puede hasta haber inventado.

A medida que avanza la novela, se les agregan a los tres informantes virtualmente todos los enfermos y, al final, virtualmente toda la ciudad. Hacen una especie de cargamontón sicológico (o «chismológico»), en torno al triángulo del hombre con las dos damas. ¿Por qué?

Por una razón muy sencilla: nadie sabe quiénes son esas dos mujeres, qué relación —¿o «relaciones»?— tienen con el hombre. Y éste no habla en ningún momento, ni siquiera durante el breve intervalo de expansividad que precede al desenlace de la novela. ¿Qué les queda entonces, a todos estos curiosos, sino sus conjeturas? ¿Cómo pueden interpretar lo que ven, día tras día, estén presentes las dos damas o no, pero sobre todo, por supuesto, cuando están presentes?

La mujer viene a visitar al hombre dos veces, la segunda vez con «el chico» un niño. La muchacha también viene dos veces, la segunda vez se topa, inesperadamente con la mujer y el niño. El hombre explica para la mujer —y para la mucama que lo oye y divulga— «Yo no le dije que viniera aquí (...) No al hotel» (p. 79). La primera vez que vino la muchacha, el hombre y ella se retiraron a un chalet que él había alquilado. Comenta el enfermero: «Entonces resulta que el chalecito lo alquiló para esta chica. ¿No le parece una muchacha demasiado joven? (p. 61). «¿Por qué «demasiado joven»? ¿Y «demasiado joven» para qué? Acerca de la mujer, la otra, la del chico, la mucama nos informa en un momento dado que ella la preguntó: «¿Le parece que soy una mala mujer?» «Por favor, señora», le dije. «En todo caso, la mala mujer no es usted» (p. 85).

¿Por qué este comentario de la mucama (referido por ella misma al almacenero), esta distinción entre mujer no mala y mala muchacha?

Como se habrá adivinado ya (si fuese solamente por mi uso del término «triángulo»), el comentario se debe a que el testigo y los otros observadores, basándose en lo que ven y, quizá más, en lo que *no* ven, suponen, y lo hacen *en nuestra compañía:* 1) que la mujer es la esposa del hombre, un otrora famoso atleta de *basketbol;* 2) que el chico es el hijo de él; 3) que la mucha es la *maîtresse.* Pero ahí no termina: la gente de esta «ciudad de las sierras» se imagina muchas otras cosas más, cosas peores, o, como las califica Rodríguez Monegal, cosas «obscenas»: «...la obscenidad de los mirones contamina todo lo que ven. Con fariseísmo, lamentan que la muchacha sea demasiado joven, pero no pueden dejar de valorarla (en la imaginación) por los supuestos méritos eróticos» (p. 244). He aquí algunos botones de muestra de lo que la gente, sobre todo el almacenero, se imagina que sucede entre el hombre y la mujer y entre él y la muchacha: «Me tentaba ir componiendo los detalles de las horas de desvelo y de abrazos definitivos, rebuscados» (p. 93). O: «...es probable que él haya intentado poseer a la mujer, pensando que le sería posible transmitirle los júbilos que rescatara con la lujuria» (p. 81). O: «Imaginaba la lujuria furtiva, los reclamos del hombre, las negativas, los compromisos y las furias despiadadas de la muchacha, sus posturas empeñosas, masculinas» (p. 95). Estos tres ejemplos, elegidos entre muchos, son conjeturas del almacenero, quien, dicho sea de paso (aunque, como veremos, es de importancia para un juicio sobre lo logrado o fallido que esté esta obra de Onetti), incluso se jacta de tener una imaginación más refinada, sutil, que la que logran los otros observadores, pues él se refiere, en un momento dado, a un final para la discutible historia, tal como estos dos [enfermero y mucama] son *capaces* de imaginarlo» (p. 76: mi énfasis). O sea, el almacenero presume para sí una imaginativa mucho más desarrollada. Pero esta presunción y su justificación pertenecen a una dimensión de la novela cuya investigación rebasaría los límites interpretativos que me he puesto para este estudio. Baste, por ello, aquí, que yo dé sólo una insinuación de lo que es aquella dimensión: toda la novela, especialmente su protagonista-testigo, no es sino una metáfora del quehacer de un narrador, de un novelista, en una palabra: de Onetti en tanto que escritor.

Ahora surge la pregunta: ¿Qué sucede cuando, como apunté, la mujer y la muchacha se encuentran, sorpresivamente? ¿Cómo reacciona cada una al percatarse de la presencia de la otra? La escena tiene lugar en el comedor del hotel. Lamentablemente —para los «mirones» y nosotros— no sucede nada en absoluto. Al contrario: las dos se llevan extrañamente bien. En efecto, muy sutilmente, Onetti contrasta la información que nos da —y no hay que olvidar que siempre nos la da filtrada por los recuerdos (o lo que sean) del almacenero, quien, a su vez, describe sólo lo que, en este caso, le informa Reina, la mucama— Onetti contrasta esta información y las interpretaciones que sobre ella tejen los testigos, con el comportamiento de los tres personajes (transmitidos por la mucama) comportamiento factual y lo que he llamado relativamente objetivo. Por ejemplo: «[la mujer] estuvo, nuevamente, odiándola... asistida por la repentina seguridad de haberla odiado durante toda su vida» (p. 78). Esto por un lado. Por otro, leemos: «[la muchacha] le dio la mano a la mujer y comió con ellos. Los oyeron reír y pedir vinos... y era la otra, la muchacha, la que movía regularmente una mano para acariciarle el pelo sobre la frente» (p 82).

Serán personas sumamente civilizadas, se dirá. O se las querrá disculpar aduciendo que, después de todo, el hombre *es* incurablemente enfermo; quizá sea por esta razón que las dos no se pelean. Los testigos de la novela llegan, exactamente como nosotros, a la misma conclusión (y aún a otra): «Comieron en la terraza, como grandes amigos, como si formaran, los cuatro, una familia unida, *cosa que poco se ve*» (p. 85: mi énfasis), narra la mucama Y el enfermero expresa la conclusión colectiva diciendo: «No se puede negar que *hubo un arreglo entre ellas*» (p. 87: mi énfasis).

Esta conclusión, como tantas que la preceden, es decididamente probable, aunque no del todo. Y los que a ella llegan, los que, cada uno a su manera, han venido conjeturando sobre nuestros tres pecaminosos, son el testigo principal, el almacenero, así como el enfermero, la mucama y todo el resto de los «mirones».

Lo que es más, hay un larguísimo grupo adicional de gente, que también ha participado en esas conjeturas y que igualmente ha llegado a la conclusión a la que llegaron los antes mencionados.

Somos nosotros los lectores

Nosotros, cuando por fin se revela la verdad sobre nuestro «triángulo», no somos en nada menos culpables de la acusación de Rodríguez Monegal, la de que «contamina [mos] todo lo que [vemos]»; nosotros no estamos menos implicados en «la obscenidad» de tener —o por lo menos aceptar de las manos de los otros «mirones»— la «teoría para explicar... las dos mujeres, el chalet en la colina y la clase de orgías que van consumiendo rápidamente al hombre» (p. 244).

Cuando por fin se aclara la verdad sobre los vínculos que unen a los tres protagonistas «observados», resulta que *nosotros mismos hemos venido hallándonos entre los protagonistas de esta novela.* Y sentiremos acaso lo mismo que siente el almacenero: «...vergüenza y rabia, mi piel fue vergüenza durante muchos minutos y dentro de ella crecían la rabia, la humillación» (p. 96).

Onetti logró, pues, y magistralmente, hacernos, con esta novela, «cómplices» en una actividad algo vergonzosa y humillante.

Ahora bien, ¿cuál es la verdad? Esta: cuando la muchacha llegó la primera vez, el almacenero retuvo dos de las cartas, cada una de manos distintas, que el hombre solía recibir. Después las olvidó. Cuando por fin las encuentra, lee en la carta escrita por la mujer que la muchacha es —¡la hija del basquetbolista! (p. 96). Me ahorraré, por ser irrelevantes aquí, los demás detalles y las circunstancias del desenlace. Quisiera sólo atar un cabo suelto más de la historia: ¿cómo es posible entonces que la mujer no conozca a «la» hija? Más aún, ¿cómo puede incluso odiarla?

Otra vez, la pregunta misma demuestra cuánto Onetti supo engañarnos; pues no se dice en ningún momento en la novela que «la» mujer sea «su» mujer, la del atleta. Ni hablar de que se la designe como «la» o «su» *esposa.* Es perfectamente posible que ella solamente haya sido su conviviente; en efecto, puede ser su amante. Lo que haría de la hija el producto de un idilio anterior del atleta, con otra mujer.

Se puede preguntar, ¿cómo podíamos precavernos de caer en la trampa de Onetti —trampa, dicho sea de paso, que nos da al mismo tiempo una idea cabal de la cosmovisión de Onetti— cómo podíamos saber que no debíamos tenerle confianza? ¿No existen indicios de ninguna clase que nos hubiesen podido advertir y ayudar? Sí, existen, y en abundancia. El más importante es, por supuesto, el empleo mismo del punto de vista, el hecho de que Onetti nos haya transmitido la historia a través de la conciencia del almacenero. Nada nos obligaba a creer en las conjeturas de éste o en las que él nos narra como originando en las mentes de los otros «mirones».

Pero hay muchísimo indicios más. Apuntaré tan sólo los más obvios: cada tanto leemos que el almacenero *imaginaba, reconstruía,* que consideraba que *es probable.* En fin, basta recorrer las citas anteriores que di, para convencerse de que, hasta en estas citas, ya estaban presentes indicios suficientes como para *no* habernos dejado «enganchar», «engañar» por Onetti.

Sería injusto si yo, ahora, no apuntase lo que he llamado los «descuidos» de Onetti, descuidos que originan en su soberana convicción de que ya nos ha acorralado en y para su propósito, el de mostrarnos cuán corruptos somos, cuántos prejuicios tenemos, cuán fácil es para él «estafarnos», «burlarse» de sus lectores. Los descuidos de que hablo son, entre otros: a) la procedencia de la hija (¿por qué, aun siendo la hija, «quiere gastarse generosa su dinero para devolver [le al hombre] la salud? (p. 96). b) La historia entera gira, ineluctablemente, en torno al hecho de que el hombre nunca explique a nadie nada que permitiese que uno se enterara de la identidad de las dos mujeres. Esto, dentro del ambiente de un sanatorio de tuberculosos, parece altamente inverosímil. c) La calidad y consistencia supersutiles de la imaginación del almacenero. Sus conjeturas, sobre todo las sicológicas —que pertenecen a las dimensiones de esta novela que aquí he omitido— son tan refinadas, casi diría perversas, tan complejas que, indudablemente, desbordan la capacidad promedia que nos podemos imaginar en un almacenero de una «ciudad en las sierras». d) Cuando la mucama dice a la mujer: «En todo caso, la mala mujer no es usted», ¿por qué no reacciona la mujer? Se debe suponer justificadamente me imagino, que ella se da cuenta, aunque fuese sólo en ese instante, de lo que está pensando de la muchacha, la mucama, y con ella, todos los otros «mirones». Se podría aducir aún más descuidos —y hay que tener cuidado con ellos— pero creo que los que acabo de mencionar bastan. Además, ninguno aminora el hecho de que Onetti nos denunció como culpables de una especie de «crimen moral».

Para concluir, quisiera volver ahora a la tía mentada al principio de este texto. Dice el *TLS* en aquel editorial: «writers will be able to cosset the bigotry of their readers, by offering them appropriate detours, or undermine it, by luring them down false paths; readers themselves can indulge their sympathies and antipathies or consciously flout them and congratulate themselves on their audacity». ¿Y la «moraleja» de todo esto? Bueno, es más bien una «moral», a saber: *«in future we may be forced into the symbolic exercise of moral choices of our own. In this way reading would be raised a rung or two nearer living»* (el subrayado es mío). Exactamente. Por fin habríamos llegado, entonces a la «novela total», tan exigida y anhelada y proclamada por los nuevos escritores, muy especialmente por los latinoamericanos. Sería la *reader-participation* total, pues el lector sería, como lo es ya en *Los adioses*, uno de los personajes de la novela, incluso sería quizá el protagonista más importante.

Pero. ¿Los lectores estamos dispuestos a esto? Comenta Emir Rodríguez Monegal: «El lector, que ha ido aceptando el testimonio del relator, que no ha podido no aceptarlo; el lector, partícipe vicario del chisme y del regodeo, no puede someterse a la solución que la verdadera historia le propone.» y «Es precisamente esta resistencia elemental (e inevitable) la que explica que muchos lectores, y no de los peores, se detengan aquí en su juicio y hablen de los trucos de Onetti. Es cierto. La novela es trucada» (p. 246).

De acuerdo; pero, en mi opinión, la novela no es «trucada» en el sentido de Rodríguez Monegal. Él se olvida de un pequeño detalle —o por lo menos, si ha pensado en él, solamente lo insinúa. El detalle es éste— y con mencionarlo devuelvo la novela a los lectores, doy la última «tur of the screw», revelo lo que considero la última y culminante ambigüedad de Onetti: ¿Qué pasa si la muchacha *no* es la hija del hombre? Si éste le ha mentido a la mujer, aunque fuese sólo para tener su tranquilidad y, por supuesto, para mantener sus amores *con las dos.* Hay una frase en la novela que permitiría reflexionar sobre esta posibilidad (y sería una posibilidad sumamente Onettiana): la mujer, en la imaginación de la mucama, está pensando, al ver por primera vez a la muchacha, «nunca había visto una foto suya, nunca logró arrancar al hombre adjetivos suficientes para construirse una imagen de lo que debía temer y odiar» (p. 77: mi subrayado). Si nos guiamos por la muy razonable máxima de que, para mentir, se debe hacerlo con un gran lujo de detalles (así «miente» un escritor) o no dando detalle («adjetivo») alguno, entonces parece decididamente posible que, en la presente situación, el hombre haya optado por la segunda modalidad, pues de este modo disminuía el riesgo de ser descubierto.

Entonces, ¿todas las conjeturas sí son ciertas? No sé. *Los adioses* es una novela. Y, lo puedo decir ahora sin ambages, una novela fascinante, una novela muy moderna, pues emplea lo que Fuentes llama «el lenguaje de la ambigüedad» (p. 32). Onetti ha logrado «comprometer» [al lector] en la historia, transformándolo en otro personaje más» [6].

---

[6] Para demostrar lo inocente —y muy mal informados— que suelen ser algunas editoriales europeas cuando se trata de opinar sobre la literatura hispanoamericana, citaré de la carta del lector-jefe de una de las editoriales más grandes e importantes de Alemania: «... Ich habe mir die englische Fassung von *El Astillero* besorgt und bin - ...keineswegs so vorberhaltlos begeistert. Auch hier wieder finde ich das, was mich so oft bei lateinamerikanischer Literatur stört nämlich eine Art Einholen europäischer Literaturmodelle oder sogar, polemischer formuliert, Literaturmoden. Im Fall Onetti habe ich tatsächlich das Gefühl, das hätte ich alles schon einmal gelesen; es kommt mir ein bisschen so vor, als läse ich Kasack statt Kafka. Aber natürlich... misstraue ich hier meinem eigenen Urteil...» (carta, 8 de mayo de 1969).

(«Me he conseguido la versión inglesa de *El astillero* y no estoy de ninguna manera tan entusiasmado sin reservas. Otra vez me molesta lo que tan a menudo me molesta en la literatura hispanoamericana, a saber: esa suerte de recuperación de modelos literarios europeos o, incluso, para formularlo más polémicamente, de modas literarias. En el caso de Onetti tengo la impresión en verdad como si hubiese ya leído todo eso; me parece como si estuviera leyendo Kasack en vez de Kafka. Pero, claro está, desconfío aquí en mi propio juicio...», mi traducción.)

Empatía negativa en «El pozo»
de Juan Carlos Onetti

Djelal Kadir

Con su primer héroe, Eladio Linacero (*El pozo,* 1939), Juan Carlos Onetti comienza lo que se convertirá a través de toda su carrera literaria en un sentimiento de náusea hacia el mundo físico y fenomenal. Este personaje, que pasará a ser el prototipo del héroe onettiano, despierta un día a una nueva toma de conciencia de las presencias físicas a su alrededor, incluyendo su propia existencia corporal. Su reacción hacia este nuevo conocimiento es un sentimiento de repugnancia. Frente a una confrontación con el mundo (con su modo de vida, su cuerpo y las demás presencias humanas), tan negativa, Eladio Linacero, en la víspera de su cumpleaños decide captar en prosa sus cuarenta años de existencia. A medida que anochece, sin embargo, termina por admitir el carácter estéril de su empresa, sintiéndose nada más que como cualquier otro hombre solitario fumando en la oscuridad de la noche que lo arrastra inexorablemente en el fluir de la vida que no fue capaz de detener.

En 1908, un año antes del nacimiento de Juan Carlos Onetti, en Uruguay, aparecía en Munich una obra de Wilhelm Wörringer con el título de *Abstraktion und Einfühlüng* (Abstracción y empatía). En ella, Wörringer trataba de entender el apuro del hombre moderno en relación a su arte y a sus abstracciones creadoras. La obra, que recuerda mucho a la tradición filosófica de Kant, Burke y Teodoro Lipps en el siglo xix, plantea dos alternativas como consecuencia a la confrontación del hombre con el mundo. En la primera, *empatía,* el hombre se siente cómodo en su ambiente; en la otra, a la que Wörringer denomina *abstracción,* el individuo se encuentra como un extranjero que camina sin rumbo y que sufre de un irremediable sentimiento de desamparo. A cada uno de estos dos estados muy diferentes de existencia corresponde una proposición y una aproximación distintas hacia el arte.

Wörringer define *empatía* en términos kantianos. De acuerdo a esta explicación, a raíz de toda apreciación estética se da un juego armonioso entre las facultades del hombre y el objeto-mundo. A través de esta armonía el hombre se siente uno con el mundo, y como resultado de la misma lo considera atractivo. Cuando el objeto-mundo se resiste al esfuerzo del hombre por armonizar con él y entenderlo, entonces se lo considera feo y siente repulsado.

En el primero de éstos —el estado de coexistencia armonioso— el estado sicológico se considera como *empatía positiva.* En el segundo caso se la llama *empatía negativa.* Wörringer observa que la *empatía positiva* o belleza surge de un sentimiento de tranquilidad con el objeto-mundo con el cual el hombre se pone en contacto. Agrega, sin embargo, que esto de ninguna manera es la suma total de la apreciación estética, sino solamente una fase de la misma. El arte también nace de una reacción negativa o de un sentimiento de desamparo. El hombre también quiere alcanzar un refugio que lo proteja del caos y de la inseguridad de su existencia. El resultado de estas tentativas, según Wörringer, es la *abstracción* hacia formas más estables y comprensibles. La aceptación de la vida y del mundo por parte del hombre es la base de la *empatía,* mientras que un profundo impulso por transformar esta situación y escapar de ella es el centro de la *abstracción.*

Parecería que, de acuerdo al esquema de Wörringer, Eladio Linacero de Onetti vive en un estado de *empatía negativa.* Como Antoine Roquentin de Sartre *(La náusea,* 1938), Eladio Linacero se da cuenta de repente que el mundo a su alrededor es desfavorable, hostil y hasta repulsivo. Una completa alienación de éste es su reacción a tal descubrimiento. Cualquier pensamiento o acción a la que se entrega desde entonces es un intento de negar su existencia, su fracaso en las relaciones humanas y su fracaso consigo mismo. El ámbito que le rodea asume el papel de una fortaleza, una celda repugnante y estéril, vacía de todo sentimiento positivo de calor humano. Las sillas, el piso sobre el cual camina, sus axilas, que huele ocasionalmente, los sonidos que vienen del patio, el pensar en Hanka, la prostituta, Lázaro, el comunista: todo se convierte en símbolo, en instrumento de una fuerza opresora que ahoga sin piedad la vida de Linacero. Entonces la existencia llega a ser para él *un pozo,* el título que puso Onetti a su novela, una negra prisión en un sótano, en las entrañas de la tierra, de la que no se puede escapar. La fuerza de esta opresión, simboliza espacialmente por el «pozo» le provee a Eladio Linacero con las dimensiones de una perspectiva literaria y artística. Esta es la misma perspectiva con la cual Juan Carlos Onetti construye esta obra como así también las de su carrera literaria subsiguiente. En otras palabras, las fronteras del encierro espacial se convierten en una obsesión que da al protagonista, así también como a su creador, una perspectiva de la realidad.

El proceso de negar, de escapar de esta existencia opresiva resulta, como sugiere Wörringer, en la abstracción: Eladio Linacero intenta transferir su vida entera al reino de la abstracción, mediante un retroceder a través de los años y reconstruir su vida en una autobiografía. Sin embargo, aún esta autobiografía debe tomar un carácter muy peculiar y especial. Su método y perspectiva particular requiere, en este sentido, un segundo grado de abstracción, porque en estas memorias se acentúa lo abstracto, lo imaginado, lo soñado y lo fantástico, y no una realidad concreta y terrena: «ahora quiero hacer algo distinto. Algo mejor que la historia de las cosas que me sucedieron. Me gustaría escribir la historia de un alma, de ella sola, sin los sucesos en que tuvo que mezclarse, queriendo o no. O los sueños. Desde alguna pesadilla, la más lejana que recuerde, hasta las aventuras en la cabaña de troncos» [1].

En este momento, en la vida de Eladio Linacero la *abstracción* toma un significado positivo. Anterior a este momento la abstracción es una negación, una descomposición y deformación de la existencia, pero ahora se convierte en una reconstitución. Ahora Eladio Linacero transpone su alienación y repugnancia a un plano de alternativa, un escalón más arriba de su ambiente hostil. Tal transformación es la que Wörringer llama arte, «nacida de una sensación de desamparo», la cual nace de una apreciación estética que brota de un impulso, de una necesidad de cambiar el mundo inseguro y caótico en uno más cómodo y comprensible. De esta manera, *la abstracción,* como lo demuestran los incidentes de esta noche en la existencia sin sentido de Eladio Linacero, contiene dos fases que parecen contradictorias, la primera una negación y la segunda una

---

[1] Juan Carlos Onetti, *El pozo* (Montevideo, Ediciones Signo, 1939), página 11. Todas las referencias a la obra que siguen se citarán en el texto.

reconstrucción positiva, a través del arte, de una alternativa a una vida inútil. Este paso hacia una segunda fase tiene lugar casi a pesar de los deseos de Linacero. En la oscuridad de su soledad y en su alienación se mueve hacia esta transformación, hacia un ambiente menos hostil, y para él de mayor significación. Dándose cuenta de su participación en este proceso, se ve obligado a dar una explicación: «Lo curioso es que, si alguien dijera de mí que soy 'un soñador', me daría fastidio. Es absurdo. He vivido como cualquiera o más. Si hoy quiero hablar de los sueños, no es porque no tenga otra cosa que contar. Es porque se me da la gana, simplemente» (p. 12).

La necesidad de una explicación enfatiza su soledad y su separación, su alienación de los demás hombres y su falta de habilidad para participar en cualquier clase de relación con el resto de la humanidad. El protagonista admite esta falta de habilidad y su imposibilidad: «Sólo dos veces hablé de las aventuras con alguien. Lo estuve contando sencillamente, con ingenuidad, lleno de entusiasmo, como contaría un sueño extraordinario si fuera un niño. El resultado de las dos confidencias me llenó de asco. No hay nadie que tenga el alma limpia, nadie ante quien sea posible desnudarse sin vergüenza» (p. 35).

Y algunas páginas después, refleccionando acerca de estos intentos de obtener un entendimiento humano entre sí y los otros, agrega: «¿Por qué hablaba de comprensión unas líneas antes? Ninguna de esas bestias sucias pueden comprender nada. Es como una obra de arte. Hay solamente un plano donde puede ser entendida. Lo malo es que el ensueño no trasciende, no se ha inventado la forma de expresarlo, el surrealismo es retórica. Sólo uno mismo en la zona de ensueño de su alma, algunas veces» (p. 45).

Estos sentimientos de Eladio Linacero son el eco claro de Valéry y de su definición del arte poético como «un esfuerzo del hombre en su soledad». Como muchos autores modernos, Linacero se da cuenta de su tarea solitaria de tratar de crear a través de su soledad una abstracción que tendrá un orden ideal, un mundo comprensible y con significado basado en el mundo vulgar y repugnante de su existencia y de la de todos los hombres. En este aspecto, las fantasías y obsesiones de Eladio Linacero con el mundo de los sueños, como las cosmogonías abstractas del arte moderno, no se puede decir que sean simplemente intentos estériles de escapismo. Por el contrario, hay una confrontación cara a cara con lo real y con lo «vulgar». Linacero no siente una repulsión menor cuando piensa en sí mismo. El hecho de que haya elegido transformar esta realidad mediante una autobiografía es importante en este sentido: hace de él «sí mismo» un punto de enfoque subjetivo de esta transformación. Así el ser no está puesto de ninguna manera en un plano superior al del mundo indeseable y su realidad. De esta manera, el compromiso con el mundo «real» está lo más cerca posible. Por tanto el argumento freudiano de que el arte moderno, como así también en cualquier aplicación sicológica, el mundo de la fantasía se convierte en un sustituto del mundo real al cual el individuo no puede enfrentar es inadecuado. Hay un sumergirse y un comprometerse con el mundo, y es en el campo de lo subjetivo en donde lo «vulgar» se transforma. Como el biógrafo Roquentín, que está esencialmente escribiendo la autobiografía del biógrafo, Eladio Linacero da una forma más estable e ideal a su circunstancia existencial. En ambos casos, en las memorias de Roquentín, y en el intento de Eladio Linacero de capturar «la historia de un alma» —la empresa de una obra autobiográfica— es el querer tratar de parar la vida para que no ocurra el «fluir»; como en el arte, captar el tiempo, el espacio y el pasaje de los hechos en la epifanía de una línea o en los claroscuros de una tela. Es un intento de salir del inexorable fluir de la vida y en el proceso transformar, a una alternativa, el accidentado curso del «ser» y del llegar a ser en una existencia coherente, durable y ordenada. El único recurso necesario es la imaginación creadora del sujeto. Es así como Eladio Linacero habla de la noche, la cual ha venido a simbolizar la totalidad de su vida, cuando dice: «Me hubiera gustado clavar la noche en el papel como una gran mariposa nocturna» (p. 99).

De esta manera, lo que trata Eladio Linacero es de hallar un significado interior, un significado dentro de sí mismo, ya que el mundo exterior es un lugar sin sentido y hostil. Puesto que el mundo subjetivo interior está en el centro de la abstracción, Linacero tiene que transformar su propio «yo», así como reconstruir el mundo exterior para tratar de escapar al absurdo y al caos. Esta transformación es exitosa solamente cuando el hombre es capaz de «escapar» o de ponerse fuera de las fronteras y de los dictados de la realidad caótica y deforme. El último fracaso de Linacero de lograr lo que se había impuesto hacer es, como él mismo admite, el resultado de su incapacidad de liberarse de su situación en el mundo, de su vida que es la noche, la cual termina arrastrándolo en su curso normal. La admisión de Linacero es una confesión tanto de sí mismo como de Onetti. La existencia caótica y la condición humana no se someterán a la coherencia y al orden si es que verdaderamente hay una continuidad y una relación sincera entre la realidad del hombre y su arte. Ya que su arte, como se implica aquí, es parte de la realidad del hombre, el caos se hace incluible y la perfección de un cosmos ordenado queda estéril tanto para Onetti, que da vida a un personaje literario, como para su criatura de ficción que trata de proyectar su «realidad», su vida, en una autobiografía; es decir, en literatura.

En tanto que Eladio Linacero se embarca en el proyecto de la *negación*, la *abstracción* y la *reconstrucción* a través de un sentimiento de *empatía negativa*, es un «héroe» o «antihéroe», mejor dicho, contemporáneo que está dentro de la corriente principal del arte moderno. En tanto que fracasa al final, se convierte en el epítome del hombre contemporáneo. En este aspecto Eladio Linacero llega al borde del absurdo existencial. Se salva del mismo por su fracaso en alcanzar la libertad que buscaba, la cual le habría forzado a enfrentar a las demandas de ésta.

Si Linacero hubiese sido capaz de negar verdaderamente al mundo de su existencia y se hubiera volcado con éxito a la abstracción, es decir, si hubiera alcanzado la libertad buscada, entonces se hubiese enfrentado con el problema de elegir otra condición que reemplazara el vacío creado por su libertad. Las exigencias de ser libre han probado ser más exasperantes para el hombre que la existencia que se niega con el fin de alcanzar esta libertad. Es esta exasperación, este *angst*, la que alimenta lo absurdo de la condición humana. Como señala Camus, el hombre solamente tiene dos alternativas frente a este absurdo: abandonar la libertad y escapar del vacío que ésta crea, o suicidarse. La mayoría de los hombres eligen la primera, ya que el vivir se convierte en hábito. Así, Eladio Linacero, habiendo llegado al límite de enfrentar este absurdo, podría suicidarse o volver a la misma existencia de sus pasados cuarenta años con aguda conciencia de su ineludible fracaso. De todas formas fracasa en liberarse del hecho de vivir, de las «aguas oscuras de la noche que lo llevan aguas abajo». Así no llega a conocer las consecuencias de la libertad. Al final se duerme con una profunda nostalgia por la vuelta de sus sueños y fantasías. Si hubiese tenido éxito en alcanzar la liberación buscada, su noche hubiera sido de insomnio. Al liberarse del mundo él hubiese tenido que reemplazar el vacío dejado por el caos y la inseguridad de la vida con sus propias creaciones. Hubiera tenido que luchar con la nada —la tela blanca del suprematista ruso Kasimir Malevich, libre de todo menos del silencio siniestro del vacío.

Eladio Linacero no alcanza este final inevitable que le espera. Él es como confiesa, un fracaso, y da lo mismo. En este aspecto es un verdadero héroe Onettiano. Continúa en el impulso de la vida y del mundo, alegre con sus fantasías y gesticulando con lánguida resignación. Por su fracaso en alcanzar el próximo estado de conciencia o libertad —que está aún más cargado de ansiedad y es vano— epitomiza la idea de Onetti de «optimismo por descuido».

«La casa en la arena» *de Onetti:*
técnica y estructura

Gary Brower

I

En el siglo xx, el que busca conocimiento de sí mismo, el que
profundiza en su subconsciencia, encuentra a su propio ser con espaldas a los grandes edificios de deshumanización que han sido cons-
truidos en nuestra época. Es decir, se encuentra enajenado en su
época y en la sociedad. Y es alienado a causa de un desnivel, una
discrepancia, entre el mundo interior de su autoconocimiento y el
mundo exterior de desconocimiento general. En otras palabras, es
un *aussenseiter,* un extranjero, un alienado angustiado. O, como
indica Colin Wilson en su bien famoso libro, *The Outsider,* «The
outsider's first business is self-knowledge» [1].

En la literatura de hoy muchos protagonistas literarios intentan
recaptar su viaje interior, su viaje mental hacia adentro, el proceso
sicológico que fue la base original de su autoconocimiento. Siempre
quieren trasladar el mundo profundo, primitivo, poético y existen-

[1]   Wilson, C., *The Outsider* (New York, Delta, 1967) ,71.

cial de su ser más adentro al mundo exterior. Porque si pudieran hacer esto, sería posible la comunicación real y profunda entre todos los seres humanos. Entre el alienado y sus prójimos. Y de esta manera se identifica con varias realidades de índole sicológica que pueden servir como un eslabón entre la realidad interna y la correspondiente afuera de este ser angustiado. El resultado es que el protagonista se refugia en varias realidades subconscientes; a veces la del sueño, la de las drogas, la del niño, la del primitivo, la de la aberración mental, y la memoria es la fundación de la realidad interior. Hay varias posibilidades. El viaje del protagonista literario que navega por estas realidades síquicas lleva al lector de una de estas obras por el mismo viaje —es decir, la obra literaria llega a ser una experiencia viva en sí misma, no solamente la experiencia descrita de otro en que participamos superficialmente—. El lector tiene que participar, asociar y saltar mentalmente si va a sentir y entender. En cierto sentido, el que entiende el mundo alienado de *Extranjero* o *Aussensieter* es un alienado también. En efecto, podemos dividir los lectores en dos especies, como Eduardo Mallea ha dividido los escritores en *El sayal y la púrpura* cuando dijo:

> El escritor-espectador realiza su existencia en su obra; el escritor-agonista realiza su obra mediante el compromiso y el riesgo de su propia existencia. El primero es el tipo del ensimismado; el segundo es el tipo del intelectual que participa trágicamente en el destino de su tiempo. [...] Pues participar es dar, es amar; participar es intervenir. E intervenir es la función misma del escritor en nuestro tiempo [2].

La estructura, así como el contenido de la obra literaria de hoy, implica participación e intervención por parte de un *lector-agonista*. Y la participación agónica se funda en el autoconocimiento.

El proceso de estar consciente de uno mismo se revela en diferentes formas dentro del mundo literario y también en diferentes grados de conciencia. Y de ahí vemos las muchas formas de laberintos, de trampas y de espejismos. Muchos protagonistas se pierden en los laberintos por plan o por casualidad. Cuando no pueden hacer coincidir la vida oculta del mundo dentro de ellos y la realidad cotidiana de afuera, cuando no pueden más con el terrible secreto que descubrieron, cuando no pueden vivir con la ironía de este conocimiento que da libertad y angustia a la vez, o cuando la libertad es definido, como un proceso de escaparse de lo irreal, y esto es imposible cuando los inconscientes e insensatos forman la mayoría de la sociedad que les rodea, muchos se suicidan «laberínticamente». Muchos de los protagonistas que no se autodestruyen, se refugian

---

[2]   Mallea, E., *El sayal y la púrpura* (Buenos Aires, Losada, 1947), 22.

en una especie de *ennui* frente a una sociedad deshumanizante cuyos miembros no reconocen la deshumanización y lo que es.

II

Refiriéndose al cuento de Onetti titulado «Un sueño realizado», Luis Leal dice:

> El cuento es típico de Onetti: el elemento dramático; la estructura simétrica; el uso de símbolos; los personajes desequilibrados; la reminiscencia de los hechos, que se han convertido en obsesión [3].

Pues, «la reminiscencia de los hechos, que se han convertido en obsesión» describe una gran parte del cuento «La casa en la arena».

El personaje principal de este cuento es Díaz Grey, un hombre que aparece en varias obras del autor uruguayo y que Mario Benedetti ha descrito como «... ese comodín de Onetti que a veces es él mismo, otras veces es sólo Díaz Grey, y otras más es alguien tan impersonal que resulta Nadie...» [4]. La base del cuento se funda en un recuerdo de Díaz Grey, su importancia y su uso sicológico en la vida de éste. Lo que pasa ya ha pasado. La acción, mínima, fragmentada y descrita, no toma lugar en el cuento, sino en el recuerdo dentro de la obra. El narrador omnisciente relata el marco (o *framework)* literario que sirve como introducción y conclusión, es decir, para marcar la estructura síquica que forma la mayor parte del cuento.

Y Onetti lo comienza así:

> Cuando Díaz Grey aceptó con *indiferencia* haber quedad solo, *inició* el *juego de reconocerse* en el *único recuerdo* que *quiso* permanecer en él, *cambiante, ya sin fecha.* Veía las *imágenes del recuerdo* y se veía a sí mismo al *transportarlo* y *corregirlo* para *evitar que muriera, reparando* los desgastes de cada despertar, *sosteniéndolo* con *imprevistas invenciones,* mientras apoyaba la cabeza en la ventana del consultorio, mientras se quitaba la túnica al anochecer, mientras se aburría sonriente en las veladas del bar del hotel. Su *vida,* él mismo, no era ya más que aquel *recuerdo,* el único *digno de evocación y de correcciones,* de que fuera *falsificado,* una y otra vez, su *sentido.*

[3] Leal, Luis, *Breve historia del cuento hispanoamericano* (México, Andrea, 1966), 126.
[4] Benedetti, Mario, *Literatura uruguaya siglo XX* (ensayo) (Montevideo, Alfa, 1969), 140 (2.ª edición).

Este es el primer párrafo del cuento, típico del estilo onettiano que casi siempre parece implicar un fluir de la conciencia o por parte del narrador o del personaje literario, pero siempre para el lector.

Las implicaciones de técnica y significado en cuanto a que entrelazan la vida de Díaz Grey y su recuerdo son predominantes no sólo en este párrafo, sino en todo el cuento. Hay evocado el hecho de que Díaz Grey *conscientemente* efectúa el recuerdo por medio de su propia voluntad. Tenemos una especie de recuerdo-sueño que, con su invención y forma, indica la participación de Díaz Grey como inventor y protagonista a la vez. Esto es un proceso síquico de sutileza que enreda al lector en una experiencia mental por medio del estilo y Díaz Grey mismo. El resultado es una experiencia hecha realidad que desaparece al final de la obra. Es una verdadera «casa en la arena», destruida en el «final preferido» de Díaz Grey por el piromaniático El Colorado. Este cuento no es un estudio sicológico en el sentido tradicional, sino es la presentación de una experiencia sicológica en la que el lector participa.

Y esta experiencia, en sí, indica que Díaz Grey es un protagonista típico de muchas obras del siglo XX, es un *aussenseiter,* un «extranjero», un «autoconsciente». El hecho de que Onetti nos relata que Díaz Grey interviene en su recuerdo y que éste llega a igualarse a su vida, hace bastante obvio conocer o reconocer el proceso síquico manifestado. Si no, no pudiera haberse metido en su propio destino. O sea, que Díaz Grey tenía que estar consciente de sí mismo para poder intervenir en su recuerdo como lo describe Onetti.

En el párrafo citado, párrafo clave del cuento, vemos que Díaz Grey «aceptó con indiferencia haber quedado solo». ¿Por qué? Pues el que está consciente y se conoce a sí mismo siempre puede reconocer su búsqueda interior y por eso nunca tiene que estar aburrido, en el sentido de no tener nada en que pensar. Y además es algo que es un *proceso,* que progresa, que revela verdades a veces y que se hace solo. Por eso, Díaz Grey puede aceptar «con indiferencia haber quedado solo»; porque cuando uno está solo puede inventar. La salida de Molly comienza el recuerdo y su vuelta lo destruye. El recuerdo, entonces, puede ser una especie de «compensación sicológica» basado en la indiferencia.

Onetti nos dice que Díaz Grey «inició el juego de reconocerse en el único recuerdo que quiso permanecer en él...». Es un «juego» porque tiene que ver con un proceso mental cuya reacción individual no puede ser adivinada *a priori* y cuyas reglas son la espontaneidad,

---

⁵ Onetti, J. C., *Cuentos completos* (Buenos Aires, Centro Editor de América Latina, 1967), 40.

la confesión, la catarsis y el conocimiento. Ya que Díaz Grey *inició* el proceso, implica una voluntad consciente y racional de que iba a iniciarlo, y también de que es un «juego». Ya que es el *único* recuerdo, implica un sistema de selección por parte del protagonista, y cuando menciona que es «el único recuerdo que *quiso* permanecer en él», otra vez quiere decir que la voluntad consciente se presenta. Pero no solamente inicia y selecciona su recuerdo-sueño-vida este Díaz Grey. Onetti nos dice que ve, transporta, corrige, repara y sostiene esta realidad. Y Hay una razón muy importante porque lo hace: «para evitar que muriera» el recuerdo. Es decir, cuando termina el recuerdo-sueño-vida que inició, muera él, o por lo menos una parte de él, de su vida. Algo que recuerda los sueños inventados en «Las ruinas circulares» de Jorge Luis Borges. Borges dice que el forastero de su cuento «quería soñar un hombre: quería soñarlo con integridad minuciosa e imponerlo a la realidad» [6]. Mientras Onetti dice de Díaz Grey que «su vida, él mismo, no era ya más que aquel recuerdo...» [7]. Es decir, la ironía de Borges es que el forastero se da cuenta al final de que él también ha sido soñado. La ironía de Onetti es que Díaz Grey, conscientemente, identifica su vida con un recuerdo iniciado por él mismo. El hombre de Borges es sorprendido cuando su vida está pendiente de una realidad mental. El protagonista de Onetti identifica su vida con una realidad mental por su propia voluntad. Son diferentes, pero de todos modos los dos implican la combinación de génesis y mimesis, invención y reflejo.

El recuerdo mismo, que forma la mayor parte del cuento, no tiene «acción» en el sentido tradicional de la palabra. Mejor dicho, es un encuentro (o un no-encuentro, o un reencuentro) de varios personajes que figuran en la vida de Díaz Grey: Molly, el Dr. Quinteros, El Colorado (un piromaniático). Surgen imágenes fluyentes, como el entierro del anillo en la arena, más que una progresión geométrica de trama. Y esto está intercalado con comentarios del narrador, que se dirige directamente al lector. Rompe, de esta manera, la descripción y demuestra el poder de un punto de vista omnisciente. Algunos ejemplos de su omnisciencia que nos pueden

---

[6] Borges, Jorge Luis, *Ficciones* (Buenos Aires, Emecé, 1956), 60 (4.ª edición). En términos más generales, ciertos aspectos de las obras de Onetti nos hacen pensar en otros autores además de Borges. James Irby escribe de la influencia de William Faulkner en su estudio *La influencia de Faulkner en cuatro narradores hispanoamericanos* (México, UNAM, 1956). Y Luis Horss y Bárbara Dohman, en *Into the Mainstream* (New York, Harper and Row, 1966), mencionan a Kafka y Roberto Arlt. Más bibliografía sobre este asunto se puede encontrar en la bibliografía del libro de Ainsa (véase nota 13).

[7] Onetti, *idem.*

[8] Onetti, *ibid.* (página indicada en el texto).

servir son: «Ahora Quinteros desaparece hasta el final del recuerdo» (p. 35); «Aquí termina, en el recuerdo, la larga tarde lluviosa...» (p. 50); o «En el final preferido para su recuerdo, Díaz Grey se deja caer...» (p. 51). Además, cuando el narrador se refiere a un *final preferido*, otra vez sugiere el proceso de selección mental de su protagonista.

Naturalmente, el uso de tiempo refleja la discrepancia entre el tiempo síquico y el tiempo cronológico, especialmente en la forma del *tempo lento*. También vemos la relación importante entre el elemento temporal y lo espacial. La realidad del recuerdo de Díaz Grey y la fragmentación estructural revela que el *tempo lento* concuerda con un espacio estático. Dice el narrador:

> Los días de sol que se repitieron en la playa antes de que llegara El Colorado se transformaron en el recuerdo en uno sólo, de longitud normal, pero en el que cabían todos los sucesos [9].

O sea, que lo sicológico cambia lo cronológico en la realidad inventada del recuerdo. Después, Onetti se refiere al «inmóvil, único atardecer lluvioso» [10] y «Aquí termina, en el recuerdo, la larga tarde lluviosa iniciada cuando Molly llegó a la casa en la arena; nuevamente el tiempo puede ser utilizado para medir» [11]. Una indicación clara de las diferencias entre la realidad temporal del recuerdo y el tiempo del *framework* de la obra. Es una manera de crear un presente constante que se revivifica cuando un lector se enreda en el pasado recordado de Díaz Grey. Es decir, el recuerdo reocurre en el presente con la participación del lector, y esto se logra en la creación de la experiencia síquica implicada por el estilo y la estructura que Onetti utiliza. Díaz Grey, después de la muerte de su recuerdo, continúa con la cabeza en el consultorio. No es destruido con su invención, pero es el fin de una parte de su vida que Onetti ha repartido con sus lectores.

Carecé Hernández dice que:

> Su universo cerrado, engañoso y cambiante, en el que la realidad aparece difundida y corregida en un efluvio permanente de poesía, es otra de las constantes de Onetti [12].

---

[9]   Onetti, *ibid.,* p. 41.
[10] Onetti, *ibid.,* p. 45.
[11] Onetti, *ibid.,* p. 50.
[12] Hernández Carecé, «Juan Carlon Onetti: pistas para sus laberintos», *Mundo Nuevo,* núm. 34 (abril 1969), 69.

Y Fernando Ainsa se refiere a:

> La frontera entre la realidad y la fantasía... que Onetti maneja
> hábilmente a través de los puntos de vista de sus personajes-testigo:
> la imaginación de lo real [13].

Esto subraya uno de los aspectos más importantes de este cuento y
de todas las obras onettianas. ¿Dónde queda la realidad? Y siempre tenemos que responder que yace en la mente humana, sea
recuerdo, sea sueño, sea pasado hecho presente. Obviamente, Onetti,
junto con los otros principales prosistas de esta época, está de
acuerdo con las famosas palabras de Vicente Huidobro en su poema
«Arte poética» cuando dijo: «El vigor verdadero reside en la
cabeza.»

---

[13] Ainsa, Fernando, *Las trampas de Onetti* (Montevideo, Alfa, 1970), 132.

Juan Carlos Onetti
en busca del infierno

Lucien Mercier

Si «ni Dios ni François Mauriac son novelistas», no cabe duda de que Onetti y Faulkner sí lo son. Desde Sartre (por lo menos) sabemos que la novela es un enigma, que el autor no es un observador privilegiado, omnipresente, que el mundo debe ser descrito a través de una conciencia particular, ignorante de buena parte de la realidad. De modo que en la trama de los acontecimientos relatados por el novelista, figura necesariamente cierta cantidad de agujeros. La novela contemporánea, en vez de ofrecernos un mundo lleno (personajes con carácter, momentos agudos, etc.), llama nuestra atención sobre los huecos, las carencias, lo disimulado, lo desconocido. Tal como la poesía de hoy tiende hacia el silencio, la novela de hoy tiende hacia el vacío: se compone por una parte de lo que está dicho y que no tiene en sí mayor importancia, y por otra parte de lo que realmente importa pero que no está dicho. En suma, el escritor moderno pone en manos del lector aquel arma imaginada en el siglo XVIII por el alemán Lichtenberg: un cuchillo sin hoja al cual le falta el mango.

El secreto

Juan Carlos Onetti, me parece, es un maestro de esa creación negativa (o sea: subjetiva). En su más reciente publicación (un volumen que recoge cuatro cuentos de diversas fechas) podemos ver cómo este autor manejó y elaboró una temática que se refiere esencialmente al concepto de secreto. Podemos ver, sobre todo, cómo esta temática se constituyó poco a poco a través de una estructura cada vez más compleja y perfecta. Ningún ejemplo podría ser más significativo del hecho muchas veces aseverado de que la creación novelística es —tal como cualquier creación artística— invención de estructuras más bien que de temas. Al fin y al cabo, el secreto no es un tema. El secreto no existe en el mundo como objeto, sino que es un modo de ser de la realidad para alguien. Onetti no nos dice: el mundo es oscuro (lo cual no querría decir nada). Nos sugiere tal oscuridad por su manera alusiva y ambigua de contar.

Cabe notar en primer término que el cuento es una forma de expresión especialmente apta a sugerir la noción del secreto. Ese género típicamente romántico, moderno, se prohíbe, por su misma brevedad, decirlo todo. El cuento disimula necesariamente algo, algo esencial. Desde Voltaire —el que en *Zadig* o *Candide,* lo utilizó para denunciar la irracionalidad del mundo— hasta los actuales autores «policiales», pasando por Hoffmann, Poe, Maupassant, Kafka y Borges, el cuento siempre tiende a la elucidación, o más bien a la aproximación de un enigma. Es el lenguaje de la curiosidad, de la duda, de la ironía, de la angustia. Aún cuando, arbitrariamente, aporta al fin una «solución», una «explicación», el cuento no puede hacer menos que jugar, durante todo o parte de su desarrollo, con el misterio y la extrañeza. En busca de un significado oculto, indefinidamente rehusado, el cuento, juego puro con el tiempo, abre a cada instante ante el lector ese vacío que se llama hoy el absurdo. De este juego de escondite, el libro de Onetti da una muestra interesante.

Una mascarada

El cuento «Mascarada», que creo es el más antiguo, aparece como una suerte de borrador para esta aproximación a lo oculto. Se ha dicho que este cuento es el menos logrado del libro, pero quizá no se haya explicado bien por qué. Me parece que la falla eventual está aquí: el secreto es conocido por el autor, quien lo esconde al lector, en forma tal vez arbitraria. El relato, entonces, se convierte en acertijo, un poco como en esas novelas policiales que

privan al lector de algunos datos fundamentales, para crear el
«misterio», procedimiento considerado contrario a las leyes del
género.

El cuento de Onetti alude a algún momento vivido por la
protagonista, en el cual ha sucedido cierta «espantosa cosa negra»
que ella quisiera olvidar. Este momento, esta cosa negra, son de
una importancia determinante en la hilación de los hechos, pero
como el autor se niega sádicamente a aclarar, por poco que sea, la
naturaleza de la «cosa», todo queda perfectamente incomprensible.
Por lo menos, yo confieso que no he entendido. Lo que me resulta
lamentable porque sospecho que este cuento debe encubrir unos
elementos de particular significación en el mundo literario de Onetti.
Este consiguió, indudablemente, crear la impresión de oscuridad,
nota dominante en toda su creación, como ya lo hemos señalado.
Pero, uno puede preguntarse si, en el caso, la oscuridad no se
habrá conseguido un poco artificial y fácilmente.

Pesadilla en Parque Rodó

Sin duda, hay una posible legitimación del procedimiento en el
hecho de que la propia protagonista quiere olvidar, abolir, el momento y la cosa en cuestión. El oscurecimiento del pasado —es decir
de la «explicación»— no se debería, pues, a algún capricho del
autor, sino a la negación consciente o inconsciente, opuesta por el
personaje a un recuerdo siniestro. Un proceso comparable aparece
en «La cara de la desgracia», cuando el narrador omite precisar qué
pasó realmente entre la chica y él. Por tanto sería injusto acusar
a Onetti de la misma arbitrariedad que se otorgan ciertos escritores
policiales. Tendríamos aquí, por el contrario, un ejemplo de ese
recurso de la subjetividad que Sartre reclamó del novelista auténtico. «Entender» el cuento sería desfigurarlo, ya que su enfoque es
—deliberadamente— el de una conciencia enajenada a la que se le
escapa una parte esencial de su propia realidad.

Sin embargo, el alcance del cuento, en lo que se refiere a su
«contenido», queda inevitablemente limitado. Simular, en forma de
relato, la representación mental de un sujeto sicótico o desequili-
brado, puede ser, para un autor, el equivalente de una facilidad.
Cualquier cosa puede inventarse, tal como en los relatos de sueños.
Y, en su gratuidad, este cuento ejerce efectivamente una fascinación de carácter muy onírico. Es la descripción fantástica y grotesca
de algún Parque Rodó de pesadilla. Una aproximación algo formal
al mundo absurdo.

Por lo menos se distingue aquí un primer uso del cuento como enigma. La técnica de Onetti se ensaya (con unos aspectos muy faulknerianos, desde luego). Tenemos una realidad truncada, un hueco en el tiempo, y ese misterio irrisorio (esa mascarada) en que insiste la literatura contemporánea (un Samuel Beckett, por ejemplo, o un Queneau, sin hablar de Alain Robbe-Grillet). El mundo es oscuro porque está descrito a través de una conciencia oscura. Lo que puede objetarse, a esta altura, es la imagen gratuita que Onetti da a esta oscuridad. Los demás cuentos no caen en el mismo defecto. Son menos barrocos y más sustanciales.

Mirones y chismes

El secreto no está en el mundo, ni tampoco está en nuestra conciencia, sino en la relación entre el mundo y nosotros (y, desde luego, entre nosotros y nosotros). Lo oscuro, es lo otro, es —como dice Merleau-Ponty— «la inquietante existencia del otro». Así aparece, en este libro de Onetti, y principalmente en «El álbum», en «El Caballero de la Rosa» y en «El infierno tan temido», en forma cada vez más elaborada, la opacidad irremediable del hombre para el hombre.

Dicha perspectiva está confirmada por la importancia, en la obra de Onetti, de personajes que son, ni más ni menos, testigos (quizá pueda decirse: mirones). La realidad se revela —o mejor dicho se rehúsa— por el intermedio de unos ojos, oídos, de un público en suma, el que prefigura al público de los lectores. Existe una especie de conciencia colectiva o de coro antiguo que refleja y comenta los acontecimientos. Creo que la invención de la ciudad de Santa María corresponde a esta necesidad mucho más que al afán de crear un paisaje urbano (el cual, sin embargo, se impone poderosamente), un escenario o inclusive un ambiente sociológico. Santa María representa una forma todavía indiferenciada de conocimiento, de curiosidad, de aproximación a lo real. La ciudad brumosa con sus cafés, sus plazas, sus salas de redacción, sus hoteles, sus bailes, manifiesta ya con una insistencia obsesiva la intuición de un secreto, de un misterio difuso. La comunidad, el grupo, Santa María en fin, se constituye sobre el sentimental vago de lo otro, de lo ajeno.

«Me juntaba con Guiñazú y hablábamos de la ciudad y de sus cambios, de testamentarías y enfermedades, de sequías, de cuernos, de la pavorosa rapidez con que aumentan los desconocidos.» En una primera instancia, es la Ciudad la que experimentaba —intrigada y ansiosa— la presencia en su seno de un elemento oscuro, extraño, inasimilado. Con el ciclo sanmariano, Onetti indica ese tema que no es solamente un tema de sicología social: el tema de la separación, de la incomunicación. Entonces el cuento se presenta como la comprobación pública de que el mundo y los seres son inexplicables. El cuento relata lo que la Ciudad descubre con asombro y temor, el cuento nace de la habladuría y el chisme. Esto aparece aquí en «El Caballero de la Rosa», en «El álbum» y hasta en «El infierno tan temido». La narración subjetiva en su modalidad más elemental, emana no de un Yo, sino de un Nosotros.

El Yo y el Otro

Pero de este Nosotros se destaca a veces un Yo más o menos cargado de importancia propia. Es el narrador. El relato, escrito en primera persona del singular, cuenta las experiencias y las reacciones de ese personaje que es en cierto aspecto una delegación del autor sin confundirse con él («El álbum», «El Caballero»). El autor le presta su voz, su estilo, pero el personaje tiene, sin embargo, las dimensiones de una creación literaria distinta, caracterizada. Este procedimiento es, *mutatis mutandis,* el que fue usado por Proust en *A la recherche du temps perdu.* Siendo el cuento la declaración de una conciencia singular, lógicamente va a recelar falta, suposiciones y oscuridades.

En «El álbum», el narrador interviene en la acción como protagonista, mientras que en «El Caballero» queda como mero espectador, apenas destacado del grupo de testigos conciudadanos. Pero en ambos casos Onetti opone a ese testigo más o menos privilegiado, un elemento ajeno, frente al cual el narrador expresará su curiosidad. En ambos casos, se trata de un encuentro, con el «extranjero» —extranjero para la ciudad, extranjero para la conciencia subjetiva—. El muchacho de «El álbum» vive una aventura con una mujer que llega un día a Santa María por la balsa: no se sabe quién es, inventa un juego amoroso en el que los dos amantes fingen haber viajado juntos en otros países. Después de que ella se va, el muchacho, al registrar el baúl que ha dejado en el hotel, descubre fotos de la mujer en Egipto, Escocia y California, que hacen reales las historias que le había contado, y al mismo tiempo la cubren de infamia.

Así, en este cuento, la «inquietante existencia del Otro», está sugerida a través de los juegos de la imaginación adolescente. El otro se escapa, no se sabe lo que en él es realidad o creación de nuestra fantasía, y esa ambigüedad fundamental del otro está muy bien figurada aquí por el doble juego de las fotografías, tema que anuncia el último relato del libro («El infierno tan temido»).

El cuento «Historia del Caballero de la Rosa y de la virgen encinta que vino de Liliput», aunque más rico en su invención, no presenta tal profundidad. Entre el Yo y el Otro (como diría Ionesco) o sea entre él (o los) narrador (es) y los protagonistas, la separación es radical. De modo que para sugerir la impresión del enigma, el autor tiene que usar recursos quizá más superficiales: por una parte la multiplicidad de las versiones, incompletas e hipotéticas, a través de las cuales se conoce a los protagonistas, y por otra parte el aspecto francamente grotesco y truculento de éstos —en particular de ella: una enana de perfectas proporciones—. El cuento vale por su gracia y humor, pero no evita el pintoresquismo.

El cuento titular del libro, el más perfecto (yo no vacilaré en hablar de obra maestra), y creo que muchos comparten esta opinión, revela en su estructura una evolución a la vez técnica y conceptual: ya no se oponen un narrador inquieto y un extranjero misterioso, sino que el autor entra inequívocamente en la conciencia de su héroe, que de un golpe surge como una personalidad autónoma y distinta. El cordón umbilical está cortado. Por cierto, esa técnica marca un regreso al procedimiento de «Mascarada»: la contigüedad de ambos subraya el parentesco. Pero basta con un rápido examen para comprobar la superioridad del último.

Risso, el protagonista de «El infierno tan temido», es a la vez sujeto y objeto del relato. Este está hecho en tercera persona. Pero el enfoque fundamental de Onetti no cambió: siempre se trata de la opacidad del ser para una subjetividad. Simplemente que esta noción se ha profundizado e interiorizado: el ser es oscuro dentro del propio individuo y para su propia conciencia. La forma del relato no debe engañarnos: la visión de Onetti penetra más lejos en la realidad mental individual. Ese personaje en la tercera persona es un poco para Onetti el equivalente de Swann para Marcel Proust: una especie de doble, no sin duda de su personalidad privada, pero sí de él como conciencia, como mirada interna.

Operación mágica

Desde luego que todavía existe en «Infierno» una distinción entre un Yo y un Otro: son Risso y su mujer, figura ausente en el tiempo actual del relato (está separada de él y viaja y se comunica con él por cartas: es una extranjera, ella también). Pero la verdadera relación es mucho más compleja. La separación, la extrañeza operan menos entre Risso y su mujer, actualmente, que entre este presente de ausencia y el pasado de la vida común, entre el presente de Risso y el pasado de Risso, entre Risso y Risso. El manejo del tiempo adquiere aquí un significado capital. Cada carta recibida (estos envíos son los momentos que puntúan el desarrollo del cuento), cada fotografía obscena mandada por la esposa rechazada remite a Risso a una imagen de la existencia de antes, de modo que esas fotografías son las imágenes de su pasado, son sus fotografías, y surge la evidencia de que la obscenidad es una región escondida y peligrosamente arrojada a la luz, de su propia personalidad, descubrimiento que lo impulsará al suicidio.

El relato aparece, pues, como la evocación de una zona oscura y horrible del ser, zona con la cual se comunica por medios más o menos mágicos (aquí las fotos). Escribir también es una operación mágica. Magia negra o exorcismo. En «Infierno» nos encontramos de nuevo con la «espantosa cosa negra» aludida en «Mascarada», pero en forma mucho más auténtica esta vez, ya que no se trata de un hecho deliberadamente escamoteado por el autor, sino del significado profundo de una existencia cuyos elementos manifiestos son conocidos por nosotros. Lo que se propone el lector ya no es, entonces, un acertijo, sino la búsqueda de una interpretación posible (aunque necesariamente incompleta) de las conductas de un ser.

Finalmente, si consideramos esos cuatro cuentos, no en el orden cronológico de su publicación respectiva, sino en el de su ubicación en el libro, nos damos cuenta de que esta disposición corresponde a un proceso de creciente profundización en la conciencia (y en el inconsciente). O, en otros términos, al surgimiento de una instancia cada vez más lejana y misteriosa de la vida subjetiva.

En «El Caballero» la conciencia no es mucho más que el «ojo de la cámara». La extrañeza está transferida hacia el exterior, en personajes pintorescos y graciosos. En «El álbum» ya aparece el tema de la conciencia individual mistificada, y en «Mascarada» trátase de una conciencia individual enajenada. Hay referencia a una «cosa negra», hueco oscuro en la existencia del sujeto. Ese elemento opaco que el sujeto no puede integrar, elemento morboso que perturba la actuación —lo que se expresa en el aspecto absurdo, incomprensible, del relato— sugiere la existencia de una vaga y antigua culpa.

El tema culmina en el último cuento. Aquí la conciencia ya no es una mirada asombrada e inquieta echada sobre el mundo. Es una figura terrible que surge del pasado para castigar. El cuento es una introducción al suicidio. No por casualidad este cuento dio su título al volumen entero. Ese «infierno tan temido» es el que cada cual recela en su existencia, dentro de sí mismo, y el camino de Onetti, en el presente libro, es un viaje al descubrimiento de este infierno, el viaje al extremo de la noche de Louis Ferdinand Céline.

Lo que quisimos indicar es que este camino se muestra no sólo en los temas (como «contenidos»), sino en la «forma» del relato. No es indiferente que la narración sea en primera o tercera persona, que el autor presente distintas versiones de los hechos, que el narrador en protagonista o no, que haya un Yo o un Nosotros, que los tiempos se mezclen. Un cuento es la utilización de estructuras determinadas, y en y por estas estructuras se comunica el mundo propio del autor.

Como lo hemos sugerido, hay en todo cuento, en tanto que género específico, la búsqueda de un secreto. En Onetti estamos descubriendo que este secreto es infernal. El infierno no siempre «son los demás», sino que puede ser, tal como para Risso, la evidencia de que, inexplicablemente, estuvimos equivocados. Onetti aporta un excepcional talento en la comprbación del error.

Nuevo regreso a Santa María, a la mentira piadosa y al peso de la desgracia

Luis Díez

Desde la publicación de *Juntacadáveres* (1964), Onetti ha estado empeñado en la creación de una nueva novela que, como dijo recientemente a Rodríguez Monegal, «va a ser fatalmente larga» [1]. La novela en preparación tendrá como *habitat*, una vez más, la onettísima ciudad de Santa María. El protagonista no será ya el apocalíptico y desarraigado Larsen, alias Junta o Juntacadáveres, pues Onetti nos lo dio por muerto al final de *El astillero,* sino un personaje muy anecdótico en su otro fracaso: el polizonte que supervisa el cierre del prostíbulo de Larsen y su expulsión de Santa María.

Entre tanto Onetti ha dado a la imprenta un nuevo cuento, *La novia robada* [2]. Este relato, cuya fecha exacta no he podido cons-

---

[1] E. Rodríguez Monegal, «Conversación con Juan Carlos Onetti», *ECO* número 119, marzo 1970, pp. 442-475.

[2] J. C. Onetti, *La novia robada y otros cuentos,* Montevideo: Centro Editor de América Latina, 1968.

tatar, debe ubicarse hacia 1967 ó 1968, y en cualquier caso posterior de *Juntacadáveres* por una serie de datos e incidentes que en él se contienen. *La novia robada* tiene también lugar en Santa María que ahora parece ser el escenario inevitable de toda la narrativa de Onetti, con características cada vez más recurrentes y familiares a los lectores de su obra anterior.

El tema, pues, de este estudio será el cometido de esa mítica ciudad en la obra global de Onetti no sólo por cuanto sintetiza lo más acusado de su temática y *modus operandi* narrativo, sino también porque a través de esta constante podemos analizar el posible grado de interacción que existe en los cuentos y relatos de este autor, por una parte, y las novelas, por la otra.

Una doble consideración sirve de módulo directriz a este estudio: la versatilidad creadora de Onetti que conjuga felizmente los tres estadios citados del arte narrativo, y la idiosincrasia de su obra que, continua e irrevocablemente, solapa y articula unos relatos con otros, hasta constituirlos en una especie de ingente mural cuyos verdaderos límites no son los de un vasto recinto, sino un conglomerado de estancias comunicadas entre sí. Su visión de conjunto sólo podrá lograrse siguiendo un curso itinerante de muy irregular trazado y aún más difícil cartografiado. A esto creo que se refería Mario Benedetti cuando escribió:

> ... la creación de un trozo de geografía imaginaria, que, aunque copioso en asideros reales, pudiera surtir de nombres, episodios y personajes...
>
> Una compilación codificada de todas las novelas de Onetti revelaría que aquí y allá se repiten nombres, se reanudan gestos, se sobreentienden pretéritos. Ningún lector de esta morosa saga podrá tener la cifra completa, podrá realizar la indagación decisiva, esclarecedora, si no recorre todas sus provincias de tiempo y de lugar, ya que ninguna de tales historias constituye un compartimiento; siempre hay un nombre que se filtra, un pasado que gotea sin prisa... [3].

Y algo más adelante el mismo autor apuntala este juicio con un retador vaticinio:

> Presumo que, para algún erudito de 1990, representará una desafiante tentación el relevamiento de un índice codificado que incluya todos los personajes onettianos, sus cruces y relaciones, así como las anécdotas de cada novela que aparecen imbricadas en las demás [4].

Si bien 1990 anda aún un poco distante y esa retadora labor de cartografía no pueda de verdad emprenderse hasta ese aciago

---

³ Mario Benedetti, *Literatura uruguaya siglo XX*, Montevideo, Alfa, 2.ª ed., 1969, p. 135.

⁴ *Ibid.*, p. 146.

momento en que Onetti dé por terminada su obra impresa (aunque siga como Rulfo escribiendo, pero no publicando) o, al decir de Jitrik sobre Quiroga, «se retire del mundo», los datos que el nuevo cuento contienen son de por sí demasiado sugestivos como para no anticipar tan codicioso trabajo con una primera cala tentativa. A este fin hemos de asumir la existencia de un plan maestro o «macro-argumento» que al entrocar la entera narrativa de Onetti —cuentos, relatos y novelas— nos entregaría las claves que conllevan las distintas apariciones de Díaz Grey, de Jorge Malabia y, especialmente, de Larsen, por sólo citar sus principales personajes. Otro tanto podría decirse de la mítica Santa María, o de los temas centrales y comunes a todas las novelas, relatos y cuentos: la soledad, el fracaso, la venganza, las penas secretas, la piedad nihilista y la castrada ternura, los destinos paralelos, el juego de *doppelgänger* o personalidades múltiples cuyo eje de basculación es el «narrador-observador», ese *Onetti-Sombra* del *Onetti-Ficción*.

Nuestro punto de arranque ha de ser necesariamente *La vida breve* (1950), que, en un doloroso y complejo parto de matices unamunianos y pirandellianos, pone en marcha el mundo de Santa María y a un puñado de inefables personajes sanmarianos. Su difícil lectura nos ha hecho perder de vista el premeditado plan maestro de Onetti con respecto a su obra posterior, que no sólo arranca de las lucubraciones y forcejeos de Juan María Brausen, sino que frecuentemente retorna a ellos en completa anarquía cronológica, como claramente nos demuestra el nuevo cuento *La novia robada* y lo poco que sabemos de la novela ahora en gestación.

Desarrollo de la saga sanmariana

La fundación de Santa María para la geografía platense es un hecho harto comentado por los exégetas de la obra de Onetti. Tiene lugar en el segundo capítulo de *La vida breve*, cuando Brausen en medio de sus delirios nocturnos se ve asaltado por el chispazo de una idea para un guión cinematográfico.

> No estoy seguro todavía, pero creo que lo tengo, una idea apenas... Hay un viejo, un médico, que vende morfina. Todo tiene que partir de ahí, de él. (...) El médico vive en Santa María, junto al río. Sólo una vez estuve allí, un día apenas, en verano; pero recuerdo el aire, los árboles frente al hotel, la placidez con que llegaba la balsa por el río. Sé que hay junto a la ciudad una colonia suiza [5].

---

[5] J. C. Onetti, *La vida breve,* Buenos Aires, Sudamericana, 1968, pp. 1718.

El guión no llegará a ultimarse, ni siquiera «esa página o dos» que salvarían a Brausen de su naufragio existencial, del peso de la desgracia que ha de anegarlo. La ciudad, en cambio, se va haciendo más cierta, más real y completa a medida que él va perdiendo sus últimos asideros con la realidad. El proceso de gestión es sin duda uno de los fenómenos más interesantes que desde Cervantes se han dado en la literatura cuando quiera que el personaje-autor se nos presenta en dramático conflicto entre su propio creador y la obra que él intenta crear. La lucha de Brausen por mantener control sobre Díaz Grey, Elena Lagos y Santa María es a la vez el mecanismo que mueve la trama de toda esta novela y la causa final de su propio aniquilamiento.

Hacia el fin del relato, Brausen no sólo es un personaje tributario de Santa María y sus protagonistas, sino que increíblemente toma el puesto de espectador de los dramáticos sucesos que van a ocurrir en esta ciudad, años después. El episodio acontece cuando Brausen, acompañado por Ernesto, visita personalmente Santa María («había sido feliz allí, años antes, durante veinticuatro horas y sin motivo»), huyendo de la muerte de *La Queca*. Desde un comedor en el piso alto del restaurante, Berna, Brausen observa la escena que tiene lugar, abajo, en un comedor independiente. Los personajes de esta especie de *tableau* fantasmagóricos, cuyos rostros apenas se distinguen entre el humo de los cigarrillos y la pobre iluminación son así descritos por Brausen:

> Había una mujer vestida con un traje sastre gris, corpulenta..., de unos treinta y cinco años; entraba y sacaba los dedos de un plato con uvas, los sostenía frente a sus ojos ... la otra mano estaba sobre la mena, sujeta por un muchachito rubio que miraba sin pausa las demás caras, serio y en guardia (...). A su izquierda estaba sentado un hombre pequeño y grueso, con la boca entreabierta, estremecido el labio inferior al respirar; la luz caía amarilla sobre su cráneo redondo, casi calvo, hacía brillar la pelusa oscura, el mechón solitario aplastado contra la ceja. Más hacia mí, exactamente debajo de mi silla, se movían un par de manos flacas, unos hombros débiles cubiertos por una tela azul oscuro; la cabeza de este hombre era pequeña y el pelo estaba húmedo y en orden. Otro, invisible, debía de estar de pie junto a la cortina de separación, detrás del hombre del traje azul; oí su risa, vi las miradas de los demás vueltas hacia él (...). Había otro hombre junto a la cortina de entrada, un viejo que avanzó renqueando y con el sombrero puesto (...). Tenía acento español, una manera irónica de demorarse las palabras en la garganta; pasó detrás del gordo cabizbajo que continuaba meciéndose [6].

Esta escena, por si el lector aún no lo ha adivinado, corresponde a un momento bastante más posterior de la historia de Santa María;

---

[6] *Ibid.,* p. 272.

un momento además crucial para algunos de estos personajes. Bastaría ahora citar las primeras palabras de diálogo del viejo «con acento español», para entregarnos la clave del momento y su ubicación dentro de la narrativa sanmariana.

> —Vamon a ver, dijo un ciego. Usted, Junta, todo esto ya lo ha dicho hasta la reproducción; está fatigando a la señora y al doctor y en nada puede ayudar [7].

Con esta referencia podemos fácilmente ya identificar esas figuras borrosas, que en orden de aparición son: María Bonita, Jorge Malabia, Larsen, Díaz Grey y el viejo español Lanza. Intencionalmente he dejado fuera al hombre invisible tras la cortina, por ser precisamente el protagonista (agonista sería más apropiado) de la novela que Onetti tiene en curso. Su nombre no se menciona en esta visión *trailer* de *La vida breve,* que anticipa otra casi exacta que tendrá lugar en el capítulo anteúltimo de *Juntacadáveres,* muchos años después. Allí sí aparece:

> —Bueno, dijo Medina. A la una salimos para la estación. Ya no falta mucho [8].

Esta es una de las pocas diferencias que separan ambos pasajes, a catorce años de distancia en su publicación. La idea antes apuntada de un vasto esquema *a priori,* de un meta-argumento, es insoslayable. En efecto, de esta escena se desgajan al menos cinco relatos posteriores de Onetti; todo ellos teniendo Santa María como ambiente y a estos personajes como protagonistas. A saber:

> María Bonita: *Juntacadáveres* (1964).
> Jorge Malabia: *Juntacadáveres,* «El álbum» (1962), *Para una tumba sin nombre* (1959).
> Larsen: *Tierra de nadie* (1941), *Juntacadáveres* y *El astillero* (1961).
> Díaz Grey: *La casa en la arena* (1951), «Historia del Caballero de la Rosa» (1962), «El álbum», *Jacob y el otro* (1961), *El infierno tan temido* (1962), *Para una tumba sin nombre, Juntacadáveres, El astillero* y *La novia robada* (1968).
> Lanza: «Historia del Caballero de la Rosa», *El infierno tan temido* y *Juntacadáveres.*
> Medina: *Juntacadáveres* y la novela en gestación.

Contando *La vida breve* y la novela en preparación, pero excluyendo *Tierra de nadie* por ser sólo aplicable al pasado de Larsen, bien podemos decir que los títulos arriba alistados, en una clasifi-

---

[7] *Ibid.,* p. 272.
[8] J. C. Onetti, *Juntacadáveres,* Madrid, Revista de Occidente, 1969, página 233.

cación que corresponde a los personajes de esa escena «duplicada» en el Berna, constituyen la saga onettiana de Santa María. En total: 11 de los 18 relatos publicados por Onetti desde 1950. No se descarta la posibilidad de que algún otro título, como *La cara de la desgracia,* sea ubicable en este área narrativa de Onetti; ciertamente su anónimo narrador bien pudiera resultar el ubicuo doctor Díaz Grey.

El resto de la comparsa sanmariana, de los Bergner y Petrus hasta la Moncha de *La novia robada,* pasando por los más anecdóticos Vázquez, Rita, Guiñazú, Barthé, su mancebo-manceba y Tito, están embebidos en esos títulos, especialmente en *Juntacadáveres.* Es a esta novela, sin duda, lo más logrado de Onetti en largometraje narrativo que hemos de referirnos al analizar *La novia robada.* Ambas constituyen los polos extremos de un ciclo existencial para muchos de los personajes de la saga sanmariana: saga de insolidaridad, desgaste, enajenación y acabamiento.

Santa María, veinte años después

La cuestión temporal que suscitan los relatos de Onetti es una de las más apasionantes y complejas de su narrativa. Estos veinte años a que ahora nos referimos son un hito foráneo al orden intrínseco del mundo sanmariano y sólo alude a nuestra contabilidad del orden de aparición de las obras de Onetti.

Su verdadera cronología es una prueba más de ese premeditado macro-argumento que presumíamos: vasto esquema esotérico, desconcertante, que sitúa *El astillero,* de 1961, en un momento posterior a *Juntacadáveres,* publicado tres años después, y los relatos *Para una tumba sin nombre,* de 1959, y *El infierno tan temido* y *El álbum,* ambos de 1962, en el futuro de *Juntacadáveres* y *El astillero.*

En justa armonía con el ambiente esclerótico, tenebroso y oprimente de Santa María, nuestros puntos de referencia para la ordenación cronológica de los hechos vienen a ser las muertes, las tragedias y los eclipses humanos. Mencionemos los más recurrentes. El fallecimiento de Federico Malabia y su secuela de locura y muerte en su mujer, Julita Bergner, gravitan sobre los eventos en *El álbum, Para una tumba* y *Juntacadáveres.* Los otros dos Bergner, Marcos y el sacerdote, dejan sentir ecos de su desaparición en *Para una tumba*

> —Comparamos —nosotros, los veteranos— las actuaciones del difunto padre Bergner con las de su sucesor, este italiano, Favieri... [9].

---

[9]   J. C. Onetti, *Cuentos completos,* Caracas, Monte Ávila, 1968, p. 168.

y *El astillero*

> —Tal vez haya esperado (Larsen) a Marcos y sus amigos... [10].
> —... ¿Sabe que el padre Bergner murió? (Díaz Grey).
> —Lo leí hace tiempo. ¿Lo habían ascendido, no? Creo que le dieron otro puesto en la capital de la provincia (Larsen) [11].

Sendos jalones de orientación son el cierre del prostíbulo («la casa celeste en la costa») y la ruina del emporio económico del viejo Jeremías Petrus. En *El infierno tan temido* leemos estas referencias a ambos hechos:

> —... una de la docena que había comprado Specht —por el precio que quiso, pero al contado— al viejo Petrus, cuando se inició la parálisis del astillero... [12].
> — Los pobladores antiguos podíamos evocar entonces la remota y breve existencia del prostíbulo, los paseos que habían dado las mujeres los lunes.

que sitúan el relato en un momento posterior a *Juntacadáveres* y, probablemente, también a *El astillero*. Otro tanto sucede con *Para una tumba,* relato definitivo y muy definitorio tanto en temática como en la estructuración del microcosmos sanmariano, por reunir en él muchos de los hilos desperdigados en las negras frondas de *Juntacadáveres.* Aquí, a través de las conversaciones entre Jorge Malabia y Díaz Grey, nos es dado conocer ciertas ramificaciones del tiempo.

> Yo tenía dieciséis, era virgen; por entonces acababan de instalar el prostíbulo en la costa.
> En aquel tiempo, el del prostíbulo y la viudez de mi cuñada, Rita era amante de Marcos, el hermano de Julita... Marcos venía de noche, siempre borracho, con el Alfa Romeo, ella le abría la puerta y se acostaban... En aquel tiempo estaba casi todas las noches en mi dormitorio, escribiendo poemas, pensando en el prostíbulo, en Julita y la muerte de mi hermano (...).
> Después ella se fue de casa, en seguida de la tarde en que usted y otros hombres vinieron a mirar lo que quedaba de Julita, en seguida después del fin del prostíbulo, la pedrea y el incendio... Viajó un tiempo... desde... el famoso falansterio, hasta la altura de la plaza [13].

El tiempo ha pasado en forma específica. Jorge tiene ya veintidós años y ha de cumplir veinticinco («Estaba en la edad del miedo,

---

[10] *Ibid.,* p. 13.
[11] J. C. Onetti, *El astillero,* Buenos Aires, C.ª General Fabril Editora, 1969, página 85.
[12] *Cuentos completos, ibid.,* pp. 64 y 73.
[13] J. C. Onetti, *Novelas cortas,* Caracas, Monte Ávila, 1968, pp. 188-189.

se protegía con dureza e intolerancia») antes del fin de la historia. En el mundo exterior tiene lugar la Guerra de Corea, pero los sanmarianos parecen inmutables al paso del tiempo.

> Esta ciudad me enferma. Todo. Viven como si fueran eternos y están orgullosos de que la mediocridad no termine. Hace apenas una semana que estoy, y bastó para que no lo reconociera, para olvidarme que con usted es posible hablar [14].

Muy reveladoras esas últimas palabras de Jorge Malabia, que nos entregan otra clave importante. El doctor Díaz Grey, con quien todo empieza, incluso la «ciudad maldita», es justamente el personaje más constante en la saga sanmariana, y siempre, excepto en *La casa en la arena* y la novela matriz *La vida breve,* en una capacidad de observador —no pocas veces de narrador-observador—, de conciencia ubicua de los sucesos sanmarianos. Lanza puede ser el cronista de la villa, como le dice a Jorge en un momento crucial de *Juntacadáveres* (cap. XVI), pero el pequeño doctor es más que un *doppelgäanger,* más que un *alter ego* de Onetti. Díaz Grey, con su cinismo y su amarga sabiduría, es Juan Carlos Onetti, o lo más cerca que cualquier personaje pueda acercarse al novelista.

El nuevo cuento, *La novia robada,* acabará por despejar todas las dudas que queden sobre la andatura moral de Díaz Grey.

El otoño de nuestro descontento

«En Santa María nada pasaba, era en otoño, apenas la dulzura brillante de un sol moribundo, puntual lentamente apagado.» Así, con esta nota de suave melancolía entramos en los sucesos de *La novia robada.* Pocas líneas después nos invade el desconcierto por lo que respecta a la identidad y naturaleza del narrador.

> Sin constantes, aquel otoño que padecí en Santa María nada pasaba hasta que un marzo quince... llegó la hora —por qué maldita o fatal o determinada o ineludible—, hasta que llegó la hora feliz de la mentira y el amarillo se insinuó en los bordes de los encajes venecianos.

Moncha regresó ese quince de marzo a Santa María. ¿Se acuerdan de Moncha? Probablemente no, y más probablemente les desconcertará el «falansterio», institución del pasado sanmariano con la que la vida de Moncha está muy ligada. Sin embargo, hay todo un capítulo sobre este tema en *Juntacadáveres* (el citado XVI) y

---

[14] *Ibid.,* p. 210.

hay un personaje, el viejo Lanza, que incluso tiene por ahí escrita una historia del mismo: «Introducción a la Verdadera Historia del Primer Falansteria Sanmariano.» Y, como le explicará a Jorge, era:

> Bueno, una comunidad cristiana y primitiva basada en el altruismo, la tolerancia, el mutuo entendimiento [15].

Pero, poco después, los falansterianos de Santa María («Eran seis, al principio, todos ricos y jóvenes. Dos matrimonios, Marcos y Moncha») se desviaron de estos ideales cristianos para practicar una primitiva y «altruista» promiscuidad, causa por la que:

> ... a los seis meses y veintitrés días la vasquita Insurralde disparó del falansterio en un caballo robado, tocó Santa María... y se fue a la capital buscando un barco que la llevara a Europa.

Esta es, pues, Moncha que ahora regresa a Santa María. Nos lo dice ese narrador que abre el relato anónimamente y en primera persona, pero que a poco nos advierte sin más ambages:

> Por astucia, recurso, humildad, amor a lo cierto, deseo de ser claro y poner orden, dejo el yo y simulo perderme en el nosotros. Todos hicieron lo mismo. Porque es fácil la pereza del paraguas de un seudónimo, de firmar sin firma: J. C. O. Yo lo hice muchas veces. Es fácil escribir, jugando; según dijo el viejo Lanza o algún irresponsable nos dijo que informó de ella... [16].

Algo ha cambiado en los módulos narrativos de Onetti. El estilo mismo se ha hecho más poemático —si es que esto parece posible— y a la vez más abierto: quizá a expensas de la hermética metáfora y el demoledor zeugma tan típicos de la prosa onettiana. También se ha abierto cierto hieratismo del mundo sanmariano, contorneado siempre de situaciones y contextos *a clef.*

Es así que nos enteramos de la descomposición última del boticario Barthé, aquel «apóstol de los prostíbulos sanmarianos», como pensó Díaz Grey. Barthé jugó con fuego, con aquel mancebo-manceba a quien conocimos ayudándole con sus herbolarios en *Juntacadáveres,* y ahora, gordo y asmático,

> ... en retirada histérica con estallidos tolerados y grotescos, no era ya concejal, no era más que el diploma de farmacéutico sucio de años y moscas que colgaba detrás del mostrador... [17].

---

[15] *Juntacadáveres, ibid.,* p. **129.**
[16] *La novia robada, ibid.,* p. **9.**
[17] *Ibid.,* p. **20.**

va a jugar su última baza, de nigromante absurdo, y contribuir a la
mentira piadosa de los tres últimos meses de Moncha, «vestida
siempre y con el olor y aspecto de eternidad... con el vestido de
novia que le había hecho en la Capital Mme. Caron».

Moncha ha visitado a Díaz Grey —siempre dispuesto a las confidencias— para hablarle de su boda con Marcos Bergner que ofi-
ciaría el propio padre Bergner. Pero ya sabíamos, y el doctor,
J. C. O., ahora nos lo dicen, que el padre Bergner había muerto
«en sueño dos años antes»; y más aún, «Marcos había muerto seis
meses atrás, después de comida y alcohol, encima de una mujer».

El inevitable Díaz Grey, el delegado sanmariano de Onetti, nos
va a llevar como testigo, actor y relator, por todas las fases de una
nueva cobardía sanmariana; como lo hiciera con Jorge en el caso
de Rita y con Larsen en el de Petrus y su hija anormal. No olvide-
mos su aviso inicial: «esta historia ya había sido escrita y también,
lo que importa menos, vivida por otra Moncha en el sur que libe-
raron y deshicieron los yanquis, en algún fluctuante lugar del Brasil,
en un condado de una Inglaterra con la Old Vic». Entonces no ha
de sorprendernos que paralele el extraño comportamiento de Moncha
con el de Julita Bergner y, al hacerlo, nos lo presente retrospectivamente clarificado:

> Otra loca, otra dulce y trágica loquita, otra Julita Malabia en
> tan poco tiempo y entre nosotros, también justamente en el centro de
> nosotros y no podemos hacer más que sufrirla y quererla [18].

¿Hay alguna alternativa —razona el narrador— a «nuestra buena
voluntad» y «nuestra bien medida hipocresía»? No nos extrañemos,
los artículos están bien usados: «nosotros», «nuestra», pues estamos también involucrados. El narrador bien nos advirtió cuando
puso al principio las cartas sobre la mesa: «todos nosotros, nosotros,
la ayudamos, sin presentir ni remordernos, a hundirse en la breve
primera parte», esperando que subiera al tren, se marchara, «no
volver a verla».

Moncha Insurralde, como Julita antes, sí encontró la alternativa.
Y un día de sol del otoño sanmariano «se echó a morir, se aburrió
de respirar». No hubo autopsia, porque el médico lo prefirió así,
parte por amor absurdo, parte por lealtad inexplicable y en beneficio
de «la hipocresía de la posteridad». Por eso, por tratarse de Díaz
Grey, escribió en el acta de defunción:

> Estado o enfermedad causante directo de la muerte: Brausen, Santa
> María, todos ustedes, yo mismo.

---

[18] *Ibid.,* p. 13.

Diosbrausen y él

Estos extraños y abrazadores desdoblamientos del sujeto narrador, torpemente arriba explicados en lo que respecta a Díaz Grey y su correspondencia con el mismo Onetti, suscitan aquí nuevas dosis de sospecha. La pregunta que a mí me asalta concretamente es: ¿Qué significado viene dando Onetti a Juan María Brausen en toda la saga sanmariana?

Mis tentativos rastreos arrojan un perplejo balance al que el, nuevo relato aporta escasa claridad. He aquí algunas muestras de las muy esporádicas apariciones de Brausen no como persona, sino como algo que oscila entre el símbolo y la divinidad:

> Sabemos que a las diez o a las cuatro desfilamos todos nosotros... por un costado de la plaza Brausen... [20].
>
> Se supo que dejaron la coronita, entre bromas de niños y alguna pedrada, al pie del monumento a Brausen [21].
>
> ... pero las otras tres comidas las hacían en la casa de Specht, frente a la plaza vieja, circular, o plaza Brausen o plaza del Fundador [22].

Estas tres citas, correspondientes a relatos sanmarianos publicados entre 1959 y 1962, contienen un común denominador: la idea de Brausen, sobre su pedestal de fundador, en una plaza principal de Santa María. Al pasar a las dos novelas sanmarianas encontramos esta idea a la vez amplificada y mistificada.

En *El astillero*, Larsen se detiene junto a esa estatua, en su camino a la prisión para ver a Petrus, situada en una plaza circular, la Plaza Vieja.

> Miró la estatua y su leyenda asombrosamente lacónica, BRAUSEN - FUNDADOR *(sic)*, chorreada de verdín.

Nada más. Larsen entra a la prisión, y el lector se encuentra con un párrafo largo, entre paréntesis, que corresponde a un nuevo narrador, en primera persona.

> (Cuando se inauguró el monumento discutimos durante meses, en el «Plaza», en el «Club»... la vestimenta impuesta por el artista al héroe «casi epónimo», según dijo en su discurso el gobernador. Esta frase debe haber sido sopesada cuidadosamente: no sugería en forma clara el rebautizo de Santa María... Fueron discutidos: el poncho...

---

[20], [21] y [22] Estas citas corresponden, respectivamente, a los siguientes relatos en la edición ya mencionada de *Cuentos completos,* a saber:
— «Para una tumba sin nombre», p. 168.
— «Jacob y el otro», p. 128.
— «Historia del caballero de la Rosa», p. 65.

las botas... la chaqueta, por militar; además, el perfil del prócer, por semítico; su cabeza... por cruel, sardónica... el caballo, por árabe y entero. Y, finalmente, se calificó de anti-histórico y absurdo el emplazamiento de la estatua, que obligaba al Fundador a un eterno galope hacia el sur, a un regreso como arrepentido hacia la planicie remota que había abandonado para darnos nombre y futuro) [23].

En *Juntacadáveres,* capítulo XXX, el doctor Díaz Grey se asombra del paso del tiempo en relación al desarrollo de la ciudad y aumento de su población: «Y no puede ser porque no hace tantos años que Brausen me trajo a Santa María.» Líneas más abajo debe aceptar el hecho consumado e incontrovertible de que a esos jóvenes quinceañeros, que ahora contempla en Ville Petrus, los había ayudado a nacer.

He aquí, una vez más, la coexistencia de dos sistemas temporales en el discurrir histórico de Santa María: mítico, uno (Brausen remontado a héroe decimonónico independentista); actual, el otro (los quince años de esos adolescentes, aquí; el progreso de Jorge de los dieciséis a los veinticinco, en otro relato).

Hay todavía otro pasaje en esta misma novela que duplica la mistificación en torno a Brausen, a la vez que nos lleva hacia otro cauce de encuesta. En un momento del capítulo XX, ocupado en describirnos el creciente militarismo de las «fuerzas vivas» contra el «prostibulito» de Junta (como dirá Lanza más tarde), se hace como un aparte en la narrativa y un nuevo, misterioso, narrador toma la palabra.

> De todo esto hace años, ya se sabe. Ahora podemos creer, al evo-
> carlos, que estamos viendo a Santa María y a sus habitantes, tal como
> eran y no como nosotros los vimos entonces.

Sigue una corta descripción topográfica de Santa María, como a vista de pájaro, para enseguida devolvernos el contacto con ese narrador:

> Y, sin embargo, ahora, al contar la historia de la ciudad y la Co-
> lonia..., aunque la cuente para mí mismo, sin compromiso con la
> exactitud o la literatura, escribiéndola para distraerme, ahora, en este
> momento, imagino que hay un cerro junto a la ciudad y que desde
> allí puedo mirar casas y personas, reír y acongojarme; puedo hacer
> cualquier cosa; pero es imposible que intervenga y altere [24].

Este ubicuo y distanciado narrador propone en los párrafos siguientes un juego de alternativas con respecto a la ciudad. Además

---

[23] *El astillero, ibid.,* p. 161.
[24] *Juntacadáveres, ibid.,* pp. 156-158.

de esta posición de imparcialidad ya descrita («es imposible que intervenga y altere»), nos brinda otra totalmente ficcional: «También imagino a Santa María, desde mi humilde altura, como una ciudad de juguete...» Su estado anímico en este caso es de aburrimiento, debido a «su casi invariable reiteración». Invadido por el desánimo, aburrido, acaricia la idea de la no existencia.

> Cuando el desánimo debilita mis ganas de escribir —y pienso que hay en esta tarea algo de deber, algo de salvación— prefiero recurrir al juego que consiste en suponer que nunca hubo una Santa María ni esa Colonia, ni ese río.

Hasta aquí el razonamiento es más o menos lúcido, e incluso tradicional dentro de las disyuntivas existenciales que a todo autor plantea su obra. Mas luego llegamos a un tercer estadio, en el que el propio argumentador se ve prendido en la trampa de sus razones.

> Así, imaginando que invento todo lo que escribo, las cosas adquieren un sentido, inexplicable, es cierto, pero del cual sólo podría dudar si dudara simultáneamente de mi propia existencia.

La cuestión se zanja finalmente con la aceptación de la entelequia, en modo no muy distante o distinto al pensamiento ambivalente de César Vallejo sobre la miseria humana: nos aflije el hombre en su proclividad perversa y destructiva, pero hemos de aceptarlo porque él está también en nosotros.

Ahora sí podríamos concluir el sofisma onettiano con cierta lucidez. Este Brausen (¿quién otro pudiera ser?), narrador-oservador-autor-FUNDADOR, no puede limitarse a dar a ese jirón de paisaje una indudable concreción («Hay que dar una forma a las nubes bajas que derivan sobre el campanario de la iglesia...»), sin hacer lo mismo con los seres que habitarán esa franja junto al río.

> ... hay que repartir mobiliarios disgustantes, hay que aceptar lo que se odia, hay que acarrear gente, de no se sabe dónde, para que habiten, ensucien, conmuevan, sean felices y malgasten. Y, en el juego, tengo que darles cuerpos, necesidades de amor y dinero, ambiciones disímiles y coincidentes, una fe nunca examinada en la inmortalidad y en el merecimiento de la inmortalidad; tengo que darles capacidad de olvido, entrañas y rostros inconfundibles.

Se decía al principio de este trabajo que siempre habremos de volver al punto de partida, *La vida breve,* para un entendimiento más satisfactorio de la saga, si bien nunca completo, pues nos siguen faltando piezas y claves. Allá, en la novela matriz, se encuentra también toda una disquisición sobre el tema de «la eternidad» y, por ende, «la inmortalidad», que nos perdería por procelosas aguas de búsqueda si es que nos da por considerar la posibilidad de un estoicismo cristiano en la novelística de Onetti.

También se sugería que el cuento inédito, *La novia robada,* proyectaba una cierta claridad sobre el mundo sanmariano que ya conocíamos. Me apresuro a creer que esto es cierto en cuanto a la compleja naturaleza del narrador y el problema de identidad que venía planteando el binomio Brausen-Díaz Grey. Así, al morir Moncha, la narración cambia momentáneamente de foco, para asegurarnos:

> Y fue entonces que el médico pudo mirar, oler, comprobar que el mundo que le fue ofrecido y él seguía aceptando no se basaba en trampas ni mentiras endulzadas. El juego, por lo menos, era un juego limpio y respetado con dignidad por ambas partes: Diosbrausen y él [25].

Pero tratándose de Juan Carlos Onetti, todo ha de quedar en mera probabilidad posible, prescindible, variable y contradictoria.

---

[25] *La novia robada, ibidem,* p. 28.

Juan Carlos Onetti:
pistas para sus laberintos

Carace Hernández

Ubicación histórica del escritor

Tratándose de un escrito *desarraigado* parecía irrelevante, a primera vista, emprender la tarea de situarlo en la historia, y no sólo la simplemente literaria, de su país de origen y vecindades donde transcurren su vida y obra.

Sin entrar a discutir eficacias y valideces de métodos críticos, consideramos conveniente darle una ubicación de época, a fin de lograr una mejor comprensión de sus *constantes (leifmotivs,* preferencias, giros idiomáticos y hasta manías que siempre se dan en los literatos cuando son verdaderos y que van definiendo su sistema, su estilo y su personal manera de conocer y re-presentar), sus influencias, su linaje estético y su expectativa de permanencia en el mundo y en la historia de las letras.

Nacido el 1 de julio de 1909, Juan Carlos Onetti empezó a publicar hacia 1939 a corta distancia, pues, de la sangrienta definición española *(El pozo,* Ediciones Signo de Casto Canel y Juan

Cunha). Era el año trágico de la segunda guerra mundial y, en lo nacional, el año de salida de la dictadura, un accidente político no tan sorprendente ni traumatizante para el pueblo como para la *inteligencia* política y cultural. A la sombra de esos años malos el país cultural se agrisó y grandes grupos de literatos se deslizaron, decidida y gozosamente, por el voluptuoso y cómodo tobogán de la ramplonería y el desentendimiento evasivos, supletorios del disgustante vacío nacional.

En el país donde nunca pasaba nada, la vez que pasó algo resultó antiheroico, burocrático, chocante y desagradable para la élite cultural que, salvo excepciones (Francisco Espínola, Juan Cunha, Enrique Amorim, Álvaro Figueredo, José Pedro Bellán) se decretó mansamente sin resto ni entereza como para encarar la obra de creación inédita y originial que el momento histórico si no exigía o necesitaba, por lo menos, permitía, viabilizaba y hasta sugería, y se dispuso a restañar sus heridas entre los asépticos algodones del cosmopolitismo.

Ese fue el año de arranque de Onetti, por los treinta de su edad, el que siguió efectuando su presentación durante el auge de la alianza mundial antifacista de que el Uruguay formó parte expectante. Si bien, como todo creador, supo marginarse de las corrientes arrebañadoras y realizarse en la soledad fecunda leyendo a Faulkner, Hemingway, Celine, Dos Passos, no podía dejar de experimentar la incesante presión que la catarsis mundial ejercía sobre la humanidad con su profundo significado de revulsivo universal. *El pozo* fue un gesto de rebeldía desesperada e inidónea contra este estado de cosas. Se terminó de imprimir a mediados de diciembre de 1939 en papel de embalar (ahora una verdadera curiosidad para bibliómanos), pues Uruguay era también un pozo editorial. La obra traduce, entre sueños erótico-evasivo-aventureros (Alaska, la taberna, el Sheriff, el Rojo), una preocupación, no por soslayada menos concreta, por los inminentes principios de la hecatombe.

(«Bajé a comer. Las mismas caras de siempre, calor en las calles cubiertas de banderas y un poco de sal de más en la comida. Conseguí que Lorenzo me fiara un paquete de tabaco. Según la radio del restaurante, Italia movilizó medio millón de hombres hacia la frontera con Yugoslavia; parece que habrá guerra.»)

Poco tardó Onetti en salir del pozo trasladándose a Buenos Aires, donde realizó la mayor y más orgánica parte de su obra concentrando y haciendo vivir sus personajes en el mítico pueblo de Santa María (no tan equivalente al faulkneriano condado de Yoknapatawpha, cumpliendo, tal vez, con el precepto de William Faulkner de que el escritor debía ocuparse de un sector de la gente que conocía íntimamente y escribir acerca de esas cosas en forma derallada. La Argentina de los años 40 no estaba ni cualitativa ni espiritualmente mucho mejor provista que su Uruguay contemporáneo; no obstante, lo que, por impaciencia promocional, se dio en llamar la «generación del 40». Seguía señoreando Borges, aparecían Bioy Casares, Sábato, Mujica, se afirmaba Mallea —en el 40 se editó *La bahía del silencio*— a quien Onetti admiró. A poco andar, especiales acontecimientos políticos enervaron todo posible movimiento orgánico de la intelectualidad argentina.

No existiendo, entonces, en la babélica Buenos Aires otra cosa que un medio ambiente propicio a la espesura existencialista, el pesimismo de Onetti, ya definitivamente incorporado a su naturaleza a raíz de su experiencia uruguaya, halló en el trasplante su *paraíso ansiado* en el que explayarse. Con él anega su mundo exterior y vivencial, agrisando sus relatos y negándose a otra salida que no sea el suicidio, la degradación, el asesinato, la cárcel, la ezquizofrenia para los desdichados habitantes de sus labrados laberintos.

A pesar de su repatriación que data de varios años, su escepticismo y su desvinculación del Uruguay histórico y temporal pueden suponerse confirmados previa aclaración de que el escritor, en modo alguno, ha terminado su ciclo.

Algunas constantes

Santa María. Sus habitantes.—Las criaturas de Onetti, muchas de ellas sin datos filiatorios y hasta alguna que pese a protagonizar la obra no llega a debutar *(Para una tumba sin nombre),* son seres acorralados en momentos límites, despojados de las superficialidades con que se revisten los hombres en situaciones normales (en *Los adioses,* por ejemplo, dos mujeres vinculadas al moribundo no tienen otra alternativa que coincidir en el mínimo pueblo serrano donde éste distrae su enfermedad porque la cercanía de la muerte obliga a la concentración y a la autenticidad y no deja tiempo para el disimulo y la hipocresía).

La mayoría de ellos actúa en Santa María, una enclenque ciudad provinciana que sirve de escenario y de purgatorio y que sintetiza todas las limitaciones trágicas del hombre (la ignorancia, la miseria, la vanidad, la demencial evasión de una realidad tan estrecha que quita todo punto de apoyo y descentra lenta, pero seguramente a quienes la sufren hasta llevarlos al sonambulismo, la esquizofrenia, la degradación o la muerte). Brausen, Díaz Grey, los Petrus, los Malabia, los Bergner y sobre todo E. Larsen, son sus moradores. A través de *La vida breve, Juntacadáveres, El astillero, Para una tumba sin nombre,* los vemos agonizar irremediablemente apresados en la turbia gelatina de la mediocridad, de la momificación en vida

luego de sucesivas falencias que los van arrimando inexorablemente
a sus límites. Operan ciegamente, observados asentimental, cientí-
ficamente por el demiurgo, recordando una flora microbiana cuyos
integrantes se mueven mecánica, alocada, *soberanamente,* pero dentro de los límites de la gota de agua y sin saberse observados,
registrados y anotados por el microscopio imparcial y burlón. Se
hamacan entre el estupefaciente autoengaño compensatorio y la temible lucidez postergada, hundida bajo la conciencia, pero que retorna al menor descuido.

> Entonces, con lentitud y prudencia, Larsen comenzó a aceptar que
> era posible compartir la ilusoria gerencia de Petrus, Sociedad Anónima,
> con otras ilusiones, con otras formas de la mentira que se había pro-
> puesto no volver a frecuentar.
> Acaso se haya visto obligado a decir que si cuando supo en su
> corazón que no cobraría los cinco o seis mil pesos al final de este mes
> ni de ninguno de los que le quedaban por vivir; cuando el dueño de
> lo de Belgrano continuó leyendo el diario o espantando moscas alguna
> vez que él se acercó al mostrador con una sonrisa de bebedor locuaz;
> cuando tuvo que esconder los puños de la camisa antes de recorrer
> el familiar laberinto entre mármoles ateridos que desembocaba en la
> glorieta. Acaso se haya abandonado, simplemente, como se vuelve en
> las horas de crisis al refugio seguro de una manía, un vicio o una
> mujer.
> Pero esta era su última oportunidad de engañarse (*El astillero*).

Santa María está ubicada, acaso, en el Medio Paraná, tiene diario,
cinematógrafo, su Club Progreso, políticos, hoteles, un entrevisto
arrabal en la costa, alguna colonia europea en sus alrededores. Fue
fundada en *La vida breve,* novela extensa y confusa, tenazmente
autobiográfica, con vacíos entre secuencia y secuencia, pero de ele-
vado rango literario y en la que el propio autor, con su nombre y
sus desconsolados rasgos propios, hace una lúcida y fugaz aparición
al estilo de las de Michtcok en sus películas. Esta ciudad, que lucía
al principio liberamente fantasmal y con habitantes a medio terminar, fue desarrollándose, adquiriendo forma, números y nombres
por más que el sanmariano «no es una persona; es como todos los
habitantes de esta franja del río, una determinada intensidad de
existencia que ocupa, se envasa en la forma de su particular manía,
su particular idiotez. Porque sólo los diferenciamos por el tipo de
autonegación que hemos elegido o nos fue impuesto» (*Juntacadáveres*).

Ninguna de las características físicas de Santa María cuenta, a
no ser como obligatorios puntos de fijación de una literatura que
trasciende esta insuficiente realidad para situarse dentro del difícil
y desengañado mundo interior de los sanmarianos.

Santa María, más que una ciudad, es la historia de una derrota global, dicha sin intenciones combativas ni atribuciones de culpas y, además, sin apertura alguna hacia la salvación histórica, metafísica o simplemente moral.

Una deidad demoníaca.—En la mayoría de los relatos de Onetti, el regidor de la combinación (cuando la hay o cuando importa) es una especie de lúcida deidad demoníaca (¿una hipóstasis del autor?) de formas cambiantes, dedicada a hacer irrisión o escarnio de las grandes preocupaciones del hombre (la muerte, el poder, el amor, la fidelidad) o a desvalorizarlas, imparcial y secamente, desde el punto de vista ético, convirtiéndolas en puntos de referencia de un juego gigantesco y absurdo cuyas reglas se intuyen oscuramente, pero no se dominan.

> Y la sonrisa era mala de mirar porque uno pensaba que frente a la ignorancia que mostraba la mujer del peligro de envejecimiento y muerte repentina en cuyos bordes estaba, aquella sonrisa sabía, o, por lo menos, los descubiertos dientecillos presentían el repugnante fracaso que los amenazaba (*Un sueño realizado*).

> Atado como Prometeo a la roca, como el perro a la perra, como nuestras almas inmortales a la divinidad (*La vida breve*).

> Era su velorio, empezaba a colgarle la mandíbula, la venda de la cabeza envejeció y se puso amarilla mucho antes del amanecer. Yo estaba muy ocupado ofreciendo bebidas y comparando la semejanza de las lamentaciones (*La cara de la desgracia*).

> Usted no se va a casar con ella porque usted es viejo y ella es joven. No sé si usted tiene treinta o cuarenta años, no importa. Pero usted es un hombre hecho, es decir, deshecho, como todos los hombres a su edad cuando no son extraordinarios («Bienvenido, Bob»).

> Beso sus pies, aplaudo el coraje de aquel que aceptó todas y cada una de las leyes de un juego que no fue inventado por él, que no le preguntaron si quería jugar (*La vida breve*).

La deidad suele introducirse dentro de los personajes, inyectándoles lucidez, iluminándolos, aunque algunas veces se corporiza, por ejemplo, en un frustrador capitalista de juego que sanciona a su empleado infiel y a su pareja con el castigo indirecto de soñar en imposible viaje a una idealizada Dinamarca:

> Y él terminó por convencerse de que tiene el deber de acompañarla, que así paga en cuotas la deuda que tiene con ella, como está pagando la que tiene conmigo; y ahora, en esta tarde de sábado como en tantas noches y mediodías, con buen tiempo o a veces con una

lluvia que se agrega a la que siempre le está regando la cara a ella, se van juntos más allá del Retiro, caminan por el muelle hasta que el barco se va, se mezclan un poco con gente con abrigos, valijas, flores y pañuelos, y cuando el barco empieza a moverse, después del bocinazo, se ponen duros y miran hasta que no pueden más, cada uno pensando en cosas tan distintas y escondidas, pero de acuerdo, sin saberlo, en la desesperanza y en la sensación, de que cada uno está solo, que siempre resulta asombrosa cuando nos ponemos a pensar («Esbjerg, en la costa»).

Falta el *régisseur* en la novela *Para esta noche,* su mejor novela, en la que la violencia, la habitual atmósfera progresivamente envolvente, la miseria humana se asientan sobre concretos moldes y niveles: la aplicación sistemática del terror en un Estado policial, hábil y discretamente desubicado —aunque una vez aparece un tero como al descuido— de modo de servir de paradigma. De técnica objetiva y de estructura clásica (distinta, pues, de *La vida breve, Juntacadáveres, El astillero,* que novelizan atmósferas más que hechos). *Para esta noche* es un modelo de concentración y síntesis; toda la acción que aquí existe y no es poca, se desarrolla en sucesivos planos, en un brevísimo lapso de tiempo. La persecución de la oposición, hecha con crueldad funcional y con decidido ánimo de aniquilamiento, deja tiempo para la lucha burocrática por el fichero del *Partido,* en la más inclemente clandestinidad, y para las intrigas palaciegas entre los jerarcas de la policía ordinaria y de la policía política.

Con notas rápidas y sobrias, saltea los peligros del melodrama o del folletín: el militante Osorio descubre, mediante una llamada especial a la *Casa del Partido,* que ésta, ocupación mediante, se ha convertido en una *ratonera;* no obstante, la preocupación policíaca por disimularlo, señalando de paso, con precisa economía de medios, que se ha cerrado el drama de la lucha por la sede que se venía insinuando a lo largo de la novela.

Los detalles sádicos no se derrochan a voleo (vicio de alguna novelística latinoamericana contemporánea o posterior), pero tampoco se recatan o escamotean. Cuando se quiere demostrar la intensidad del odio sentido por el *perro* de la policía política hacia un ya abatido dirigente partidario, se dice:

> Pasó rozando con el hombro la ristra de cebollas en la pared y subió lentamente la escalera sin sacar las manos del bolsillo, sin descomponer la rigidez del cuerpo a medida que ascendía flexionando las rodillas para pasar la baja puerta sin inclinar la frente y vio los dos hombres que revisaban bajo el colchón y el ropero, vio el cuerpo de Barcala —estaba boca arriba, los brazos separados, con pantalones y camisa, la cabeza colocada en la sombra de abajo de la mesa, las piernas encogidas manteniendo altas las rodillas sucias de polvo— y

dio los dos lentos pasos que necesitaba para quedar en pie junto al muerto y mirarle el pecho a medias desnudo, indagar sin apresuramiento en la oscuridad gris donde había quedado reposando la cara, hasta distinguir las cuencas sombrías del otro, la nariz curva, los labios duros y brillosos como la madera, la larga frente que descendía sin violencia hasta la zona negra de sombra donde ya nada podía verse; entonces sacó las manos de los bolsillos y orinó sin esfuerzo a lo largo del cuerpo caído.

Este *sin esfuerzo,* que algún literato de inteligencia menos intrépida habría omitido, eleva bruscamente de categoría la descripción.

Inútil buscar en la novela una sola frase desaliñada. La tensión estilística, que también es una característica de Onetti, se mantiene sin desmayo, implacable en su exigencia. Onetti escribe impecablemente *bien,* en lo que también se diferencia de su compatriota Horacio Quiroga y de uno de sus antecesores literarios William Faulkner, cuya torrencialidad urgente y vital lo llevaba, con frecuencia, al anárquico desborde de las formas.

Inútil buscar, igualmente, en *Para esta noche* al fantasma usual que devana con mortal isocronía el relato y que a la vez funciona como unificador y como espacio —en el sentido de categoría kantiana— o telón de fondo sobre el que transcurre el *tempo* de la narración. En *Para esta noche* la acción se nutre de sí misma y se va concentrando hacia el final, en dirección a la muerte de los oponentes, en un *crescendo* dirigido y dosificado que no escapa al dominio del autor y que se materializa en capítulos cada vez más breves y densos.

Se ha dicho que en esta obra Onetti realiza su mayor intento de solidarizarse con las luchas y sufrimientos de los hombres. No es así. Mayor intento de aproximación al realismo literario, mayor intento de objetividad, mayor intento de militancia en un momento de imposible indiferencia, puede ser. Pero no mucho más. El mensaje de *Para esta noche* es el mismo mensaje abatido y melancólico que trasuda el permanente aquelarre de las flaquezas humanas (la traición, el vicio, la crueldad, el egoísmo que aparecen depuradamente enseñados, sobre todo hacia el final, cuando Osorio y la niña, hija de Barcala, no encuentran un solo lugar donde refugiarse de la persecución policial). Es el triunfo del terror, de la miseria y de la opresión, el *cierre* con que Onetti suele completar el círculo demonomaníaco de sus obras. No queda nada en pie. Ni la inocencia, ni la solidaridad, ni la compasión. Al contrario, la delación, la perfidia, la cobardía, la avaricia de poder, van segando todas sus contrafiguras hasta confluir en ese impresionante final a toda orquesta, intenso e indiscutible, en el mejor estilo del realismo, aunque interpolado por algunos elementos extemporáneos que entrecortan, sin distorsionarlo, el tiempo objetivo de la novela.

Isocronía, pendulación.—El ritmo isócrono y apagado es otra de las codificaciones fundamentales de la obra de Juan Carlos Onetti. Al servicio de esta característica pone su estilo deliberadamente monótono y sin accidentes en el que la veladura habitual a veces se degrada hasta la completa cerrazón onírica («La Casa en la Arena», algunos momentos de *La vida breve*).

En *La cara de la desgracia*, uno de sus mejores cuentos, utiliza su técnica intercalaria, urdiendo, con precisión geométrica, una doble o triple combinación, estableciendo las necesarias coyunturas en el punto indicado. Ya en su obra primeriza, *El pozo*, el balanceo isócrono entre los planos real-imaginario, material-inmaterial, presente-pasado-futuro, se efectúa con una cuidadosa distribución de tiempos, con la monotonía y la sordina que según se vería posteriormente, devendría una de las constantes de Onetti, en su preocupación por asumir de la realidad ciudadana de ambas capitales del Plata sus aspectos grises, sórdidos y apesadumbrantes. Para decirlo con sus propias palabras: *también podría ser un plan el ir contando un «suceso» y un sueño.*

El pozo, una obra decididamente gris, oscila pendularmente entre la realidad y el sueño («aventura para recompensarme del día») desde el principio al fin, si bien el sueño es complementario, auxiliar e instrumental y está condicionado por la realidad.

> Las extraordinarias confesiones de Eladio Linacero. Sonrío en paz, abro la boca, hago chocar los dientes y muerdo suavemente la noche. Todo es inútil y hay que tener por lo menos el valor de no usar pretextos. Me hubiera gustado clavar la noche en el papel como a una gran mariposa nocturna. Pero, en cambio, fue ella la que me alzó entre sus aguas como el cuerpo lívido de un muerto y me arrastra, inexorable, entre frías y vagas espumas, noche abajo.
>
> Esta es la noche. Voy a tirarme en la cama, enfriado, muerto de cansancio, buscando dormirme antes de que llegue la mañana, sin fuerzas ya para esperar el cuerpo húmedo de la muchacha en la vieja cabaña de troncos.
>
> Así termina *El pozo,* con una última transición de la realidad al sueño efectuada por medio de su protagonista Eladio Linacero que reaparecerá reiteradamente y luego de sucesivos desarrollos y crecimientos, en su obra posterior en calidad de demiurgo unificador y dirigente del juego al que alguna vez el novelista llama el observador y otras, adoptando forma trinitaria, el Médico, el Narrador, el Príncipe *(Jacob y el otro).*

El monólogo.—Si los personajes onettianos generalmente son instrumentos o *personificaciones* demiúrgicas, sin fulgor propio, iluminados casi milagrosamente, si no representan una real oposición agónica sino que se continúa y complementan, entonces es obvio descubrir una de las más apreciables constantes formales en la obra de Onetti: la técnica del soliloquio mediante la cual desarrolla sus relatos y la ausencia casi completa de diálogo. Aún cuando parezca que hablan dos, es posible distinguir, la mayoría de las veces, que no es un diálogo el que se plantea, sino un monólogo por etapas, una especie de división de un mismo trabajo impuesta por el escritor en base a rigurosas consideraciones de armonía estructural que lo lleva a entrecortar y capitular, con la mayor simetría posible, la prosa del relato.

Mediatizados y convertidos en *modalidades de aparición,* los personajes de Onetti nos sorprenden por hallarse siempre emparentados, síquica y moralmente, en diversos grados de afinidad, con la misma matriz, la que los señala con un notorio aire de familia.

Novelas de espesuras sicológicas, no de acciones, ni de sucesos ni de oposiciones reales entre sus hombres, no permiten echar de menos el diálogo ni la conversación sustituidos con ventaja por monólogos compartidos y mortecinos que van extendiendo, como una monótona lanzadera, el tejido de la obra hasta su indiferente culminación.

El universo cerrado.—Su universo cerrado, engañoso y cambiante, en el que la realidad aparece difuminada y corregida en un efluvio permanente de poesía, es otra de las constantes de Onetti. Ello hace posible que una mujer encinta de baja estatura sea la Virgen Encinta que vino de Liliput y su marido el Caballero de la Rosa, que una prostituta —reconstruida, evocada que nunca comparece en el relato— conviva con un chivo «que le fue agregado luego de largas meditaciones estéticas», que alguien se llame Juntacadáveres, que la adolescente sorda de *La cara de la desgracia,* no tenga nombre (los seres de Onetti apenas si son más que *el hombre* o *la mujer)* y que la realidad, en fin, siempre sórdida y triste aparezca constantemente borroneada e interferida por alusiones poéticas que van veteando los relatos hasta convertirlos en evocaciones objetivo-subjetivas de un especial contenido *espiritualizante.*

El mundo circular y desesperanzado se crea y recrea continuamente, como una espiral alimentándose de sí misma, y no deja espacio para la piedad, la compasión o la solidaridad. Sus personajes lucen rígidamente clausurados por compuertas insalvables. La contextura compacta de su prosa, protegida con esmero contra toda tentación, impide el derroche o aún la tímida fluencia de los sentimientos, los que son usados en la estricta medida en que sean necesarios para instrumentar el relato. Es que Onetti, superando lejos a sus congeneraciones (a falta de otra convención mejor) acusa, sin embargo, los rasgos más salientes de toda una *generación* de la *inteligencia* uruguaya que denota la influencia de un verdadero interregno axiológico: la lucidez impertérrita, el desprecio sarcástico a un medio ambiente con el cual el rechazo era mutuo, la desvalorización nihilista de los asideros morales del hombre, la victoriosa represión de los sentimientos, el escepticismo que lleva sin remedio a la mordedura de la cola.

La corrección poética de la realidad aparece ambiciosamente intentada del principio al fin en *El astillero,* círculo perfecto, novela sicológica en la que Larsen, el Juntacadáveres, se hace víctima de una tenaz, cerebral y elaborada trampa con la complicidad del viejo Petrus, Gálvez, Kunz, todos ellos combinados en «un espeso, coincidente légamo de locura».

La historia de un hombre que, para sobrevivir, se inventa un antidestino, una réplica conmutativa y simétrica de su fracaso. La historia, labrada con cruel delectación, de un hombre que «iba vigilante, inquieto, implacable y paternal, disimuladamente majestuoso, resuelto a desparramar ascensos y cesantías, necesitando creer que todo aquello era suyo y necesitando entregarse sin reservas a todo aquello con el único propósito de darle un sentido y atribuir este sentido a los años que le quedaban por vivir y, en consecuencia, a la totalidad de su vida».

Un astillero en ruinas, un pionero maniático y fundido, una mujer demente sirven de vaciado donde amoldar a una realidad reconocible, el conflicto del hombre con su frustración, su anticipo de la muerte.

En los pueblos gemelos de Santa María de los litorales argentino-uruguayos es posible encontrar todavía un ex astillero de nombre europeo, un puerto arruinado e inerte y la variedad de humanos correspondientes a este fracaso social, a esta quiebra colectiva.

El astillero, sin ser novela realista ni social, testifica, distanciadamente, acerca de esta realidad, pero la supera de inmediato con el juego pendular de lo real a lo irreal, de la luz a la sombra, definiendo el objeto a través del prisma torturado y arbitrario del sujeto y haciéndolo sólo a fin de adecuarle un bastidor apropiado a sus perturbadas vivencias, a sus *tediosas manías,* que, a la vez que se nutren de una realidad exterior, la modifican, la condicionan, la endulzan pertinazmente con la patética y autodefensiva intención de hacerla tolerable.

Todo creador exagera, *miente* —en cantidad no en calidad— y lo hace no tanto como procedimiento estético, cuanto por necesidad de demostrar. Así el constatable astillero, en desuso, se ve transformado en una especie de dependencia del infierno decorada de pingajos y costras, jirones y podredumbre y señoreada por los esperpentos de pasado.

El robo, repartido y sistemático, por parte del *personal superior* del astillero, de la última y mezquina chatarra que retiene algún valor de cambio, determina una violenta y despejante irrupción de la insoportable realidad en el mundo de la compensación cuidadosamente entretejido por los protagonistas.

El procedimiento compensatorio, muy difundido en las sociedades raquíticas, aparece cuantificado en hipertrofiada manía obsesiva en el insano deleite de *mentalizar* hasta sus últimos detalles una *realidad* deseada, perseguida, ansiada, salvadora pero, ay, inexistente sin remedio.

Tanatos

La vida breve, las visitas, los adioses.—Sin duda, Onetti jugó todas sus cartas a la densidad estética, al rigor parnasiano, a la cerebración implacable, a la testificación pesimista de una era transicional. En esas condiciones cifra sus esperanzas de permanencia y su capacidad de resistir a la erosión de un tiempo que ahora se vuelve vertiginoso.

Tratándose de un autor en marcha, no se puede predecir cómo será, en este caso, el resultado del fenomenal combate, que siempre es singular, del hombre por sobrevivir y por *dejarse.* La muerte (la *experiencia definitiva)* evocada tantas veces por Onetti, y el tiempo, encontrarán difícil derogar a este literato abruptamente saliente entre multitudinarios colegas que escriben con demasiada prisa una literatura extensiva y no intensiva.

El aire abatido e indiferente de su literatura, hamacada en el melancólico juego de la vida breve, entre *las visitas* y *los adioses,* su permanente retención dentro de moldes y márgenes que recuerdan vagamente el clasicismo, la falta de toda efusión, su visión pesimista del mundo y de la vida, son características llamadas a perjudicar el destino final de la obra de Juan Carlos Onetti.

Se trata, no obstante, de un literato indudable lo que tiene su importancia en una época de mistificaciones tribales, de sobrevalorizaciones decretadas por inapelables baremos extraliterarios, que ha sabido asumir la aplastante responsabilidad de esta solitaria profesión con infatigable dignidad.

Uno de sus antepasados, William Faulkner, que también enfocó con agudo vistazo la parte negra de la vida, supo salvar, en definitiva, mediante sucesivas aproximaciones simpáticas hacia esa contradictoria criatura que es el hombre, su obra de la total negritud, marginándola, en la medida necesaria, del mefítico vaho de pesimismo y desilusión que recorre el mundo a partir de la Primera Guerra Mundial, pero sin hacer concesiones rosáceas ni reblandecerla con efu-

siones seudosentimentales. En su discurso de aceptación del Premio
Nobel dejó para siempre estas precisiones a su ideario estético, que
Onetti no parece compartir:

> Me niego a aceptar el fin del hombre. Es muy fácil decir que el
> hombre es inmortal simplemente porque perdurará; que cuando haya
> sonado el último repique del destino y se haya desvanecido la última
> piedra inservible que cuelgue inmóvil, con el último atardecer rojo y
> moribundo, aún entonces habrá un sonido más: el de su minúscula e
> inagotable voz, que siga hablando.
> Me niego a aceptar esto. Creo que el hombre no sólo perdurará;
> prevalecerá. Es inmortal, no porque él solo entre todas las criaturas
> tenga una voz inagotable, sino porque tiene un alma, un espíritu capaz
> de compasión y de sacrificio y de perseverancia.
> El deber del poeta, del escritor, es escribir acerca de estas cosas.
> Tiene el privilegio de ayudar al hombre a resistir, levantándole el co-
> razón, recordándole el valor y el honor y la esperanza y el orgullo y la
> compasión y la piedad y el sacrificio que han sido la gloria de su
> pasado.
> La voz del poeta no necesita ser simplemente la relación del hom-
> bre; puede también ser uno de los sostenes, de los pilares que ayudan
> a resistir y a prevalecer.

A pesar de su obra estructural, armónica, sistemática, fiel a sus
propias coordenadas, la circunstancia de ser Juan Carlos Onetti un
escritor en proceso hizo imposible redondear en este trabajo el
peligroso pronóstico hipotético aunque no imposible, esperamos
proporcionar al lector inteligente algunas escasas pistas para desenredar los laberintos de este desapegado visitante del mundo.

FICHA BIO-BIBLIOGRÁFICA

Juan Carlos Onetti nació en la ciudad de Montevideo el 1 de
julio de 1909. Cumplió funciones periodísticas en esa ciudad en los
periódicos *Marcha* y *Acción*. En 1943 se trasladó a Buenos Aires a
desempeñar trabajos de gerente en la agencia Reuter. Colaboró en el
suplemento literario de *La Nación* y en *Vea y Lea* y otras publica-
ciones argentinas. Hacia 1954 regresó a Montevideo desempeñán-
dose, desde entonces, como director de las bibliotecas municipales
de esta capital.

En 1961 le fue adjudicado el premio nacional de literatura.

Ha publicado las siguientes obras:

1939: *El pozo* (Ediciones Signo). *El pozo* (Arca, 1965). *El pozo*
(Arca, 1967).

1941: *Tierra de nadie* (Ediciones de la Banda Oriental, 1965).
Tierra de nadie (Ficción, Xalapa, México, Universidad
Veracruzana, 219 pp., 20 cm).
1943: *Para esta noche* (Poseidón, Buenos Aires). *Para esta noche* (Arca, 1967).
1950: *La vida breve* (Sudamericana, Buenos Aires, 390 pp.).
1951: *Un sueño realizado y otros cuentos* (Montevideo).
1954: *Los adioses* (Sur, Buenos Aires, 88 pp.). *Los adioses*
(Arca, 1966). *Los adioses* (Arca, 1967).
1959: *Una tumba sin nombre* (Tall. Graf., Montevideo). *Para
una tumba sin nombre* (Arca, 1968).
1960: *La cara de la desgracia* (Alfa). *Tres novelas (La cara de
la desgracia, Tan triste como ella, Jacob y el otro)*, 1967.
1961: *Jacob y el otro, Ceremonia secreta y otros cuentos de
América Latina* (Garden City, Nueva York, Ed. Inter-
americana). *Jacob y el otro, Un sueño realizado y otros
cuentos* (Ed. de la Banda Oriental, 1965, 93 pp., 19 cm.).
1962: *El infierno tan temido y otros cuentos* (Asir, 71 pp.,
19 cm).
1963: *Tan triste como ella, La cara de la desgracia* (Alfa,
92 pp., 17 cm).
1965: *Juntacadáveres* (Alfa). *Juntacadáveres* (Alfa, 1967, 256
páginas).
1967: *La novia robada* (Centro Editor de América Latina).
1967: *Cuentos completos* (Centro Editor, 224 pp., 18 cm).
1968: *Novelas cortas* (Caracas, Monte Ávila Editores, S. A.,
253 pp., 20 cm. Incluye *El pozo, Los adioses, La cara
de la desgracia, Tan triste como ella, Para una tumba
sin nombre*).

Traducciones:

1967: *Le chantier (El astillero)* (París, Ed. Stock, 209 pp.,
20 cm., N.º d'impression 8961).
1968: *The Shipyard (El astillero)* (Nueva York, Scribner's Sons,
190 pp., 21 cm, Library of Congress Catalog Card
Number 68-12490).

Reediciones próximas: *La vida breve* (Sudamericana) y *El astillero* (Casa de las Américas).

Dante / Onetti: dos viajes
¿una misma aventura?

Octavio Armand

En las páginas que recientemente dedicó a Juan Carlos Onetti [1], Félix Grande sostiene que un viaje es un idioma, un lenguaje, acto de conocer conociéndose, diálogo de mitos donde se conjuga la distancia y el tiempo se hace pronombre casi posesivo. Es también, al darse en un espacio literario, la horma en que tradicionalmente se define la aventura del hombre, objeto exclusivo de la narrativa del uruguayo, según confesión propia. El hombre cae del útero, y llora; sale de la cueva, y deambula sin fin. La literatura viene registrando el fenómeno con la insistencia del fenómeno mismo, a tal punto que lógica e insólitamente ella también es una aventura terrible: un viaje. La Biblia, la *Ilíada, La Divina Comedia, Don Quijote, 20.000 leguas bajo el mar* y *Alicia en el país de las maravillas* testimonian el movimiento del hombre, moviéndose y moviéndolo. No en balde Marinetti se sintió tentado a afirmar rotundamente, como es natural, que un automóvil de carreras es más hermoso que la Victoria de Samotracia.

[1] «Con Onetti», *Plural* núm. 2 (noviembre de 1971), pp. 13-16.

Las formas narrativas, desde el poema épico hasta la novela de ciencia-ficción: espejos hacia el pasado y hacia el futuro, tienen una oscura genealogía que se remonta al *graffiti,* al alfabeto, al jeroglífico, y sin duda, a los enigmáticos dibujos que el hombre paleolítico dejó en las cuevas de Altamira y de Lascaux. Esa genealogía está íntimamente ligada a la de la especie, de ahí que en uno y otro caso el viaje tenga conatos de alegoría, y represente el afán y la búsqueda de un origen que se pierde en el fósil y el monstruo, en el pasado y el futuro, un origen que se da y se está dando en la inminencia.

Al principio, sí, fue el verbo, pero quizá no el que nombra tanto como el que sugiere y permite la conjugación, las tres conjugaciones. Y al principio del verbo, fue el viaje, la constante migración de formas y estructuras que aluden, desde los arquetipos literarios, a los arquetipos del inconsciente. En todo caso, la literatura aún impone o insinúa alegorías, rostros donde cuelgan, como ojos de cartón, fragmentos de una trayectoria que comenzó antes del principio y que terminará, sin duda, después del fin. De ahí que Onetti confiese con toda humildad y osadía que escribe sobre la aventura del hombre. Sólo que la alegoría ya no se da, no se puede dar, como otrora, cuando todo quedaba supeditado a un dogma unánime y temerosamente acatado, cuando todo estaba escrupulosamente estratificado en esferas espaciales y sociales alrededor de un centro único: yo, el hombre, Ptolomeo. Desde hace bastante tiempo se acepta que, o no hay centros, o hay demasiados; perdidos los signos de equivalencia, la alegoría se torna tan ambigua, tan ininteligible, como lo que pretendía aclarar.

Este sentido implícito, pero difícilmente asible, y que se deshace como una pastilla de jabón en nuestra boca, es el que se asoma en la obra de Onetti. En ella —limitándonos a un cuento donde las posibilidades son más aparentes— aludiremos a ciertos patrones o estructuras alegóricas que la vinculan a una inmensa tradición, y que a la vez la separan de dicha tradición, por ser elípticos, irreductibles a signos de suma, de resta o de equivalencia. De entrada, para evitar una constante vaguedad en el planteamiento, cotejaremos dos textos a todas luces disímiles, casi reñidos: «Mascarada» y *La Divina Comedia* [2]. Aun siendo superficial, la cotejación arrojará un saldo intrigante; sobre todo porque no se pretende ni se estima consecuente descubrir influencias, sino sugerir confluencias, trayectorias estructurales absolutamente inevitables cuando dos viajes literarios aluden a una misma aventura.

---

[2] Se cita de las siguientes ediciones: «Mascarada», *Cuentos completos,* Centro Editor de América Latina, S. A., Argentina, 1967, pp. 95-99; *La Divina Comedia/La Vida Nueva* (traducción de Juan de la Pezuela), Aguilar, Sociedad Anónima, Madrid, 1952.

«Mascarada» *La Divina Comedia*

María Esperanza entró al parque por el camino de ladrillos que llevaba hasta el lago entre sombras de árboles y torcía justamente al llegar a la orilla (página 95).

A mitad del andar de nuestra vida / extraviado me vi por selva oscura, / que la vida directa era perdida (p. 127)

chocando contra la luz de los reflectores, las espaldas todas negras de la gente (p. 95)

alcé la vista a lo alto, y vi su espalda / por los rayos bañada del planeta, / guía infalible por altura o falda (página 128).

de la gente que miraba deslizarse las lanchas con banderines y música, los danzarines en la isla artificial (p. 95)

esas almas así [perdidas gentes], siervas sin amo, / van lanzándose al barco una por una, / a la señal, cual aves al reclamo (p. 144)

Estaba cansada y los tacones tan altos como nunca los había usado, le hacían arder un dolor como una herida en los tendones del tobillo... Se sentó en un banco y sacó los talones de los zapatos, cerrando los ojos, inflando la cara al suspirar, feliz y soñolienta, al abandonarse a lo que contenía la noche una lejana música y un olor de flores... Se levantó, caminando ahora hacia el lado del parque que daba a la rambla (p. 95)

Un tanto aquí la tempestad se aquieta, / que en el lago del alma el soplo inspira / de una noche al pavor tanto sujeta... el espíritu mío, aun fugitivo, / así a mirar se torna el duro paso / de do mortal ninguno salió vivo. / Luego el reposo dado al cuerpo laso / por la colina a proseguir me alienta / que al pie remonta con vigor no escaso (p. 129)

Se detuvo; pero no era ahí, sentía sin saber por qué, que no era y además tenía miedo de aquellas caras absortas, graves o sonrientes, miedo porque eran caras tan semejantes a la suya misma bajo la violenta, blanca, roja y negra pintura con que la había cubierto, miedo de que las caras miraran comprendiendo su fraternidad y la miraran en seguida con odio por estar haciendo algo que no debía hacerse cuando se tenía una cara así, cuando se la había tenido, unas pocas horas antes, sin pintura y limpia frente al espejo, luminosa, alegre, con el cabello goteando agua y sin vergüenza (página 95).

almas inicuas, no veréis ya el cielo; / para llevaros vengo a la otra riba, / entre las sombras, el calor y el hielo... «Por sitios —exclamó— menos impíos, / no por éstos a ti pasar te toca: / ve a buscar otros puertos y navíos» ... «Aquí nunca se ha visto alma no rea; / y si Carón de ti, torvo, se extraña, / motivo no le falta porque sea» (pp. 142, 143, 144)

El primer párrafo de «Mascarada» y el comienzo de la obra de Dante ofrecen parentescos bastante claros. Obsérvese que no sólo se repiten ciertos incidentes, sino que la secuencia de los mismos es parecida, idéntica casi. Hay cierta similitud, además, en el ambiente de las dos obras y en el comportamiento, incluso los gestos, de sus personajes. Por ejemplo, el lago del cuento tiene un parangón en esa «Agua peligrosa» que da base a un símil en el Canto I del *Infierno*. Vacilando sobre sus propias huellas, María Esperanza en varias ocasiones cierra los ojos, o soñolienta, o avergonzada, y se aleja; pero, indecisa siempre, contempla el espectáculo y a los espectadores que, a su vez, la contemplan a ella. Dante también padece incertidumbre y siente temor ante lo que ve: «cien veces tenté volver la cara» (p. 129).

En ambos casos, como en gran parte de la literatura que registra la aventura del hombre, hay vacilaciones y luego un viaje: a la cartografía espacial corresponde una espiritual. Además de este vínculo extrínseco establecido por una común tradición, existen numerosos parentescos de estructura y lenguaje, incluso vocabulario, entre las partes cotejadas. Los paralelos, pues, abundan, sólo que en «Mascarada» todo se da en forma contraída —casi por el principio de contracción de Fitzgerald— como que responde a una diferente manera de entender, sentir y ser el hombre. Pese a sí, la alegoría existencial resulta ser una parodia de la cristiana. Para ajustarse al mundo patético de Onetti, la selva oscura es ahora un parque más o menos urbano; el fantástico viaje de ida y vuelta al infierno / una caminata a una isla artificial (¿de ida solamente?); Yo, Poeta / ella, María Esperanza; las «perdidas gentes» / burgueses faranduleśscos; Virgilio / ¿el gordo?; la barca de Carón / las lanchas; la colina / la rambla; el alba / los reflectores, etc. (los títulos de las obras en cuestión dan la pauta para las contracciones señaladas: divina comedia / mascarada).

Las coincidencias son casi innumerables. Por ejemplo: una onza, un león y una loba se oponen a que Dante suba al collado y, en efecto, éste no logra subir hasta que Virgilio intercede (específicamente, primero lo tranquiliza y lo protege la sombra de Virgilio). Los animales mencionados simbolizan pasiones harto humanas: la envidia, la soberbia y la avaricia (de ahí que el Poeta se vea en ellos y ellos en él). Téngase en cuenta además, cuando comparemos esto con «Mascarada», que una de las bestias con que Dante tropieza es, repito, una onza, «una onza veloz de *pinta rara*» (p. 129). Ahora bien: en el cuento de Onetti, la protagonista tropieza con una serie de bestias absolutamente domesticadas (actores, público, un mono vestido de *groom*), y se siente amenazada por esas «caras tan semejantes a la suya misma bajo la violenta, blanca, roja y negra pintura con que la había cubierto» (p. 95). Tiene miedo a que esas caras se vean en ella, que sientan la fraternidad de la vergüenza. La protagonista se aleja del estrépito, busca albergue, protección, a la sombra de un árbol (recuérdese la sombra de Virgilio y que Dante y su guía, huyendo de la peste del abismo, se refugian detrás de la tumba de Anastasio (p. 189): «Todavía le quedaba, inmediatamente antes de la intensa luz y el estrépito, una sombra de un árbol desde donde mirar los tablados y sus recogidas cortinas» (p. 96). Que esta sombra le servía de protección, lo atestigua el hecho de que ella se apoye y se sienta apoyada en el árbol a tal punto que en cierto momento llega a sentirse sola, inmune, «como si hubiera traído el árbol consigo, como si escondiera el perfil en la tajeada corteza y la mano pudiera apoyarse, olvidada, en el nudo de borde pulido» (página 97).

A lo largo del cuento, el personaje siente la necesidad de asirse a algo, aunque sea un cliente (?), cliente que sirve de máscara para su oficio, puesto que podría pasar por padre de ella (cortocircuito de Electra). Ese algo asible, que en *La Divina Comedia* fue Virgilio, fue al comienzo la sombra de un árbol, luego un «nudo de la corteza» (p. 96), «el nudo de borde pulido» (p. 97). Tras vacilaciones iniciales, María Esperanza parece buscar este apoyo en el gordo que, ominosamente quizá, la «ensombrece» (p. 99). Sin duda se vio tentada a escoger al gordo, y no al flaco, a quien no toca, porque inconscientemente aquél llegó a parecérsele más al árbol; no sólo por su gordura, sino porque al sentirla cerca «movía un poco con dos dedos el *nudo* de la corbata» (p. 98). La obesidad de este personaje parece ser un torpe disfraz de su inercia; denota un ser estático, física y moralmente adicto y esclavo a la fuerza de gravedad. A pesar de la bondad que tanto exhibe, el gordo no querrá ni podrá sacar a María Esperanza de la isla (paraíso) artificial.

Como muchos otros personajes de Onetti, la protagonista de «Mascarada» no puede traducir ni definir sus experiencias en un coherente lenguaje de gestos y acciones, en una voluntad de ser o de existencia. Sospechamos una carencia que inmediatamente elude explicaciones y tanteos. Se habla de orfandad y de destierro moral en los personajes del uruguayo (y se podría hablar de cierto masoquismo) porque, en efecto, son circulares, autófagos; comienzan y terminan en sí mismos. De ahí que la alegoría permanezca, como ellos, inconclusa, balbuceada. ¿Qué recordaba María Esperanza, a pesar de lo que hacía? ¿Qué hacía, a pesar de lo que recordaba? Nos interesa tanto, o tan poco, lo que ella recuerda como lo que hace; buscamos, eso sí, un contraste o una confirmación de su ser en sus gestos, algún vínculo entre la sustancia y el verbo. No lo hallamos: la estructura, como los personajes que confunde y relaciona en un ambiente de gelatina, se cubre y se descubre, barajando múltiples perspectivas. El lector intuye que se trata de una metáfora: la tonadillera, el mono vestido de *groom,* la mujer disfrazada de hombre son espejos para María Esperanza, y a la vez, imágenes en ella, que los refleja a todos sin ser ninguno de ellos. En un mundo grotesco, absurdo, donde cada cosa pretende representar otra, o no se tiene cara (p. 97), o se la tiene sepultada bajo una considerable dosis de pintura (p. 95), o se tiene varias [3]. En ese mundo apenas el espejo conoce el verdadero rostro de cada cual y, a pesar de la bondad con que uno se enmascara, nadie comprende a nadie: «le hizo una pregunta, una risa, otra pregunta, por todo dos preguntas que ella no alcanzó a comprender» (p. 99). Todos y cada uno de los personajes —no se ha caído en una tautología, puesto que aquí la suma de las partes no equivale al total: la imagen no es el rostro— flotan en un mismo vacío, sin comprenderse, viéndose sin verse, como los semblantes fantásticos, pululantes, de Jerónimo Bosch.

Tampoco el lector comprende: mira, y no ve; escucha, y no oye. Toda alegoría es una mascarada que tarde o temprano se complace en descubrirse: la estructura, y las coordenadas sugeridas en base a ella, se someten sin recelo al *strip-tease* (especie de trinchera entre Clark Kent y Supermán). Pero en el caso de Onetti todo queda sumido en una ambigüedad indescifrable. Si el título del cuento no resulta nada ambiguo es porque denota la ambigüedad misma. Mascarada: inmediatamente pensamos en rituales que nos remontan al teatro antiguo, juegos de realidad e ilusión, de luces y sombras, personajes que sencillamente están ahí, con un *rol* que, en el cuento, es la búsqueda de un *rol.* María Esperanza se pierde entre la máscara y la cara. Es decir: no parece segura de su papel, y eso resulta enojoso, casi alarmante. Por algo, algo pasa; pero no sabemos ni por qué ni cómo. Caso similar a *En attendant Godot,* «Mascarada» nos choca no porque no pase nada, sino porque lo mucho que sí pasa, al menos aparentemente, no tiene sentido. Las evocaciones de la protagonista, temidas, y sus acciones, premeditadas, de guión, pugnan por ocuparla, por hacerla escenario: de qué no lo sabremos. La sintaxis contorsionada, torturada, los juegos de luz y sombra, que afectan tanto al ambiente como al lenguaje («triste felicidad», p. 97), la falta de diálogos o monólogos, la reducción de todo a una frialdad ocular que nos hace pensar en el *nouveau roman,* en que gestos y sonidos se traducen también en máscaras,

---

[3] Cf. *Infierno,* canto VII. En el cuarto cerco los castigados no tienen cara. Cuando Dante sugiere que tal vez pueda reconocer entre ellos a algunos conocidos, Virgilio le advierte: «Vano intento te propones: / pues un vivir que a la razón no escucha, / llega a borrar del hombre las facciones» (página 166).

denotan un desarrollo elíptico. Sin duda Darwin buscaría un eslabón perdido entre los pensamientos y la acción del personaje. Quizá algo en su pasado, ¿«aquella espantosa cosa negra» que torturaba su memoria? (p. 95), explique por qué en «Mascarada» el Minotauro decide buscar a Teseo.

Lo cierto es que Virgilio al entrar en el Infierno toma las manos de Dante: «Su mano en esto uniendo con la mía / con leda faz que me volvió el aliento / de los secretos me empujó en la vía» (página 140); y que el cuento de Onetti termina precisamente cuando la joven encuentra su apoyo, su cliente (su guía con «cara de bondad», cf. «leda faz»). Este «le tomó una mano del regazo, la llevó siempre cubierta por la suya hasta encima de la mesa» (p. 99). Haciendo caso omiso de las coincidencias, se deduce que el viaje de María Esperanza no terminará en el paraíso, sino a lo sumo entre dos sábanas. Aquí Virgilio es quien pregunta y Dante no comprende. Como el maestro con quien se cuenta para ella, la aventura se ha hecho adiposa, añadiéndose un prefijo: des-ventura. Si al comienzo de la narración María Esperanza andaba desorientada, al sentarse sabe ya donde está. Era ahí. Parece que ha llegado al infierno —el cuento que sigue a «Mascarada» se titula «El infierno tan temido»— y que en él permanecerá, pues en el mundo esbozado por Onetti no hay ni la voluntad ni la energía necesarias para levantarse de una «mesita de hierro». Pero toda deducción en base a este desenlace será arriesgada; toda implicación, titubeante, elástica. Al llegar a lo absurdo la alegoría se desintegra en posibilidades infinitas e irreconciliables. La parodia se parodia.

Hacia Onetti

Álvaro Castillo

Era un sábado y mediodía, muy cerca del fin de año: después de casi dos horas de autobús y un kilómetro y medio a pie, el que escribe estas líneas accedía, por fin, al refugio elegido por Juan Carlos Onetti para esconderse o camuflarse durante el verano: una casa metida entre pinos en un balneario apacible, a sesenta kilómetros de Montevideo.

El propósito del viaje era una entrevista, y por primera vez en la vida yo me sentía cohibido y confuso ante la perspectiva de tener que ponerme a interrogar a una persona. Es más: temía ser despedido o burlado, la leyenda negra que crece como una mañana agreste y agresiva en torno a Onetti siempre está presente, auque la sepamos falsa, pura leyenda, tal vez del principio al fin.

Expliquémonos: yo siempre supe que la leyenda era falsa, o mejor, que la verdad debía ser otra, tal vez tan digna de integrar los grandes mitos como la celebrada y aborrecida leyenda. Porque Onetti es un hombre contradictorio igual que muchos, tímido y tierno, aunque a veces cueste creerlo. «La mía es una literatura de bondad», ha dicho en alguna parte, y unos pocos sabemos que no mentía deliberadamente. Es cauteloso, simpático cuando tiene ganas, más amigo de los niños que de los mayores: a los sesenta años largos sigue irradiando un encanto especial para mujeres de todas las edades, algo que yo presumo emparentado a la vez con la malicia y la ternura. Es un hombre de despiadada y profunda inteligencia, que siempre parece estar un minuto adelantado a lo que lo rodea, los que los rodeamos: juro que no es el ogro borracho y mujeriego y, más o menos, misántropo que la leyenda ha inventado, aunque existe algo (o bastante) de todo eso. Salvo por el talento, del cual no es culpable, Onetti es o trata de ser otro mortal cualquiera; insisto: él no tiene la culpa si su lucidez le ha hecho perder muchas esperanzas y también la inocencia. Sólo hay dos escritores en los que he sentido la pérdida irremediable de la inocencia y el otro es Marcel Proust.

Sin embargo, conviene aclarar que la leyenda existe no porque sí, sino porque hay motivos para que exista. Troya existió y también el asedio, aunque Aquiles y Héctor presumiblemente no. En algún sitio de Creta debe haber morado alguna especie de toro descomunal, o un hombre con cuernos. En este caso, el propio Onetti ha fomentado muchos tramos de la leyenda, es decir, que ha creado su propia posteridad más allá o más acá de los libros. Presumo una versátil ironía en esa actitud, una melancólica sabiduría y también un desplante de soberbia: a Onetti no le importa nadie de afuera de su lápiz mientras escribe, y no le importa lo que piensan los demás mientras vive: es un hombre que mantiene la coherencia por encima de todo. Conoce el dolor mejor y más hondo que nosotros: tiene derecho a encogerse levemente de hombros, sin desprecio, cuando se entera de nuestros pequeños dolores: la solidaridad también puede tomar ese camino.

A este hombre lo fui a ver una tarde calurosa, después de meses de no vernos las caras. Además del temor al fracaso había otro problema, siempre lo habrá: Onetti me conoce desde niño, me ha visto crecer y evolucionar, criar barba y no afeitármela a menudo: modificarme. En cambio, yo a él siempre lo he visto igual, un hombre flaco y muy alto y de lentes, que no se ríe ni envejece, o que ha nacido viejo. No sé.

Onetti en persona ha salido a recibirme: «Sos vos», dice, y me mira sin alegría por encima de los lentes. Después sonríe apenas: «Hay vino para uno solo», y con un dedo flaco se golpea el pecho flaco entre la uve de la camisa desabrochada: «Yo».

Recién un rato después (hemos pasado al dormitorio, y Onetti se ha tirado, largo y escuálido y casi gris en la cama revuelta), me atrevo a confesar el propósito inconfesable de mi peregrinaje. Trato de tocarlo en alguna zona sensible, por ejemplo, la solidaridad: «Es algo que podrían pagármelo bien en España», le digo; Onetti sabe que yo siempre ando escasísimo de fondos. Amaga o amenaza reírse, y por una vez en la vida casi lo consigue. Casi: «A vos no te pagan bien nada, es a mí al que le pagan. El asunto es que has venido a exprimirme dólares o pesetas». «En efecto.» «Comprendo que la de hoy no es una desinteresada visita de amistad.» Yo hago lo posible por ponerme a la altura de las circunstancias, aunque sé de antemano que voy a fracasar sin remedio. No he conocido a nadie (salvo aisladas mujeres) que no se ponga solemne o tartamudo cuando Onetti empieza a burlarse de él: «Sabés bien que no —le digo—, habría venido de todos modos. Yo te considero un amigo, aunque vos no me tengas en cuenta.» Pareció que de veras se sorprendía, movió un poco la cabeza: «¿Y quién te dijo que no?» Entonces le repetí mi teoría, una ya vieja convicción: «A vos no te interesa tener amigos. O no tenerlos. Tanto te da». «Puede ser.» Y después hubo un silencio de tal vez un cuarto de hora, por lo menos fue muy largo. La casa estaba vacía, aparte de nosotros, y ni siquiera se escuchaba el mar que había cerca. Sólo podíamos olerlo, salobre y limpio. Yo lo sentía enemigo, igual que al aire y a Onetti.

Porque Onetti no respeta el *fair-play:* sabe que a uno lo están paralizando o el respeto, o el miedo, o, como en mi caso, cuarenta años de diferencia, y en vez de tratar de superar la situación hace lo posible por aprovecharse de ella. Con suma habilidad, claro. Más de una vez ha reencontrado antiguos amantes ya casados cada uno por su lado y acompañados de sus respectivos marido y mujer. Y sólo lo ha hecho para experimentar, porque entre los conejillos de Indias y los seres humanos: ya sabemos. Eso consta y Onetti lo acepta: «Es verdad —dice—, yo hago lo que todo el mundo hace: experimentar». Por lo general, esas reuniones son incómodas, ambiguas de tanto silencio y de tantas frases cortadas y de tantas miradas de reojo y de tanta cautela y de tanta mojigatería pequeñoburguesa. Onetti considera (lo ha dicho y quien sepa leerlo ya lo sabrá), que las constantes esenciales del mundo occidental son la hipocresía y la imbecilidad. Nadie más que Onetti disfruta esos experimentos, igual que hoy disfrutaba sin necesidad de mirarme. Al rato habló: «Está bien —dijo—, por mí hacé lo que quieras». Movió los brazos como si estuviera tratando de acumular resignación: «Yo siempre estoy dispuesto a lo que venga».

Primero me pidió que le mandara una lista de preguntas, y yo le dije que no tenía preguntas específicas para hacerle y que además las preguntas que le hacían eran más o menos las mismas siempre y que no había más remedio que siempre siguieran siendo las mismas. Con el vino (a pesar de las amenazas Onetti había decidido compartirlo graciosamente conmigo), llegamos a una especie de acuerdo:

hablaríamos de lo que fuera, como siempre, y yo después haría la nota y se la mandaría para que la corrigiera. «Perfecto», me dijo, y en seguida pareció que se alarmaba: «Todo sea por la amistad. Voy a tener que reescribir tu mamarracho de punta a punta, pero todo sea por la vilipendiada amistad». Hasta levantamos los vasos, sin llegar a golpearlos (estaban demasiado llenos y podían chorrearse), para brindar en nombre de la amistad.

Hasta aquí la introducción. Lo que viene es formalmente la nota, aunque debo aclarar que he tenido una idea de esas luminosas: la idea es así: mezclar más o menos orgánicamente muchos encuentros distintos con Onetti, reproducir lo que he visto y lo que Onetti me ha dicho a lo largo de los años, tratando de elegir lo que más puede interesar hacia fuera y confiando en que no me falle demasiado la memoria. Obviando, además lo que considere secreto o íntimo. Y no hablando además de los cuatro matrimonios de Onetti, ni del hecho que Onetti se haya casado muy joven, y sucesivamente, con dos primas de él y hermanas entre sí. Por lo tanto, se advierte que la incoherencia es exclusivamente mi culpa, y que lo que sigue no es, ni trata de ser, una semblanza (horrible palabra) de JCO: por otra parte, yo no podría hacerla ni nadie podría, nadie lo conoce a Onetti, sólo Nadie lo conoce, como diría Polifemo.

I

En Montevideo, Onetti habita un sexto piso, frente al mar sin playa, agua sucia, olor, las nubes siempre en el horizonte y debajo un ruidoso club de basquetbol que no deja dormir al vecindario. Es un apartamento modesto, de clase media típica: dormitorio y living-comedor, y baño, y algo que podríamos llamar la cocina. Sin embargo abundan los detalles alarmantes, el lugar es una especie de pesadilla de ama de casa: proliferan los enlatados, igual que las botellas por el suelo, no hay cocina con horno, ni teléfono, ni, oh masificación, el rotundo televisor de orejas de conejo. Hay una biblioteca bastante amplia y desordenada, libros amontonados en los rincones. Onetti se divierte definiéndose como un pequeño burgués, y aunque en cierto modo tiene razón (todos los novelistas modernos son burgueses: la novela es un defecto de la burguesía, una especie de tumor o la mala conciencia), de todos modos está mintiendo: llamémosle coquetería, falsa modestia.

Es Buda el que nos mira desde encima de una mesa circular desbordada de libros y ceniceros y trastos varios: y también multitud de frasquitos con drogas: para dormirse, para el hígado y el estómago, para soñar, para estar despierto, para matar el insomnio, para ser feliz; todas las mentiras que hay en el mundo. La mesa está junto a la cama de Onetti, y Onetti, invariablemente, tirado en la cama, y es Buda el que nos mira desde encima de la mesa, tiene un tajo hondo que le cruza la cara hasta el mentó astillado, porque una tarde Buda se cayó de cabeza en la baldosa. Buda ha muerto.

Pero Buda murió muchas veces, y muchas veces se vio resignado a renacer: cada tanto Onetti mira a su ídolo de piedra con una complicidad secreta que atraviesa los siglos limpiamente. «Nos queremos», dice, y sus largo dedos sensibles tocan a la estatua en una caricia hastiada, sin calor.

II

Onetti siempre ha tenido predilección por lo extranjero, casi diría lo exótico. Aquí, en el Uruguay, Holanda es exotismo, lo mismo que Dinamarca, los molinos de viento y los zuecos, y las ferias de la pornografía. Entre los seres de Onetti abundan los de apellido extranjero, Brausen, Larsen, la gorda Kirsten de «Esjberg en la costa», el luchador Jacob von Oppen; parece como si con los apellidos Onetti intentara acentuar la extranjeridad de esos individuos, su cualidad de desplazados. Y también en la vida de todos los días de Onetti lo extranjero tiene su cuota importante. Según él, la primitiva grafía de su apellido era O'Nety, de origen irlandés. Su tercera mujer fue una holandesa. Su cuarta mujer, la actual, también es extranjera, Dolly. Dorotea Muhr, «el ignorado perro de la dicha», a quien está dedicada *La cara de la desgracia;* la violinista enigmática de *La vida breve,* el cuento: *La casa en la arena.*

Dolly es una mujer angélica, porque los ángeles pueden ser rubios como ella, y altos y expresivos: mirando a Dolly lo sabemos. A primera vista uno tiene la impresión de que es escandinava, pero no, es angloaustríaca (y bastante exótica, hasta pronuncia el español con fuerte acento sajón). Dicen que se parece a Jeanne Moreau, aunque Onetti me ha aclarado que es Jeanne Moreau la que se parece a Dolly, lo cual ya es una gran diferencia.

Cuando habla de Dolly, Onetti mira el suelo, o sus manos, o un vaso, o un cigarrillo. Lo que sea, menos la cara de quien le escucha: parece que le diera vergüenza mostrar lo que siente. «Dolly me soporta», dice, alabándola, y los que le conocemos sabemos que eso ya es mucho, demasiado: y que, sin embargo, hay mucho más.

Hoy Dolly trata de retacearle el whisky. «Ya tomaste más de la cuenta, Juan.» Lo mira con ojos asustados, y Juan la mira a ella y alarga el vaso. Los ojos de Dolly siguen tristes, pero sonríen. «Voy a ver si queda más», dice, y se va a la cocina, donde guarda y protege y esconde la botella. «Quedaba un poquito», anuncia al regresar, y ese poquito, esa nadita, casi siempre alcanza para cinco o seis vasos, los que sean: los que Onetti tenga ganas de tomar. Y eso que Dolly aprovecha milimétricamente cada descuido para hacer desaparecer el líquido por los sumideros. Pero Onetti gana siempre, o siempre pierde, habría que averiguarlo.

Esa tarde, con el whisky, Onetti habló de la tristeza, porque no estaba triste o porque la presentía, leal y vieja amiga. «Los médicos no pueden creer en la tristeza, no les enseñaron cómo hacerlo», dijo. «Vos les decís que estás deprimido y en seguida te recetan pastillas, te recomiendan que te cuides del hígado, que no comas picantes: la precisión es algo científico, parece. Pero si les confesás que lo que te pasa es que estás triste se desinflan en seguida, se desarman, esa palabreja no consta en los libracos de medicina.» Mueve un poco la cabeza: «Desgraciadamente no hay pastillas contra la tristeza».

III

Onetti lee a sus contemporáneos y también a los que son más jóvenes. No retacea los elogios para la actual narrativa latinoamericana, aunque considera que está siendo sobrevalorada. «Esto se desinfla en poco tiempo», me anunció cuando el *boom* estaba en su apogeo y hasta los libros del propio agorero se estaban vendiendo más que nunca. Y aquello se desinfló, y los libros de Onetti igual se siguen vendiendo. Y cada día más. Y lo que aquí haría falta sería una moraleja.

Por treinta años Onetti fue un escritor subterráneo, un especie de Blaise Cendrars uruguayo; su nombre se conocía, pero sus libros no; las segundas ediciones demoraban décadas en aparecer. Hoy se lee y se comenta a Onetti en todas partes, hasta en Gabón. Dejando de lado la calidad, podemos decir que Onetti saltó de Cendrars a Papillón. Y Onetti vuelve a encogerse de hombros (hay que verlo ese movimiento suyo, que tiene algo de jirafa sonámbula o aburrida): «Yo también soy un *best-seller,* querido», dice.

Me habla de García Márquez: «Es un tipo enormemente simpático», dice. Si mal no recuerdo se conocieron en Caracas cuando se otorgó por primera vez el «Rómulo Gallegos». García Márquez lo obligó a recorrer juntos la ciudad. «Tiene una tremenda vitalidad», recuerda Onetti, tal vez todavía un poco cansado. «Lo recibieron como a un jugador de fútbol o a un dios —dice—. Claro que recién había publicado *Cien años de soledad,* y era hombre del momento. Él y Vargas Llosa. A mí, apenas si me miraban la cara.»

El premio lo definieron Onetti y Vargas Llosa, los dos con novelas prostibularias: *Juntacadáveres* y *La casa verde*. El peruano ganó y Onetti acepta el fallo: «Lógico —dice—. Date cuenta que mi prostíbulo era más modesto: no tenía orquesta».

De todo lo que ha escrito Vargas Llosa, Onetti prefiere la primera novela, *La ciudad y los perros*. Lo demás es demasiado hábil, demasiado complejo: «Yo ya estoy viejo para ponerme a desenredar dieciocho diálogos simultáneos», dice.

Y de todo lo que ha escrito García Márquez prefiere *El coronel no tiene quien le escriba*. «Es estupendo», dice, y lo coloca por encima de la todopoderosa *Cien años de soledad*. Sin embargo, en un reportaje que le hicieron tace tiempo, puso a *Cien años...* entre las tres o cuatro novelas más importantes del continente: las otras eran *Rayuela* y el *Gran sertón,* de Guimaraes Rosa. Alarma el hecho de que no haya mencionado ni a Rulfo ni a Arlt. «La pregunta era idiota, como todas las preguntas de todos los preguntadores —aclara—, y peor porque no se puede preguntar ese tipo de cosas. Me pusieron entre la espada y la pared y no tuve más remedio que contestar.»

Cortázar es otro de los preferidos: todos los cuentos de *Bestiario* y varios posteriores y gran parte de *Rayuela*. Con *El perseguidor* existe una relación ambigua: Onetti no puede terminar de leerlo. «Para mí el relato termina cuando se muere Bee —dice— lo que sigue seguramente lo he leído, pero no lo recuerdo.»

La primera vez que leyó *El perseguidor* tiró el libro lejos y se levantó de la cama. De un puñetazo destrozó el espejo del botiquín del baño y con una mano ensangrentada (aún conserva las cicatrices) escribió, en lápiz de labios, estas palabras memorables: «Charlie, brother, se trataba de Bee». Y firmó, casi ilegible: Onetti.

«Estaba borracho», señala Dolly, como si hubiera necesidad de disculparlo.

Ya lo han dicho: es el mejor elogio que se le puede hacer al talento de Cortázar. Muchos podrán escribir sobre niños que se mueren, pero muy pocos de esa manera.

Onetti sigue hablando: «Con *Babilonia revisited* me pasa lo mismo»: en el cuento de Scott la niña no se muero, pero el cuento igual lo enferma a Onetti. En todo esto hay alguien de por medio, Litty, la hija de Onetti.

Yo agregaría un tercer relato a la breve lista: *The turn of the screw,* de James. El propio Onetti me confesó su predilección y me dijo que nunca había podido leerlo por segunda vez. Y eso que a James lo desprecia, está de acuerdo con la famosa opinión de Faulkner: «Una simpática viejecita bostoniana».

Arlt: ya es un axioma de la crítica que Onetti es un «arltiano». Onetti acepta esa etiqueta y nunca ha ocultado su admiración por el autor de *Los siete locos*. Hace poco escribió unas cuantas páginas espléndidas sobre Arlt para la edición de las novelas de este último en italiano. Hay mucho de Arlt en Onetti, sin duda, pero también hay que tener en cuenta que Onetti escribe muchísimo mejor.

Arguedas: Onetti anduvo estropeado mucho tiempo después del suicidio de Arguedas. Yo tuve la mala ocurrencia de caer por su casa (entonces era verano y una casita de grandes ventanas frente a un lago) al día siguiente del suicidio y además cometí la torpeza de comentarlo. Onetti agachó la cabeza y me pidió que me fuera y yo me fui. Dolly me acompañó algunos pasos. «Le hizo mucho mal», me dijo, «Juan lo quería, lo quería tanto que hasta piensa que podría haberlo salvado».

Félix Grande visitó a Onetti cuando estuvo en Montevideo, o mejor: Vino a Montevideo para ver y conocer a Onetti. Recuerdo que hablamos de Arguedas y yo dije, con imprudencia, que Arguedas no había entendido a Onetti. Félix se pudo furioso: «No seas burro», me dijo: nunca he tenido un par de orejas largas mejor puesto. Onetti no dijo nada, apenas movió la cabeza desencantado. Y aquí dejo con Arguedas, he prometido no contar intimidades y me estoy metiendo en terreno pantanoso.

Sin embargo, es Rulfo el único escritor latinoamericano contemporáneo por el cual Onetti manifiesta una admiración sin fisuras. «Es el gran grande de todos», dice sin dudar.

Se habían visto pocas veces antes de encontrarse en un congreso de escritores en Santiago de Chile. Rulfo no podía beber —los médicos se lo habían prohibido— y Onetti, en cambio, y según versiones de testigos oculares, bebía implacablemente (su leyenda negra ganó varios puntos durante ese congreso). Igual los dos se reunían, claro que no para beber. «Y tampoco para charlar», dice Onetti. «Nos quedábamos callados. Era el silencio perfecto, uno de los verdaderos atributos de la verdadera amistad.» Después advierte, quizá con malicia: «algún día habrá que escribir sobre eso, si es que se puede describir aquel silencio».

De vez en cuando Rulfo levantaba la cabeza y miraba a Dolly, único testigo asombrado y también mudo. «Mujer —le decía—, tú no sabes cuánto yo lo quiero a este hombre», y no miraba a Onetti al seguir hablando. «Por favor, dile a Juan que Juan lo quiere mucho.»

«Casi no hablábamos de nada cuando estábamos solos —dice ahora Onetti—. Y menos que de nada de literatura. No había necesidad de andar intercambiando elogios.»

IV

Faulkner es una constante de la conversación de Onetti igual que lo es, más o menos disfrazada, de sus libros, casi todos. Faulkner-guía, Faulkner-fantasma, Faulkner-demonio, acaso Faulkner-dios (¿y Faulkner no es un dios en cierto modo? ¿Y Dostoievsky? ¿Y Melville? ¿Y Shakespeare? ¿Y Cervantes? ¿Y Picasso? ¿Y Proust? Hombres como nosotros, por supuesto, borrachos u homoxesuales o débiles o aduladores, pero todos ellos han colaborado en la tarea de inventarnos. Balzac, por ejemplo, ya nos había inventado a todos antes que naciéramos. Y Huidobro dijo que el poeta es un pequeño dios. No el novelista: aunque conviene recordar que Huidobro no les daba importancia a los novelistas, no los entendía: él escribía novelas de poeta); remedo de un dios, imitador, plagiario de Dios: igual que Onetti.

No hay que olvidarse que el hombrecito sin entusiamo de *La vida breve* es Dios, Diosbrausen, creador de Santa María, el fundador: ésa es la religiosidad de Onetti. Porque se ha dicho que la suya es una literatura sacra, religiosa, y puede ser, pero de una forma muy especial, sublimada o lo contrario: retorcida hasta el absurdo. Creo que a Onetti le cuesta creer en el Dios de los demás; es posible suponer que le cuesta figurárselo, con todo lo que el verbo implica para un escritor: Dios no podría ser nunca el personaje de una novela, salvo como lo es en *La vida breve,* el tipo que descubre que él es Dios el pobre tipo que se elige dios y acierta. Una especie de paganismo entonces. Sí y no: Onetti ha insultado a Dios, yo lo he escuchado. Por tanto, cree. O, al menos, acepta: si dicen que allá arriba hay Alguien, será verdad. Cuando una gran mujer, Susana Soca («la más desnuda forma de la piedad que he conocido», dijo Onetti de ella en una dedicatoria de *Juntacadáveres),* murió en accidente de aviación, Onetti blasfemó. Después lloró, o antes: los testigos difieren, pero en el fondo no interesa.

Volvamos: Onetti se declara seguidor de Faulkner y aún más. «He estado plagiándolo durante más de veinte años», advierte. Claro que miente: la coquetería, de nuevo. Me han contado que en seguida de publicar *Para esta noche,* su novela más evidentemente faulkneriana (era el momento del deslumbramiento inicial, cuando maestro y discípulo recién se daban la mano), Onetti negó con vehemencia cualquier influencia directa del propietario de Yoknaphatawpa County. Ahora acepta las influencias y hasta las reclama: claro que ya ha pasado mucha agua bajo el puente. (Recuerdo haber leído en algún sitio que García Márquez también negó a Faulkner, que aseguró no haberlo leído hasta mucho después de publicar *La hojarasca,* casi un plagio: un buen plagio de técnica y estilo. No es necesario decir que también estaba mintiendo. «Le estaba tomando el pelo al periodista», dice Onetti.)

Y volvamos otra vez, redundantes, por la vencida: Faulkner es muy importante para Onetti, lo ha sido y lo seguirá siendo. Onetti tiene la foto de Faulkner clavada en la pared, encima de la almohada, igual que otros tienen el crucifijo o una imagen sagrada. «Cómo escribía ese cretino», dice Onetti, con la admiración intacta a través de treinta años. Se dice que el hombre termina por asesinar a sus dioses: a Faulkner, Onetti le ha perdonado la vida. Por mi parte, prometo solemnemente perdonarle la vida a Onetti: creo que ya se la he perdonado.

Sin embargo, entre el ídolo y el idólatra no hay una gran distancia. Sé que Onetti se va a reír de lo que digo: no hay distancia. Seguramente Faulkner tiene más potencia, tal vez ha creado un mundo de más dimensiones, igual que Balzac y que Proust (antes que lo atacara la manía homoxesual de *Le temps retrouvé),* ha sido capaz de crear personajes diversos a sí mismo, no sólo a sus iguales y sus opuestos. Pero Onetti, por su parte, lo aventaja en otros rubros: no escribe barbaridades, quizá por no emborracharse lo suficiente mientras escribe: «Medio litro de vino y medio litro de agua», dice, y recomienda: «para mantenerse sobrio». Puede ser que tenga algunos libros no logrados, pero jamás se dirá que son malos. Faulkner, en cambio, tiene libros horrorosos; desde que le otorgaron el premio Nobel fue incapaz de escribir otra cosa que rotundos mamarrachos. Acepto que hay páginas espléndidas en *In the city* o en *The mansion,* y que las descripciones en *Requiem for a nun* son de a ratos del mejor Faulkner. Pero yo no pude rescatar una sola página buena en *A fable,* por ejemplo. Y los mejores libros de Onetti son perfectos: en *El astillero* casi duele tanta perfección, tanta perfecta belleza desolada. En los mejores libros de Faulkner, aun en los muy mejores, incluso en *Light in August* y *Absalom Absalom,* hay montones de páginas que son relleno, delirios gratuitos y mal escritos. Sólo en *The Old Man,* la travesía del recluso por el Mississippi enfurecido, Faulkner se muestra certero en cada expresión, en cada frase: allí, hasta la verborragia que lo inunda todo parece mesurada. Onetti, por su parte, tiene una novela corta, *Los adioses,* donde cada palabra es una especie de certera flecha envenenada.

Y ahora Onetti, fiel hasta la muerte, disculpa a su maestro: «A causa del alcohol, del entusiasmo, de convivir demasiado con los personajes, de no releer ni corregir nunca lo que escribía. A Faulkner le importaba un carajo todo lo demás.»

También me cuenta una espléndida anécdota que leyó hace muchos años. «No recuerdo dónde —dice—, aunque supongo alguna revista yanki. Por ejemplo, *Time.* Pónele que fuera *Time.*» Era una entrevista a Hemingway, otro admirado, y Onetti asegura que la respuesta de Hemingway a la pregunta de rigor —«¿Cuál es el mejor escritor entre sus contemporáneos?»— le dejó helado: «Faulkner.» Pero al parecer Hemingway puso sus condiciones: «Siempre y cuando yo pudiera vigilarlo. Hasta aquí llegaste, Billy Faulkner, *it's enough.* Sacarle la botella y mandarlo a dormir.» Eso me lo contó Onetti y quizá lo estaba inventando mientras me lo contaba, no lo sé. De todos modos me gustó; me parece ver la cara de Hemingway en su papel de *manager* (más o menos lo mismo que si estuviera en el rincón de Jack Dempsey o de Joe Louis), el lento ademán de paciencia: Hemingway se sentía tan superior al mundo entero. A Faulkner, en cambio, no pude volver a imaginarlo desde que Onetti me dijo —no sé para qué diablos me lo dijo— que apenas medía un metro sesenta y algo. No tengo nada contra los petisos, yo mismo no soy alto; pero estaba convencido de que Faulkner era gigantesco, desmesurado, como su prosa.

Va un dato al margen: Onetti mide cerca de uno noventa.

V

En algún lado y al pasar, Félix Grande escribió cariñosamente que yo era algo así como un experto en novelas policiales. Mi modestia me obliga a reconocer que Félix exageraba, pero advierto que la novela policial es un tema en el que siempre he estado bastante al día: es en lo único que puedo competir mano a mano con Onetti (en eso y en el alcohol, para terror insobornable de Dolly), y a veces, de paso, educarlo. Compartimos un fervor: Chandler. Otro: Hammett.

Onetti lee centenares de novelas policiales por mes, desde lo mejor hasta lo más barato. «Es lo que más leo —dice—, lo que más me gusta leer.» Además, se ensaña en repetirlo cuando sus oyentes son aduladores (que los hay) o intelectuales serios con el libro bajo el brazo o respetables señores solemnes.

Hay sólo dos libros que Onetti a nadie presta, por más que se le implore de rodillas. Uno tuve que robárselo para leerlo; se llama (creo) *El último caso del inspector Dover,* y es una graciosísima sátira policial que incursiona desenfadadamente en el humor a los tortazos y el canibalismo de los londinenses. El otro lo escribió un nazi francés retorcido: es el *Voyage au bout de la nuit.*

Aquí debo rectificar una confusa versión que el señor Luis Harss puso en boca de Onetti en el libro *Los nuestros.* Quiero creer en un descuido o en el olvido, pero exceso de bilis no me permite dejar de sospechar o en el temor o en algún compromiso de Raymond Chandler, como consta en el libro mencionado. Los lee y los disfruta,

no los envidia. Lo que dijo fue muy distinto. Dijo: «Hay escritores policiales, Hammett y Chandler, por ejemplo, que son capaces de
resolver una situación mejor que todos o casi todos los novelistas
latinoamericanos contemporáneos.» Eso dijo y él no se excluía, por
supuesto. Y continúa creyendo que lo que dijo entonces sigue siendo
válido hoy, aclarando: «sin desmedro para nadie. Hammett y Chandler son dos magníficos escritores».

VI

Onetti ha evolucionado (y tal vez a su pesar) del liberalismo batllista que dominó este siglo en el Uruguay hacia posiciones más radi-
cales, no sé si más o menos justas, pero, por lo menos, más de acuerdo con la época. Sigue siendo batllista y recuerda su amistad con Luis
Batlle, el último de los varios Batlle que llegó a la presidencia en el
Uruguay: «A Luis lo traicionaron —dice—; me acuerdo que cuando los árabes nacionalizaron el canal de Suez, Luis y yo nos abraza-
mos. Ahora, los que se dicen sus seguidores sólo esperan que los
yankis les tiren moneditas. Como a los monos del organito.»
Igual que casi todos los intelectuales uruguayos, Onetti es un
liberal frustrado. Pero al revés que los otros, él la frustración la lleva
adentro desde hace mucho tiempo. Basta leer sus primeras novelas
para comprobarlo: *El pozo, Tierra de nadie* y *Para esta noche* son
novelas políticas en más de un sentido. *Tierra de nadie* está plagada
de especulaciones y opiniones políticas. Después Onetti se desenten-
dió de ese tipo de literatura, pero le hicieron falta siete años enteros
para dar a conocer su siguiente novela: la impecable *Vida breve*.
«No creo en la literatura comprometida —dice—; por lo menos no creo en el compromiso político en la literatura, en la literatura
partidaria. Creo que el compromiso esencial del escritor es consigo
mismo. Si ese compromiso implica la política, mejor.» También supone que la literatura política prolifera porque da buenos dividendos:
«A la revolución la están vendiendo bien encuadernada —dice—, y
eso es lamentable.» Apoya a la revolución cubana, pero no la actitud
de Fidel Castro en el caso Padilla. «Fidel no tendría que haberse puesto a discutir con nadie —dice—, y menos por Padilla.» Está convencido que Padilla es un gran farsante y que su autocrítica famosa es
lo más contrarrevolucionario que escribió jamás, mucho más contra-
revolucionario que todos sus poemas. «Eso de que ahora se va a poner
a cantarla a la primavera suena demasiado a tomadura de pelo», dice.
Le gustó la posición de Noberto Fuentes cuando se negó a aceptar las
palabras de Padilla, que lo acusaba de traidor. «Ese muchacho no es

traidor de nada —dijo Onetti—. Y además ha escrito un montón de relatos espléndidos.» Esa misma noche me prestó *Condenados de Condado* para que yo lo leyera y aprendiera.

VII

Yo nunca había oído hablar de Bruno Traven hasta que Onetti me lo presentó. Una noche me puso entre las manos un viejo libro rotoso, sin tapas, y me dijo: «Para que lo leas.» Lo leí; se llamaba *Puente en la selva,* y desde entonces comparto el entusiasmo de Onetti por Traven. Al poco tiempo descubrí que entre Traven y yo ya existía un viejo vínculo, una película, *El tesoro de Sierra Madre,* basada en una de sus novelas. La dirigió John Houston y actuaban Walter Houston y Humphrey Bogart (me acuerdo de la cara de Bogart cuando se está refrescando en un charco mugriento y ve detrás, en el reflejo del charco, a los tres bandidos mejicanos que poco después van a matarlo): la película la he visto once veces por lo menos, y Onetti también la ha visto. Según la opinión de Onetti, todas las novelas de Traven dan para hacer grandes películas, siempre que se encuentren a grandes directores (y Houston, para Onetti, es un monstruo, el director de *El halcón maltés*: «la mejor película policial de todos los tiempos», dice). Y hablando de Traven, Onetti aprovechó para contarme otra anécdota:

Se refiere a la vez que Onetti viajó a México, de nuevo a un Congreso de escritores. Entre los invitados había una periodista cuyo nombre Onetti y yo preferimos omitir. Una tarde, esa señora llegó con retraso al autobús que ya partía: el chófer estaba aguardando sólo por ella. La señora subió y se disculpó por su demora: «Lo que pasó fue que estuve con un escritor. Un tipo que se hace el loco.» Se sentó delante de Onetti y el autobús tenía asientos reclinables. Onetti, curioso, tal vez intuyendo, le preguntó cómo se llamaba el escritor. «Es un alemán —le dijo la mujer—, por lo menos pronunciaba como un alemán.» Después se rió con tanta ignorancia, que habría sido maravillosa en otro momento: «Me hizo jurar que yo nunca le iba a decir a nadie que había visto a Bruno Traven. Se llamaba Bruno Traven el tipo.»

«Si algo había en México que yo deseaba ver, más que todas las reliquias aztecas —dice Onetti—, eso era la cara de Bruno Traven. Y esta pobre señora la vio y ni siquiera se dio cuenta que la estaba mirando.»

Muy poco tiempo después, Bruno Traven se murió.

También en México, un grupo de muchachos despiertos invitó a Onetti a recorrer juntos la ruta del Cónsul en «Bajo el volcán», la ruta a la muerte y el infierno. «Ibamos a cien kilómetros en un autito poco estable —cuenta Onetti— y entre desfiladeros y precipicios de tres mil metros. La bestia que manejaba, para darle más clima al asunto, llevaba la botella de mezcal apretada entre las piernas, y a cada rato un trago. Yo no me animé a tomar mucho. Tenía la ilusión de que si por lo menos uno de nosotros se mantenía sobrio, podríamos evitar la caída a uno de los barrancos.» De esta forma recorrieron el infierno de Lowry, hasta la taberna donde matan al Cónsul. «Eso lo hice por Lowry —dice Onetti—, eso y leerlo.» Se emborrachaba de sólo leer *Bajo el volcán:* «Estaba tomando agua mineral —dice—. Y de todos modos me sentía borracho.» La solidaridad de nuevo.

Onetti sabe meterse en el mundo de lo que lee (los grandes escritores necesitan a esos pocos lúcidos lectores que son bastante más que un cómplice o un compañero ocasional: Onetti es un gran escritor y, por supuesto, un gran lector); también con Proust. «Yo levantaba la vista del libro y me sentía extrañado al ver que ya no estaban allí ni el Barón de Charlus, ni Swann, ni la Duquesa de Guermantes. Es bastante horrible volver al mundo de todos los días después de haber estado leyendo a Proust. Y es imposible escribir: te sentís un inútil, o empezás a plagiarlo hasta que tenés que golpearte la mano para que no siga proustificando sola.»

VIII

A propósito de esta nota, hay una carta de Onetti. Yo le había pedido una opinión sobre sus propios libros y había entendido (mal entendido, claro) que él me había contestado afirmativamente. Después me escribió la carta, que la copio sin cambiarle ni un punto ni una coma:

Querido Alvaro:

Con los vetos que sólo buscan que digas verdades que no exageren o deformen insinuaciones que ya estaban claras para cualquier lector que pueda triunfar en un test de I. Q. (para retardados), va mi Vo.Bo.

Publicá la horrible semblanza y cobrá todos los dólares posibles.

Claro que yo no soy, ni me creo, ni me supongo así. Esto parece irremediable. Muchos años antes del magnífico fracaso y trampa de «El ser y la nada», donde se explica la diferencia del ser para sí, del ser para otro y se escabulle la respuesta del ser en sí, antes que Sartre, el viejito Pirandello había planteado el problema con palabras claras de todos los días. Antes también que Heidegger. Y tal vez Pirandello no supiera traducir del alemán.

Reitero la ingenuidad de mi no reconocimiento. Estoy seguro que mi ser en sí no es el ser para otros, el que vio Alvaro Castillo. Pero esto, repito, es irremediable.

En cuanto a dar opiniones sobre mis libros, estoy seguro que se trata de un erro de buena fe.

Nunca pude prometerte ese imposible, esa tontería. Es cierto que a veces hojeo un par de páginas escritas hace años por un tocayo ya fantasma. Y el resultado es siempre deprimente: o pienso que podría haberlas escrito mucho mejor o pienso que son tan buenas que nunca volveré a escribir algo comparable.

Pero olvido el asco normal por el pasado y sigo escribiendo. Confío en el diablo y la Santísima María y menefrego en el realismo socialista y los compromisos literarios.

Cualquier animal abundante tendría que sospechar, en un posible momento de lucidez, que el arte sólo puede moverse por imposiciones artísticas.

Onetti.

IX

Hay una pared del apartamento de Onetti que ya es merecidamente famosa: la de las fotografías. Es inevitable; nadie que visite a Onetti puede dejar de verla. Además, hay rostros que atrapan a todas las miradas: Faulkner, Neruda, Thomas Wolfe, Proust, Carroll Baker vestida o desvestida de Baby Doll.

Ojo: es una trampa. También hay artículos sobre Onetti, clavados en modestas tachuelas, algunos ya amarilleando. Porque él tiene la costumbre (la franqueza) de clavar en tachuelas a sus muertos entrañables y a los vivos queridos o admirados o amigos: Charlie Parker, Scott Fitzgerald, Sartre, Cortázar, Cendrars, Benedetti, Eduardo Galeano, Rulfo, él mismo.

Hoy es al irme cuando me pongo a mirar la pared; la cara de Onetti se ríe en la pared: una de las pocas risas de su vida, y justo un fotógrafo avispado pudo encajarla para siempre en doce centímetros por nueve de blanco y negro. Toco la foto de Proust, *dandy* con los pulgares clavados en las sisas del chaleco y más o menos le sonrío al dibujo de Hemingway devorado por las ratas, la botella a un lado (medio llena todavía) y las tripas al aire. Estoy contagiado por el ambiente, el virus onettiano *(onnettianis flagellatta)* te traspasa la piel sin remedio: pienso que no hay nada que valga la pena, ni siquiera Onetti, ni yo mismo. Y me encojo de hombros y me voy. En algún lado nos veremos.